T0655147

HET INTIEME SCRIPT

Egbert Aerts

Het intieme script

Uitgeverij C. de Vries-Brouwers
Antwerpen Rotterdam

CIP GEGEVENS KONINKLIJKE BIBLIOTHEEK, 's-GRAVENHAGE
C.I.P. KONINKLIJKE BIBLIOTHEEK ALBERT I

Aerts, Egbert

Het intieme script / Egbert Aerts. –
Antwerpen ; Rotterdam : de Vries-Brouwers.
ISBN 978-90-5341-964-9
NUR : 301
Trefw.: literaire roman

ISBN 978-90-5927-058-9
D/2010/0189/38

Es glaubt der Mensch sein Leben zu leiten,
sich selbst zu führen, und sein Innerstes wird
unwiderstehlich nach seinem Schicksale gezogen.

Goethe

1

Ik ben toch maar (!) naar de opera. Met Oswald. Ada

Franz legde het blaadje papier met de bondige mededeling terug op de salontafel en ging zitten. Het was vrijdagavond. Net de avond dat hij met zijn vrouw de opvoering van Mozarts *Don Giovanni* had moeten bijwonen in de Brusselse Muntschouwburg. Franz staarde nadenkend voor zich uit en onderdrukte een gevoel van onbehagen. Hij had Ada beloofd dat hij op het afgesproken uur (vijf uur was dat) thuis zou zijn om voor ze vertrokken nog samen rustig te kunnen eten. Maar die belofte had hij verbroken. Heel bewust. Bovendien had hij gelogen toen hij haar via de gsm verwittigde dat hij jammer genoeg onmogelijk op tijd thuis kon zijn. Ja, hij was schromelijk in gebreke gebleven! 'Sorry, Ada,' mompelde hij. 'Ik kon niet anders. Het heeft allemaal te maken met mijn werk... Je weet dat ik het ontzettend druk heb!' Dat laatste was inderdaad de waarheid.

Behalve boekhandelaar was Franz sinds een paar jaar ook uitgever van literaire werken. Twee boeken zouden binnenkort bij Omega – zo heette zijn uitgeverij – verschijnen. Het waren vrij boeiende, vlot geschreven reisverhalen van jonge debutanten. Dé verrassing echter kwam een week geleden. Franz had een script zonder titel ontvangen. De auteur was dit keer een vrouw. In haar begeleidende briefje stond: Als u het verhaal wil uitgeven, wil u dan zo vriendelijk zijn er een titel voor te bedenken; tot nu toe heb ik nog geen gepaste gevonden... Haar eerder korte, indringend en subtiel geschreven roman was een verhaal van een ontluikende liefde. Twee jonge mensen, Hella en Hugo, voelen zich tot elkaar aangetrokken, maar Hugo kan een intieme relatie niet aan – en Hella moet hem zijn eigen weg laten gaan zonder te begrijpen wat hem ertoe drijft hun relatie stop te zetten. Franz, die het script in één ruk had uitgelezen, bleef zitten met de ongewone indruk dat het een geheim verborg. Een tweede lectuur versterkte die indruk. Hij wilde zo vlug mogelijk de schrijfster zien en besloot haar op te bellen. Ze had het uiteraard erg aardig gevonden dat hij haar uitnodigde voor een gesprek op zijn bureau. Maar de dag voor ze elkaar zouden ontmoeten liet ze weten dat ze spijtig genoeg niet tot bij hem kon komen vanwege een verzwikte enkel; wel was ze bereid hem bij zich thuis te ontvangen. 'Ook goed,' had hij gezegd. 'Als het u past, ben ik morgen omstreeks twee uur bij u in Leuven.' Aan haar stem te horen moest ze een jonge vrouw zijn die wist wat ze wilde.

Het werd later dan halfvier. Een zwaar ongeval op de snelweg had het verkeer lamgelegd en Franz besefte dat hij de opvoering van Don Giovanni zou missen, tenzij hij de snelweg verliet langs de eerstvolgende afrit en naar huis terugkeerde. 'Nee,' zei hij bij zichzelf, 'die schrijfster wacht op mij.' Hij nam zijn gsm en verwittigde haar dat hij in een verkeersopstopping zat. 'Dank dat u me opbelt,' zei ze. 'Zo hoef ik me niet ongerust te maken.'

'Ik hou me aan afspraken,' verzekerde hij haar. 'Tot straks.' Terwijl hij stapvoets verder reed, gingen zijn gedachten uit naar het verhaal. Hij vroeg zich af waarom de schrijfster er in haar briefje op had aangedrongen dat *hij* de titel zou bedenken. Waarschijnlijk – zo veronderstelde hij – was het haar bedoeling hem te betrekken in god-weet-welke intrige, gewoon om een spelletje te spelen... Zijn ontmoeting met de schrijfster bracht zekerheid. Ze speelde geen spel. Ze wilde hem met een opdracht, het vinden van de gepaste titel, duidelijk maken dat haar verhaal ook hem persoonlijk aanbelangde, niet zozeer als uitgever dan wel als een bijzondere lezer. Het gaf hem een kick dat er hem iets onvoorspelbaars te wachten stond; het zou hem natuurlijk hebben teleurgesteld als hij van haar had moeten wegrijden zonder het vooruitzicht op een of ander avontuur. Tijdens zijn terugrit begon Franz warempel al te dromen van een nauwe samenwerking met de mysterieuze schrijfster. Ja, hij was er nu echt zeker van dat het raadselachtige verhaal veel meer was dan literatuur. En ze hadden een gesprek gevoerd dat veel verder reikte dan zakelijke afspraken. Die waren er trouwens nog niet gemaakt! Zodra hij weer thuis was, kon hij – terwijl zijn vrouw en zoon in De Munt zaten – rustig nadenken over hun gesprek en de vragen die het opriep. 'O, Don Giovanni,' fluisterde hij toen hij zijn doodstille huis binnenging en het licht aanstak. 'Mijn reddende engel... Ze zullen me niet missen nu ze naar jou kunnen luisteren...'

Franz las nog eens het bericht dat zijn vrouw had achtergelaten. Het leek op een waarschuwing. 'Toch maar,' schreef ze, waarachter een uitroepteken! Opnieuw voelde hij zich onbehaaglijk. Hij had, toen hij Ada opbelde voor hij uit Leuven wegreed, niet gezegd bij wie hij op bezoek was geweest. Nee, de waarheid had hij haar niet kunnen vertellen, wel het verzinsel dat hij bij de drukker in Antwerpen zat om nog enkele 'dringende zaken' te regelen in verband met Omega. Het had hem een heel geloofwaardige uitleg voor zijn te laat komen geleken. Nooit eerder in zijn huwelijk had hij overigens gebruik gemaakt van een leugen. Het was een leugen die moest worden uitgesproken om redenen waarover hij met niemand kon spreken. Ze lagen te diep in zijn binnenste verborgen als nog duistere verwachtingen die zijn hart sneller deden slaan.

Hij keek op zijn horloge; het was bijna zeven uur. Om halfacht begon de opvoering. Uiteraard zou hij die graag hebben bijgewoond. De kaartjes voor zijn lievelingsopera had hij twee maanden geleden gekocht en aan Ada gegeven, die nooit iets verloren legde. Nu ging Oswald in zijn plaats, zijn zoon, die nota bene niet van opera hield. Franz haalde zijn gsm uit zijn zak. Hij stond op het punt het nummer van Oswald te drukken, toen plots het signaal ging. Het was Ada.

'Franz... Ben je thuis?'

'Ja. Net.'

'Je was zo kort daarstraks, ik kreeg nauwelijks de kans om iets te zeggen.'

'Het spijt me, Ada. Die drukker heeft me aan het lijntje gehouden. Ik kon echt niet vroeger weg. En op de Antwerpse ring was het weer aanschuiven.'

'Ik begrijp het maar je wist toch een hele tijd vooraf dat we vanavond...'

'Denk in godsnaam niet dat ik het niet jammer vind!'

'Ik verdenk je van niets. Maar voor Omega moet alles wijken.'

'Alles?'

'In ieder geval jouw Don Giovanni.'

'Dat zal niet meer gebeuren. Ik ben blij dat je nu met Oswald kan gaan. Het zou erg zijn als hij zijn moeder in de steek liet.'

'Dan was ik gewoon thuis gebleven.'

'Ach kom...'

'Dáár is nog een plaats vrij, Oswald'

'Je bent al in de parking.'

'Ik ben graag op tijd, Franz.'

'Natuurlijk. Was ik maar op tijd geweest!'

'Trek het je niet aan. Je krijgt nog wel de gelegenheid om het goed te maken.'

'Dank je. Geniet van Mozart.'

'Ja...(ze lachte) en jij van je pizza!'

Opgelucht legde Franz zijn gsm op het salontafeltje. Nu wist Ada tenminste dat hij veilig en wel thuis zat. Ze hoefde niet meer aan hem te denken. De grote verleider mocht haar straks helemaal inpalmen. Ze mocht voelen hoe heerlijk het is verleid te worden, en dan nog wel op de tonen van Mozarts geniale muziek! Een spottend, ietwat gedwongen lachje ontsnapte hem. Nee, hij zou het haar absoluut niet kwalijk nemen, wanneer ze hem in gedachten ontrouw werd. Maar wat als ze de gedachtegrens overschreed? Wat als ze hem in alle ernst zou zeggen: 'Wie trouw blijft aan één, is wreed tegenover de anderen'? Opnieuw lachte Franz. Hij kon zich onmogelijk voorstellen dat zij zo'n woorden over de lippen zou krijgen. Ze hadden elkaar nooit bedrogen. Die trouw had hem geen moeite gekost, en haar ook niet, meende hij. Ze hadden zelfs nooit echt ruzie gemaakt, hooguit gekibbeld. Ja, waarover zouden ze ruzie hebben moeten maken? Ze respecteerden elkaars gevoeligheden, kusten elkaar twee keer per dag: 's morgens voor ze naar hun werk vertrokken en 's avonds in bed vooraleer de ogen te sluiten. Elke zaterdag bedreven ze de liefde en tijdens hun vakanties ook nog op een andere dag. O ja, er was nog hartstocht in het spel, maar die leek zo overbekend, zo obligaat… door de regelmaat waaraan hun lichamen gewoon waren geraakt. En hij had nooit de behoefte gevoeld die regelmaat te verbreken. Was niet alles tussen hen vanzelfsprekend geworden, herleid tot een haast nuchtere verstandhouding? Niettemin hadden ze het goed! Ze hadden er hard voor gewerkt om het goed te hebben. En ze waren altijd toegewijde, liefdevolle ouders geweest… er steeds om bekommerd Oswald een degelijke opvoeding te geven. Misschien hield ze zelfs nog meer van hun zoon dan van hem, de vader. Het was hem immers al zo dikwijls opgevallen hoe bezorgd ze zich tegenover Oswald gedroeg, hoe beschermend. Maar kom, waarom zou ze haar moederliefde niet mogen tonen op haar manier? Hij van zijn kant liet toch ook blijken hoe vreselijk trots hij was op zijn intelligente zoon?

Franz liep naar de keuken, schoof zijn pizza in de oven en ontkurkte de fles wijn die zoals elke vrijdagavond klaar stond op het aanrecht. Hij schonk zich een glas uit en ging aan tafel zitten. Enkele ogenblikken dacht hij aan niets. Dan drong het eensklaps tot hem door dat er vandaag dankzij uitgeverij Omega zo'n grondige verandering in zijn leven was gekomen dat hij nooit meer kon zijn als voorheen. Hij wilde het ook niet zijn. Had hij zich niet lang genoeg moeten bezighouden met verkoopcijfers, commerciële boeken, investeringen... tot hij over voldoende kapitaal beschikte om met iets nieuws te beginnen en een lang gekoesterde droom te verwezenlijken?

'Je hebt dan 'toch' de stap kunnen zetten,' had Ada gezegd. 'Na zoveel jaren geduld oefenen. Ik hoop dat de onderneming een succes wordt!' Hij twijfelde er echter aan of ze zich wel realiseerde wat die stap voor hem betekende. Ze hield niet van literatuur, stond er zelfs wantrouwig tegenover. Maar ze legde hem – omwille van de goede verstandhouding? – geen strobreed in de weg. De herinnering aan haar reactie stemde Franz wrevelig: een pedagoge die de literatuur niet au sérieux neemt, en 'toch' getrouwd is met een man die omzeggens zijn hart eraan heeft verpand. Hij vroeg zich af of ze niet uit pure nieuwsgierigheid de boeken zou gaan lezen die hij uitgaf – al was het maar om te ontdekken waarom hij ze uitgaf. Zijn wrevel nam toe. Het hinderde hem vreselijk dat ze zich heimelijk een mening zou kunnen vormen over zijn smaak, interesses, verborgen verlangens... Tal van veronderstellingen dwarrelden door zijn hoofd en brachten hem in verwarring. Hij nam een slok wijn, stond op en haalde de pizza uit de oven.

Terwijl hij at, merkte Franz op dat alles hier ontzettend proper was: brandschoon, nog altijd in maagdelijke, ongerepte staat, van de vloer kon zelfs worden gegeten. Meedogenloos verspreidde het scherpe, elektrische licht zich tot in de kleinste hoeken van de keuken en onthulde een pijnlijke netheid. Gelijk moest hij denken dat ook de overige vertrekken van hun gerieflijke villa er kraaknet uitzagen. 'Waar gewerkt wordt en geleefd, moet het klaar zijn,' hoorde hij Ada weer zeggen, 'én moet er orde heersen.' Dus vond ze het nodig om de veertien dagen tezamen met haar werkvrouw een extra schoonmaak te houden, terwijl hij op zijn bureau was.

Al die zindelijkheid wekte in Franz een kille afkeer op, en meteen ook het verlangen naar donkerte, schemerige labyrinten, kamers vol sporen van ongeremd, hartstochtelijk leven... Het verlangen om een tijd onder te duiken in slordige, totaal vervuilde ateliers van bezeten schilders als Bacon. Nooit eerder had een verlangen zo hevig en intens van hem bezit genomen. Zijn blik gleed over het smetteloos witte tafelblad en het verblindend witte vlak van het aanrecht; vervolgens langs de hagelwitte deuren van de kasten naar de witgeschilderde bakstenen muur tegenover hem. Al dat harde, vlekkeloze wit had Ada zélf gewild. En in het midden van de muur hing een kleurenfoto van Oswald te paard. Dertien was hij toen. Ze waren met hun drieën met vakantie in de Schotse hooglanden. Toen de jongen te weten kwam dat je in de streek waar ze een cottage huurden, kon leren paardrijden, wilde hij het ook proberen. Ada had de foto genomen net voor hij zijn eerste lange rit zou maken. Ze was erg bezorgd geweest, doch de begeleider had haar verzekerd dat Oswald na twee lessen al vast in het zadel zat. Een poos staarde Franz naar zijn zoon. Hij zag een wat tengere, sportief geklede jongen met een zwarte cap die zijn bleke, magere gezicht verscherpt: zelfverzekerd en fier voor zich uitkijkend, houdt hij de teugels losjes in zijn handen, kaarsrecht zit hij – wachtend op het grote avontuur... en hij hoorde zijn anders zo stille, in zichzelf gekeerde zoon plots overmoedig zeggen: 'Ik draaf door de heuvels tot ik de horizon heb bereikt!' Acht jaar geleden was dat. Hij probeerde de donkere ogen van de jeugdige paardrijder te peilen: ach, de onschuldige blik van een jongen die man wil zijn, en als een volleerd ruiter de verste verten wil verkennen... welke dromen koestert hij nu? Hij is laatstejaarsstudent geschiedenis en verdiept zich in de oudheid en de middeleeuwen.

Franz sloeg de ogen neer en at haastig de rest van zijn pizza op. Vervolgens vulde hij opnieuw zijn glas met wijn en dronk het in één teug uit. Er schoot nog een halve fles over, meer dan genoeg voor de rest van de avond. Nee, nam hij zich voor, ik zal Ada niet de gelegenheid geven om te zeggen 'in vino veritas, lieveling...', ik zal niet zo loslippig worden dat ik haar alles opbiecht, ik moet alert blijven!

Andermaal keek hij naar de foto van Oswald. Rijd weer door het eindeloos golvende hoogland, jongen... je dromen tegemoet. Je hoeft ze me niet te vertellen nu. Wacht ermee tot je ze hebt verwezenlijkt, tot ik met eigen ogen kan zien waartoe je in staat bent.

Hij ruimde de tafel af. Plots verstrakte zijn gezicht. Verwachtte Ada werkelijk dat hij een kraaknette keuken achterliet? Dat alles op zijn plaats stond? Hij had zin om de orde te verstoren, jarenlange gewoonten te doorbreken, een kras te trekken door het tafelblad, in de modderige tuin te lopen en met vuile schoenen binnen te komen. En dan zou hij haar gezicht willen zien, haar stem horen... Zijn blik viel op de messen die in een houten blok staken dat op het aanrecht stond. Hij nam er een uit. Punt en snede waren vlijmscherp. Een klein krasje maar, om te beginnen... flitste het door zijn hoofd. Het leek wel of zich nu eindelijk de kans voordeed om wraak te nemen op alles wat hem gedwongen had – zonder dat hij zich daarvan echt bewust was geweest – een geregeld leven te leiden, een leven op maat dat hij niet eens had kunnen kiezen. Hij begreep niet wat hem bezielde; wel besefte hij hoe onredelijk hij was. Werktuigelijk drukte Franz de punt van het mes in het tafelblad. Toen hij het terugtrok, werd een onbeduidend, zwart krasje zichtbaar... Bijna ontgoocheld staarde hij ernaar. Dan haalde hij diep adem. Goeie God, waarmee hield hij zich bezig? Was hij niet als een nukkig, verongelijkt kind dat er heimelijk genoegen in schept dingen te beschadigen waaraan anderen belang hechten? In zijn jeugd had hij altijd graag een mes op zak gehad. Hij kerfde de voornamen van de meisjes op wie hij verliefd was geworden, in een boomstam en wierp er vervolgens zijn mes naar. Hij oefende net zolang tot het mes trillend bleef steken in een van de namen; en dát meisje werd dan zijn uitverkorene. Franz haalde weer diep adem alsof hij zich innerlijk voorbereidde op een meesterworp. 'Ingrid,' zei hij zacht. Zijn hand beefde. Hij stak het mes terug in het houten blok, dronk toch nog een glas wijn en ging zitten in de salon.

'Ingrid,' zei Franz opnieuw. Dit keer bijna smekend. Hij luisterde gespannen alsof hij verwachtte dat ze elk ogenblik kon verschijnen. En dan kwam ze voor zijn geest zoals ze tegenover hem had gezeten vlakbij het venster met uitzicht op het stadspark: een energieke, jonge vrouw die inderdaad weet wat ze wil en niet bereid is af te stappen van wat ze zich heeft voorgenomen. Ze bleek het bovendien vanzelfsprekend te vinden dat hij 'meer dan belangstelling' toonde voor haar script. De vraag waarom ze niet naar een grote, bekende uitgeverij was gegaan, brandde op zijn lippen, maar hij sprak ze niet uit omdat schroom hem weerhield te polsen naar de ware reden van haar beslissing om juist bij hem uit te geven.

Het bezoek had ongeveer anderhalf uur geduurd, zonder dode momenten. Al vanaf het ogenblik dat hij haar zag, had Ingrid hem het gevoel gegeven te weten bij wie ze terechtkwam met haar verhaal, niettemin bleef ze de hele tijd een zekere afstand bewaren. En naarmate het gesprek vorderde, kreeg hij zelfs meer en meer de indruk dat ze slechts enkele woorden hoefde te laten vallen, waarmee de afstand had kunnen worden overbrugd. Maar ze vielen niet.

Franz vernam dat ze psychologie had gestudeerd en sinds een vijftal maanden werkte als secretaresse in een buitenlandse firma. Ze was blij dat ze zo vlug werk had gevonden; intussen zocht ze verder naar een job voor een psychologe. Toen ze van gedachten wisselden over literatuur en kunst, verheugde hij zich erover dat ze een bewonderaarster was van Dostojewski. 'Als je wil weten waartoe een mens in staat is, dan moet je hem lezen,' beweerde ze. Ten slotte bracht hij het gesprek op haar boek. Een tijdlang probeerde hij haar te overtuigen dat ze zelf een titel moest zoeken. Doch ze bleef hardnekkig volhouden dat ze zijn hulp nodig had.

'O, u zult wel de geschikte titel vinden,' zei ze. 'Ik heb het volste vertrouwen in u; het zou een mooie samenwerking zijn.'

'Wat bedoelt u?' vroeg hij. 'U bent immers de auteur! Een titel maakt deel uit van het boek, zegt er iets over... Daar gaat u toch mee akkoord? U moet het kind een naam geven.'

'Maar is het niet een beetje ook uw kind geworden?'

'U overdrijft.'

'Toch niet!'

'Ik zal erover nadenken, en u zo vlug mogelijk iets laten weten.'

Mijn kind, herhaalde Franz bij zichzelf, een naam... een geschikte titel? Misschien, dacht hij, heeft ze toch hulp nodig. En hij besloot: Goed, ik zal haar helpen, het boek is inderdaad ook mijn kind geworden, ze heeft gelijk.

Nog herinnerde hij zich ook levendig de zachte, trage bedachtzaamheid in haar stem, de mysterieuze stilte achter haar woorden. Franz kon zich niet van de indruk ontdoen dat ze hem in haar verhaal wilde betrekken. Al die raadselachtigheid gaf hem uiteindelijk een opwindend gevoel. Een jonge talentvolle schrijfster rekende op zijn hulp, was van hem afhankelijk en schaamde zich niet om het toe te geven. Nee, ze zou niet naar een andere uitgeverij overstappen. Er was iets in hem dat hem met haar verbond. Iets waardoor ze elkaar moesten ontmoeten. Doch wat was het? Wellicht lag het antwoord verborgen tussen de regels van het verhaal.

Steeds grotere flarden uit hun gesprek schoten Franz te binnen. Hij sloot de ogen. En geleidelijk kwam er een ordening tot stand, een verloop van woord en wederwoord, zoals het – naar hij meende – werkelijk had plaatsgevonden.

...

'En wat denkt u van de laatste bladzijden?' vroeg ze. 'Ik heb ze deze morgen herlezen en – ik weet het niet. Het slot bevredigt me niet helemaal. Wekt Hella niet te zeer de indruk dat ze Hugo aan zijn lot wil overlaten? Zou het niet beter zijn die passage te herschrijven?'

'Nee,' zei hij kordaat. 'Doe dat niet. Die bladzijden zijn gewoon schitterend. Onvergetelijk. Hella wil Hugo eenvoudigweg de keuze laten. Zo heb ik het aangevoeld. Maar hij kan niet kiezen. Hij zegt dat hij is voorbestemd om alleen door het leven te trekken. Dan ziet Hella plots in dat hij niet vrij is, en van haar weggaat om haar niet ongelukkig te maken. Ze ziet in dat hij bang is: voor haar, voor zichzelf, van de toekomst… en ten slotte ook van de liefde zelf!'

'Ik heb geschreven: Je hoeft nergens bang voor te zijn, Hugo… Een nogal vrij zwakke reactie waarmee haar vriend weinig geholpen is, vindt u ook niet? Meer heeft ze niet gezegd. Wel dacht ze: Hoe kan ik houden van iemand die bang is om lief te hebben.

Misschien had ik beter geschreven dat Hella zich krampachtig vastklampte aan de idee dat ze van Hugo moet blijven houden om hem te redden.'

'Je mag niet van mij houden, Hella,' onderbrak hij haar. 'Zeg dat je niet van mij houdt; ik wil kunnen afscheid nemen, kunnen weggaan! Waren dat niet zijn laatste woorden, Ingrid? U hoeft ze niet te veranderen.'

'Zo staat het er inderdaad.'

'Maar Hella zwijgt,' vervolgde hij. 'Er schuilt iets van wanhoop in de blik van Hugo. Hij raakt even haar hand aan alsof hij ze wil vastgrijpen. Plots draait hij zich met een ruk om, laat Hella alleen achter op de brug en loopt langzaam verder langs de rivier. Wanneer hij een straat inslaat, kijkt Hella in het donkere, roerloze water. Nu ben je verdwenen, fluistert ze, maar zal je ooit gelukkig zijn? Zal je me echt kunnen vergeten?'

'Misschien had Hella hem moeten volgen,' merkte Ingrid op.

'Dat hoefde niet,' zei hij.

'Ik wil u geloven…'

Een zeldzame ontroering welde in Franz op. Ze was er ook geweest toen hij tegenover haar zat en uit haar verhaal citeerde. Hardop zei hij: 'Ik had je hand willen vasthouden, Ingrid – bij jou willen blijven tot je alles had verteld over Hugo, over je volgende verhaal… tot er geen afstand meer zou zijn tussen ons!' Zijn stem vol ongewoon verlangen bracht hem even aan het schrikken. Ze maakte hem bewust van de stilte in huis, van de leegte. Nog steeds hield hij de ogen gesloten. Alsof hij wilde namijmeren over een voorbije droom. Scherpomlijnd verscheen weer voor zijn geest het ernstige gezicht van de schrijfster, maar hij kon er niet op lezen wat ze dacht of voelde. Hij vroeg zich af of het haar was opgevallen hoe moeilijk hij het had om zijn ontroering te verbergen, dáár in de intieme wereld van haar kleine, gezellige appartement met de goedkope tweedehandsmeubels. Natuurlijk was Hella niemand minder dan Ingrid. Misschien vermoedde Ingrid wel dat hij tot zo'n besluit zou komen. Misschien verwachtte ze zelfs dat hij het haar zou zeggen, zodat de afstand tussen hen beiden werd overbrugd. Maar mocht hij laten blijken wat er in hem omging? Kon hij meer zijn dan een uitgever op zoek naar teksten? Franz vond geen antwoord. Was dát het zo lokkende avontuur: geen antwoord kunnen vinden, van iets zeker zijn en tegelijkertijd beslopen worden door onzekerheid? Het zonderlinge, ja prikkelende gevoel dat hij stellig veel meer was dan de onbekende man die haar boek zou uitgeven, nam toe. Ze had hem immers binnengeleid in haar leven, hèm uitgekozen om met haar verder te gaan... 'Zo ver je maar wil,' fluisterde Franz. 'Ik volg je wel. Is het werkelijk dát wat je van mij verlangt?'

Een tijdje speelde hij met de gedachte dat ze heel intiem met elkaar konden worden, dat er tussen hen een diepe vriendschap zou groeien... Mogelijk lukte het hem haar te doen vergeten wat ze had meegemaakt. Zacht zou hij met haar zijn, als met een eigen dochter. Ja, zo zou hij van haar houden.

Had hij trouwens ook geen dochter gewild? 'Een meisje dat me mijn leven lang zal verwennen,' had hij eens lachend tegen Ada gezegd. Maar na de geboorte van Oswald mocht ze geen kinderen meer krijgen. Hij had er zich bij neergelegd. Het woord dochter was hem nooit meer over de lippen gekomen. Ook niet over die van Ada. Mettertijd geraakte hij ervan overtuigd dat ze in feite nooit naar een dochter had verlangd. Oswald was de vervulling van haar diepste wens: een zoon ter wereld brengen en voor hem kunnen zorgen, zo voor hem zorgen dat hij niet kon ontgoochelen. Vaak wekte ze de indruk tevreden te zijn dat slechts één kind, háár jongen, kon genieten van de weelde van haar moederschap. 'Maar ook ik hou ontzettend veel van jou, jongen,' zei Franz plots heel nadrukkelijk. 'Zeker zoveel als Hella van Hugo houdt!' Een geforceerd glimlachje verscheen op zijn gezicht. Hij opende de ogen. Vroeg zich plots af hoe Ada zou reageren wanneer ze de roman van Ingrid in de boekenwinkel zag liggen. Opnieuw doemde voor Franz het spookbeeld op van een oordeel, van een tergende nieuwsgierigheid. Hij zag haar in het boek bladeren, enkele passages lezen met gefronste wenkbrauwen en het dan terugleggen op zijn oorspronkelijke plaats. Terugleggen, om met dit gebaar duidelijk te maken dat zulke boeken niet thuishoorden in haar gedachtewereld, waarop misschien nog een opmerking zou volgen als: 'Ik hoop dat je er succes mee hebt!'

Franz keek om zich heen. Hij voelde hetzelfde redeloze verlangen opwellen als toen hij in de keuken zat: de drang om te beschadigen, dingen overhoop te halen, met de blote hand iets te vernietigen... Hij liet zijn blik glijden over het glazen blad van de salontafel waarop een zware, onyxen asbak stond die ze van een reis naar Athene hadden meegebracht. Alleen Ada gebruikte hem wanneer ze een van haar dure Engelse sigaretten rookte, terwijl ze naar de televisie keek. Hij merkte dat haar bericht er nog lag, perste het blaadje papier samen en gooide de prop in de open haard. Dan dwaalde zijn blik verder langs de boekenplank met zijn lievelingsromans, alsof hij er een wilde uitzoeken waarmee aan zijn onzinnige vernielingsdrang weerstand kon worden geboden. Maar welk boek zou hij hebben moeten openslaan? Andermaal wist Franz zich te beheersen. Hij stond op en stak in de eetruimte het licht aan. De mahoniehouten meubelen – het was altijd zijn hoop geweest ze vroeg of laat te kunnen vervangen door antiek meubilair – glommen hem toe. Ze glansden even smetteloos als op de dag dat ze naar binnen werden gedragen onder het waakzame oog van Ada. Elke vingerafdruk werd door haar onverbiddelijk uitgewist; voor Franz een reden om de meubels te haten. Maar omdat Ada ze graag zag, had hij zijn haatgevoelens steeds onderdrukt. Zo had hij ook nooit zijn afkeer getoond voor de Delftse vaas op de hoek van de buffetkast, een pronkstuk versierd met de obligate afbeeldingen van windmolentjes. De vaas was een geschenk van een tante; en Ada's moeder had met nadruk gezegd dat ze er mooi stond: dus wist hij meteen dat ze er moest blijven staan. Zoals ook het stilleven boven de kast niet op een andere plaats mocht hangen. Het was een pretentieloos werkje niets anders voorstellend dan een pot met natuurgetrouw geschilderde bloemen, maar waaraan Ada erg gehecht was omdat ze het van haar ouders had geërfd. Aan de muur tegenover het stilleven hing het schilderij *Schwarzwaldimpressionen.* Jaren geleden had hij het gekocht op een tentoonstelling in een opwelling van sympathie voor de kunstenares en – wat hij haar op vertrouwelijke toon tijdens de receptie zei – uit bewondering voor haar virtuoze werk met het subtiele lichtspel... Betere woorden had hij niet kunnen bedenken. De kunstenares, een oudere vrouw met een beminnelijke glimlach, was gevleid en blij dat haar werk hem beviel. Het coloriet had hem inderdaad aangetrokken, vooral het contrast tussen de helle en donkere tinten, en dan nog iets... iets dat hij toen niet onder woorden had kunnen brengen – en dat hij nu opnieuw wilde zien... onmiddellijk! Hij ging de spot aansteken die op het doek was gericht. Onbeweeglijk en met gespannen aandacht staarde Franz naar het schilderij. Hij had de vreemde gewaarwording zich op een hoogte te bevinden. Diep beneden hem – onbereikbaar ver – ontwaarde hij in het midden van het woud een geheimzinnige, door de zon gekoesterde open plek. Het leek alsof zich daar weldra een wonderlijk gebeuren zou afspelen. Een hevig heimwee maakte zich van hem meester. Hij wilde zich op weg begeven, de plek bereiken... maar moest ongewoon teleurgesteld vaststellen dat hij zich niet op eenzame hoogte bevond! Zo ver was hij nog niet geraakt... Er waren weer de meubels, de muren, en achteraan in de living het grote, donkere venster. Hij liep ernaartoe met kloppend hart om een glimp op te vangen van de tuin in de herfstavond. Toen zag hij zijn wazige spiegelbeeld, een schim die op hem scheen te wachten. Met een gedempte, van emotie doordrongen stem die hij nauwelijks als de zijne herkende, zei hij: 'Haal me hieruit. Ik heb lang genoeg binnen gezeten en een uitweg gezocht. Een andere ruimte wil ik, een andere orde – of geen! Ik kan naar het Zwarte Woud reizen en aan Ingrid voorstellen om mee te gaan. Ik betaal haar reis en hotelkosten. Ze zal er kunnen werken aan haar volgende boek. En we zullen lange wandelingen maken tot we de open plek hebben gevonden. Hier kan ik moeilijk blijven... In godsnaam, zeg iets. Zeg dat het mogelijk is!'

Franz legde een hand op het kille vensterglas en tuurde in de mistige avond. Nergens een lichtpunt. Alleen de vage omtrek van een boom en wat struiken in de nabijheid. Een poos overpeinsde hij heus de mogelijkheid om met Ingrid een reis te ondernemen. Waarom niet? besloot hij. Ik moet Ada ervan overtuigen dat het beter is in alle vriendschap elk een afzonderlijk leven te leiden , dat ik niet mag doorgaan met mijn leven op het hare af te stemmen. Ook zij mag er niet mee doorgaan. Het heeft toch geen zin nog langer samen te wonen als ik elke morgen opnieuw wakker moet worden met het beklemmende gevoel niet vrij te zijn. Stilletjes zei hij: 'Ik wil je niet bedriegen Ada, niet kwetsen... maar waar haal ik de moed vandaan om me van jou los te maken en je te zeggen dat ik mijn eigen weg moet gaan!' Plotseling geschrokken van zijn overpeinzingen en van wat hem zopas over de lippen was gekomen, trok hij zijn hand terug van het vensterglas en zette kordaat een paar stappen achteruit. Weer viel zijn blik op zijn spiegelbeeld. 'Ben jij het die me op zulke dwaze gedachten brengt?' vroeg hij. 'Ben jij een ander dan ik? Waarom laat je me niet met rust?' Franz slaakte een diepe zucht. Wat was het moeilijk aan zichzelf voorbij te kijken! Hij spande zich in om in de duisternis slechts de tuin te zien: de kleine tuin waar bij mooi weer Oswald zo graag zat te lezen – en Ada lag er 's zomers wel eens te zonnebaden. De laatste tijd kwam Oswald tot zijn verrassing vaker naar huis. 'Het is hier rustiger dan in Gent,' beweerde hij. 'Ik kan me hier gemakkelijker concentreren op mijn scriptie.' 'Ja, het is hier nog altijd een veilig toevluchtsoord,' had Ada gezegd. 'Veilig... natuurlijk!' had Oswald met een doodernstig gezicht beaamd. Net of hij zich in Gent helemaal niet veilig meer voelde! Zijn zoon was soms zo ondoorgrondelijk.

En daar voor het venster realiseerde Franz zich dat hij nooit een echt gesprek met zijn zoon had gevoerd, dat hij zich nooit had afgevraagd of de jongen zich niet te zeer terugtrok in zichzelf. O ja, hij had wel Oswalds belangstelling voor het verleden aangewakkerd en de boeken gekocht die hij graag las: mythen en sagen van alle volken en alle tijden, later kwamen er eenvoudig en boeiend geschreven werken bij over de geschiedenis van de westerse en oosterse beschaving... maar kon hij zeggen dat hij een vader was geweest die werkelijk aanvoelt wat er in het hart en gemoed van zijn kind omgaat? Hij keek weg van zijn al te opdringerige spiegelbeeld en mompelde: 'Ik zal hem beter leren kennen, wanneer ik zijn verhandeling lees, een studie over de idee van ridderschap in de graalromans.' Zijn gezicht versomberde. Het zat hem dwars dat er misschien toch redenen waren om zich over zijn zoon ongerust te maken. Nauwelijks verstaanbaar vroeg hij: 'Waarom heb je zo'n onderwerp gekozen, Oswald? Vanwaar die liefde voor wat onherroepelijk voorbij is? Is het dan toch zo dat je naar het verleden moet terugkeren om te weten wat je mist? Hoeveel zal er nog moeten verdwijnen om het te weten?'

Franz keerde het venster de rug toe en bleef nog een ogenblik staan voor het schilderij Schwarzwaldimpressionen. Vervolgens schakelde hij de spot uit. Een duizeling beving hem. Zijn handen zochten steun op de rugleuning van een stoel. 'Niet vallen,' hoorde hij zichzelf zeggen, 'je avontuur is net begonnen en de weg is nog lang!' God, wat spookte er toch door zijn hoofd? Hoe wist hij dat hij een lange weg te gaan had? Dat konden niet zijn woorden zijn, want hij wist niet eens over welke weg het ging. Iemand moest hem stiekem die woorden hebben ingeblazen, waarschijnlijk met de bedoeling zijn geest in verwarring te brengen. En die iemand kon niemand anders zijn dan de schim die hij in het grote venster had gezien: zijn spiegelbeeld waaraan hij smekend had gevraagd om hem uit deze ruimte te bevrijden. Zijn bloed begon sneller te stromen. Ja, hij wilde een andere ruimte! Een plek om tot rust te komen... Zijn handen lieten de rugleuning los. Een tiental seconden stond hij roerloos. Het leek of hij zich gereedhield om bij een mogelijke, nieuwe duizeling onmiddellijk weer steun te zoeken op de stoel. Dan liep hij schoorvoetend alsof hij de stappen ongaarne zette, naar de keuken. Hij ging aan tafel zitten. Schonk zich een glas wijn uit. Zijn blik viel op het minuscule krasje dat hij in het tafelblad had gemaakt met de punt van een mes. Je zag het bijna niet. Zou Ada het opmerken? Er kwam een grijns op zijn gezicht. Hij had het mes dreigend in zijn vuist gehouden, maar tenslotte niets gedaan! In welke gemoedstoestand zou hij dan moeten verkeren om het mes daadwerkelijk te gebruiken, om er echt mee te beschadigen, te vernietigen? Hij dronk zijn glas leeg, en de rest van de fles, terwijl hij een tijd de ogen gericht hield op de kleurenfoto van Oswald.

Toen hij opnieuw in de salon zat, was het bijna negen uur. De wijn had hem in een lichte roes gebracht, maar niet beneveld, want hij was nog goed in staat om zijn gedachten bij elkaar te houden, zijn gevoelens te beheersen. Hij kende zijn grenzen bij het drinken van zijn lievelingsdrank. Die had hij nooit overschreden. Andere ook niet... 'Lieve Ada,' zei hij in zichzelf, 'ik zal ervoor zorgen geen dwaasheden te begaan, niet zo vermetel te zijn als Don Giovanni... maar gun me mijn vrijheid, zoals ik jou de jouwe gun! Nu zit je stellig al in het tweede bedrijf, waar de grote verleider het simpele meisje Zerlina probeert te versieren. Hoe ontroerend mooi klikt het duet: Io cangiero tuo sorte... Ik zal je leven veranderen, Zerlina; die kleine villa daar is van mij, daar zal je me je hand geven: Lá ci darem la mano... Hou je ook van Mozart, Ingrid?

Laten we luisteren… ongestoord luisteren in alle stilte om onze verbeelding haar werk te laten doen.'

Franz zette de cd met Don Giovanni op en zocht het duet. Alleen dat wilde hij horen, niet de ontmaskering van het bedrog. De leugen was zo mooi dat ze waarheid werd, voor enkele ogenblikken een gelukzalige waarheid…

Toen de laatste woorden van het duet waren gezongen, zette hij de cd af en leverde zich over aan een bedwelmende droom. Een hand nam de zijne, trok hem zacht mee over een wankele brug naar de overkant van een trage, donkere rivier. De hand leidde hem een bos binnen en hij hoorde een stem – die van Ingrid – zeggen: 'Ik breng je naar de verborgen plek, heb vertrouwen, het is niet ver meer.'

'Wat is er te zien?' vroeg hij. Ze zweeg. De warmte van haar hand stroomde over in de zijne. 'Ben je er al dikwijls geweest?' drong hij aan.

Ze lachte. Fluisterde in zijn oor alsof ze hem een geheim meedeelde: 'Nog nooit!'

Hij proefde de zoete geur van haar adem. 'Hoe weet je dan dat er zo'n plek is?'

'Ben je bang om te verdwalen?' antwoordde ze.

Hij schudde het hoofd en drukte haar hand.

'Ik zal je niet loslaten,' zei ze, 'niet voor we er zijn.'

Hij wist niet hoe lang ze al onderweg waren. Hij kon zich ook niet herinneren vanwaar ze kwamen. Ze hadden een rivier overgestoken. Want ze gingen naar Anderland, waar alleen kon komen wie niet bang was om afscheid te nemen van de bekende wereld met de bekende mensen. 'Wil je vergeten wie je geweest bent?' had ze gevraagd.

Ja, dat wilde hij. En hij was haar gevolgd. Hoe verder ze het bos in trokken, hoe dieper hij doordrongen geraakte van de zekerheid dat ze weldra de wonderlijke plek zouden bereiken. Hij voelde dat ze er het echte geluk zouden vinden! Zo dicht waren ze het doel genaderd dat je het geluk al kon voelen…

Maar de droom loste zich op in een nieuwe, onweerstaanbare golf van prille herinneringen aan wat de schrijfster Ingrid hem had gezegd, andermaal de herinneringen waarin zich een geheim verborg. En opeens was er het woord. In haar verhaal had ze het enkele keren neergeschreven, doch zo terloops dat het niet meteen de aandacht trok. Het stond er reeds – schoot hem te binnen – vanaf de eerste stadswandeling van Hugo en Hella, het dook op tijdens latere ontmoetingen, en toen ze van elkaar afscheid namen, was het er opnieuw voor de laatste keer... als teken van hoop en verwachting. De band tussen hen beiden bleef. Onverbreekbaar, wat er ook mocht gebeuren. Zo is het, dacht hij een tikkeltje weemoedig gestemd: literatuur direct uit het leven gegrepen. Ze doet haar werk in alle stilte! Mijn droom lijkt wel de voortzetting van het verhaal van Hugo en Hella. Haar woord is mijn droom binnengeslopen en heeft er zich meester van gemaakt.

Franz veerde op. Ik bel haar, besliste hij. Ze moet weten dat ons verhaal een titel heeft gekregen.

'Het wordt *De Brug*, Ingrid.'

'De brug...,' herhaalde ze nadenkend.

'Vind je het goed?'

'Als jij het goedvindt, dan ja...'

'Het klinkt niet erg enthousiast.'

'Het is even wennen.'

'Die titel werd me ingegeven,' schertste hij.

'Wat bedoel je?'

'Hella en Hugo hebben me hem ingefluisterd. (Hij vond het plots prettig dat ze zo gemakkelijk een ongedwongen, vertrouwelijke toon konden aanslaan, alsof ze elkaar al geruime tijd kenden.) Dus kan je hem niet afwijzen!'

'Misschien zou nog iemand anders mijn verhaal kunnen lezen,' opperde ze, 'iemand die niet bij een uitgeverij werkt.'

'Nee – nee! Dat is helemaal niet nodig!'

'Mijn kind heeft dus vlugger dan ik dacht een naam gekregen.'

'Ik denk het.'

'Goed, ik wil je niet langer laten tobben over titels of namen!'

'Dank je. Wees gerust, ik heb me echt niet het hoofd zitten breken. Past het je dat ik volgende dinsdag langskom om met jou verder te praten over enkele meer zakelijke aangelegenheden?'

'Geen probleem. Ik verwacht je, Franz – om twee uur in de namiddag.'

Een doffe moeheid overmande hem. Hij strekte zich uit op de sofa en sluimerde in. Opeens ging zijn gsm: een melodietje uit *Carmen*. Het was Ada.

...

'We zijn op weg naar huis, schat.'

'Ja...'

'Ik heb je wakker gebeld, denk ik.'

'O, dat is niet erg. Waar ben je nu?'

'Niet ver van Ternat.'

'Bijna thuis,' zuchtte hij.

'Mis je ons?' vroeg ze plagend.

'Een beetje toch,' probeerde hij te gekscheren. 'Ik wacht op jullie.'

'Het is traag rijden. Er hangt een dichte mist.'

'Zeg tegen Oswald dat hij voorzichtig moet zijn.'

'Dat is hij. En ik kijk mee.'

'Uitstekend. Tot straks.'

Verstoord op zichzelf omdat hij het gesprek zo abrupt had afgebroken, nam Franz een weekblad, maar hij kon zich niet concentreren op zijn lectuur, al ging het daarin over het cultuurbeleid, een onderwerp dat hem steeds had geïnteresseerd. 'Waarom heb ik niet gevraagd of het een mooie avond is geweest?' verweet hij zichzelf. 'Die vraag zal ze verwacht hebben… Wat een blunder te doen alsof ze helemaal geen uitzonderlijke avond hebben beleefd: moeder en zoon voor het eerst tezamen naar mijn lievelingsopera! Nu moet ik die blunder goedmaken.'

'Je had me niet mogen opbellen, Ada!' riep hij plots uit. 'Je had me moeten laten verder slapen.' Hij lachte. 'De slaap der onschuldigen!'

2

Het was voor Franz een hele opluchting dat Ada en Oswald na hun thuiskomst onmiddellijk naar bed gingen. 'Een schitterende opvoering,' zei Ada, 'we hebben er echt van genoten, maar ik ben moe, ik ga slapen, morgen wil ik fit zijn om voor school te kunnen werken; jij zal ook wel nachtrust nodig hebben.' Hoe weet je dat? meende hij te vragen, maar hij bedacht zich en zei tegen Oswald dat het hem plezier deed dat hij zijn moeder had vergezeld en Don Giovanni een mooie opera had gevonden. 'Ik blijf nog wat lezen,' voegde hij eraan toe, alsof hij wilde bewijzen dat hij helemaal niet moe was. Ze wensten elkaar goedenacht. Franz kreeg het gevoel dat hij een overwinning had behaald en glimlachte. Nee, Ada had niet gemerkt dat er iets met hem aan de hand was. Hoe lang zou het duren eer ze het merkte? Misschien was het beter haar te zeggen dat zijn leven een wending had genomen... Maar zou ze het wel begrijpen? Hij nam zich voor de orde en regelmaat waaraan ze zo gehecht was te blijven respecteren, haar niet uit evenwicht te brengen. Hij besefte echter dat het moeilijk zou zijn niet de indruk te wekken dat er iemand in hem school die naar avontuur verlangde en er zelfs op uit was het evenwicht te verbreken.

Morgenavond was het hun maandelijkse etentje in het restaurant waar ze zo graag kwam omwille van de verfijnde keuken, de perfecte bediening, het stijlvolle interieur. De dag daarop zouden ze zijn vader bezoeken, die in een rusthuis leefde van zijn herinneringen en van Ada hield als van een eigen dochter. Ada, zei hij bij zichzelf, jij zult er altijd zijn... altijd een plaats hebben in mijn wereld, maar er is ook het boek, de literatuur die je wantrouwt! Niet lang na hen ging hij ook naar bed.

De zaterdag verliep traag en moeizaam. Het leek wel of de tijd vol verborgen hindernissen zat. Ada had zich teruggetrokken in haar kraaknette studeervertrek, Oswald in zijn kamer en Franz zat in de salon te lezen in een recent bekroonde roman, doch hij kon zijn aandacht niet bij de tekst houden. In de voormiddag was hij naar zijn boekhandel gereden; het liefst van al had hij ook de namiddag daar in zijn bureau doorgebracht, in zijn kleine domein waar hij het script van Ingrid had weggeborgen.

Een poos staarde hij in gedachten verzonken voor zich uit. Het boek gleed uit zijn handen. Hij liet het liggen. Hoe moest hij zijn middag verder doorbrengen? Een gevoel van leegte bekroop hem. Het was drie uur. Om halfzeven zou Ada zich gereed beginnen te maken om met hem naar het restaurant te rijden waar ze onbeduidende woorden wisselend tegenover elkaar zouden zitten als welstellende burgers, met tussen hen beiden in een brandende kaars. Maar wellicht, zo dacht hij, verloopt de avond anders wanneer Oswald er bij is. Ik kan het Ada voorstellen. Al bij al leek het hem geen slecht idee om juist vandaag – na zijn leugen en te laat komen van gisteren – er met hun drieën een gezellige avond van te maken. Hij raapte het boek op. 'Dat van Ingrid is stukken beter,' mompelde hij niet zonder voldoening en trots alsof hij haar verhaal zelf had geschreven. 'Men zal erover spreken... men zal willen weten wie de schrijfster is.'

Ada vond het een uitstekend voorstel. In een opwelling kuste Franz haar in de hals. Ze gaf hem een vluchtige kus terug en zei: 'Je kunt het hem meteen gaan vragen.'

'Je stuurt me weg,' fluisterde hij.

'Nee, Franz. Maar ik heb het druk nu. Kijk eens wat een stapel stageverslagen.'

Hij legde een hand op haar schouder. Een hevig verlangen om zijn lichaam tegen het hare te drukken maakte zich plots van hem meester. Hij hield zich echter in. Ze heeft geen tijd voor mij, dacht hij gepikeerd. Ik ben de ordeverstoorder; ze doet het wanneer het haar past.

'Sorry Franz,' zuchtte ze. 'Ik moet echt verder werken.' Ze begon aantekeningen te maken op het blad dat voor haar lag.

Zijn hand gleed van haar schouder. 'Tot straks dan. Ik heb je niet willen storen.'

Oswald bleef liever thuis. 'Als ik me niet had voorgenomen om nog vandaag dit boek uit te lezen, dan zou ik meegaan,' verzekerde hij.

'Ik begrijp het, jongen,' zei Franz, die zich afvroeg of hij dat lijvige boek wel voor morgen zou uitgelezen krijgen. Hij had graag nog wat zitten praten, maar merkte dat zijn zoon alleen wilde worden gelaten. 'Neem op tijd wat ontspanning,' opperde hij. Dan sloot hij zacht de deur achter zich en keerde terug naar de salon met de onaangename gewaarwording dat hem tekort was gedaan. Laat je niet kisten, zei hij bij zichzelf. Dinsdag ga ik naar Ingrid... Een heerlijke dag! De titel staat nu vast. We moeten het alleen nog hebben over het kaftontwerp, de tekst op het achterplat, de voorstelling van het boek. De roman moet een succes worden! Een interview in de krant en op de radio zou mooi zijn. En dan het belangrijkste: het mag niet bij dat éne verhaal blijven, er moet een ander op volgen, zo vlug mogelijk. Ook dat zal ik uitgeven. O nee, geen andere uitgeverij! Ze zal Omega bekend maken. We stellen een contract op, we hebben nog zo veel te bespreken. Het wordt zonder twijfel een prima samenwerking.

Franz ging voor het venster staan dat uitzag op de tuin. Een merel streek neer op de rugleuning van de tuinbank, die onder de magnoliaboom stond. Een paar keer wipte de vogel schichtig om zich heen kijkend van de ene naar de andere kant; dan bleef hij roerloos zitten, de kop gericht naar het venster net of hij Franz te kennen wilde geven dat de tuin nu zijn domein was. Franz bewoog niet. Het kwam hem voor dat de magnolia gewacht had op de komst van de merel om te kunnen praten over dingen die alleen vogels kunnen begrijpen. En de merel luisterde, terwijl de kale takken in alle stilte hun verhaal vertelden. Zo wezenlijk echt, zo vanzelfsprekend speelde zich dit simpele tafereeltje af, dat Franz erdoor ontroerd geraakte. Het was geen droom, geen inbeelding, geen dwangvoorstelling zoals toen hij gisteravond in de donkere ruit zijn spiegelbeeld zag, maar gewoon werkelijkheid. Met een glimlach om de lippen bleef hij toekijken en luisteren alsof hem elk ogenblik een geheim kon worden onthuld.

Plots ging de deur van de living open. Hij draaide zich geschrokken om. Het was Ada.

'Heb je Oswald gevraagd of hij deze avond meegaat?' vroeg ze.

'Hij blijft thuis,' antwoordde hij geprikkeld.

'Thuis...' het klonk ontgoocheld. Maar dadelijk voegde ze eraan toe: 'Hij zal wel een reden hebben, nietwaar, Franz?'

'Ja,' zei hij. 'Zijn werk gaat voor alles.' Opnieuw staarde hij door het raam.

'Ik zal straks nog eens met hem gaan praten.' Ze kwam naast hem staan. 'Is er iets te zien buiten? Je kijkt zo aandachtig...'

'Een wonderlijke vogel... Nu is hij weg!'

'Het is toch niet mijn schuld dat hij weg is? Hoe zag hij eruit?'

'Het was een merel.'

'Een doodgewone merel!' Ze lachte, een beetje spottend, wat hem uitermate ergerde, maar hij beheerste zich en zei koel: 'Een bijzondere, doodgewone merel, Ada!'

'En ik heb hem verjaagd,' fluisterde ze. 'Ik heb hem aan het schrikken gebracht... Is het dat wat je bedoelt?'

'Zo ongeveer.'

'Wat doe je vreemd! Ik kon toch niet weten dat je niet mocht worden gestoord!'

Verwachtte ze nu dat hij ging zeggen: 'Ik mocht je toch ook niet storen daarstraks?' Hij zweeg. Ze legde een hand op zijn schouder. Franz voelde dat hij haar tegen zich aan zou kunnen drukken. Hij deed het niet. Ze trok haar hand terug.

Een grijze wolk schoof voor de waterige zon. De tuin werd zoals een tuin in november kan zijn: een troosteloze, lege, kleurloze plek.

'Wacht je op de merel?' vroeg ze zacht.

‘Hij zal niet terugkeren, Ada.’

‘Hoe weet je dat?’

‘Hij keert niet terug,’ herhaalde hij koppig. ‘Meer weet ik niet.’

‘Inderdaad een uitzonderlijke vogel, jouw merel,’ plaagde ze. ‘Maar ik heb op de markt nog mooiere vogels gezien.’

‘Een gekooide vogel is ook maar niks, Ada.’

‘Werkelijk?’ Ze zuchtte. ‘Het wordt tijd dat ik me in mijn kooi terugtrek. Wil jij koffie zetten, Franz? En me een kopje brengen, met veel melk erin.’

Nadat hij zich van zijn opdracht gekweten had (hoe zelden vroeg ze hem iets! besefte Franz plots), nam hij de koffiepot mee naar de salon, schonk zich ook een kop uit en probeerde zich opnieuw in te leven in de bekroonde roman. Het lukte hem niet. Hij zette de radio aan en nam de krant op. Op dat ogenblik kwam Oswald binnen.

‘Mama is me komen zeggen dat je koffie hebt gezet,’ zei hij.

‘Ja.’ Franz legde de krant neer, een beetje in de war omdat hij zijn zoon niet was gaan vragen of ook hij geen trek had in koffie.

‘Ik ga een kop halen,’ zei Oswald.

Toen zijn zoon zich tegenover hem had neergezet, vroeg Franz op een voorzichtig luchthartige toon: ‘En heb je het geheim van de graal al doorgrond? Heb je de besluiten al neergeschreven?’

‘We zijn bezig,’ antwoordde Oswald ontwijkend.

‘Ik ben benieuwd. Wat zegt je promotor?’

‘Het is al een tijdje geleden dat ik hem gesproken heb. Als mijn verhandeling af is, ga ik naar hem.’

Franz zweeg. Oswald nam de krant van de salontafel. ‘Mag ik even?’ vroeg hij.

‘Natuurlijk…’ Het kostte hem moeite om zijn teleurstelling te verbergen.

Over de radio werd kamermuziek uitgezonden. Het *strijkkwintet* van Schubert. Franz wierp tersluiks een blik op zijn zoon. Maar die leek verdiept in zijn lectuur. Bij het smartelijke adagio echter legde Oswald de krant neer. En toen het gespeeld was, trok hij zich in alle stilte terug in zijn kamer – terwijl zijn vader verder bleef luisteren.

'Ik heb hem niet kunnen overhalen om straks mee te gaan,' zei Ada, die uiteindelijk met haar werk klaar was. 'Ik ga nu voor hem wat eten gereedmaken.'

'Ja, doe dat,' zei Franz. Hij zette de radio af en staarde voor zich uit. 'Wat doe ik hier?' hamerde het in zijn hoofd. 'In godsnaam, wat doe ik hier?'

Ze verlieten het restaurant in een eerder naargeestige stemming. Ze hadden nauwelijks met elkaar gesproken en elkaar aangekeken met zoveel afwezigheid in de blik dat ze geen zin meer hadden in een gesprek.

Omstreeks tien uur waren ze terug thuis. Ada ging naar bed, Oswald zat nog te lezen op zijn kamer en Franz bleef alleen achter in de salon. Een tijdlang keek hij ongeïnteresseerd naar de televisie. Na het nieuws stond hij op, trok zijn jas aan en verliet zonder gerucht te maken het huis.

Hij liep langs de tuinen van de villa's tot hij de brede laan bereikte die de villawijk scheidde van het stadje waar hij zijn boekhandel had. Franz sloeg linksaf en vervolgde zijn weg in de richting van het kruispunt aan het einde van de laan. Een bepaald doel had hij niet voor ogen. Als ik naar het centrum wil, overwoog hij, dan moet ik aan het kruispunt rechtsaf slaan en dan de rivier oversteken. Wat later hield hij, nog altijd onbeslist, stil op de brug. Hij zette de kraag van zijn jas op, stak de handen in de zakken en nam de donkere, verlaten omgeving in zich op. Die had alles om hopeloos lelijk te zijn: een fabriek, een spoorweg, een industrieterrein, een vervuilde rivier... Maar door de flauwe verlichting en de dunne, vervagende herfstnevel kreeg ze iets mysterieus dat een onbestemd gevoel opriep. Franz staarde in het trage, zwarte water. Het was een gewoonte van hem om, wanneer hij te voet een water overstak, even stil te houden bij de brugleuning – zodat Ada al op de eerste dag van hun bezoek aan Venetië zei: 'Een geluk dat je niet hier woont of in Amsterdam, je zou nooit thuis geraken!' De herinnering aan Ada's opmerking deed zijn onbestemde gevoel toenemen. – 'En als ik nu eens echt niet thuis geraak,' murmelde hij. 'Misschien overkomt me ooit dit avontuur...'

Plots greep hij met beide handen de brugleuning vast en boog voorover. Iets in het water had zijn aandacht getrokken. Het was van onder de brug te voorschijn komen drijven. Franz onderscheidde het dode lichaam van een hond. De opengesperde muil scheen nog een jammerlijk gehuil te willen uitstoten, een grote lege oogholte gaapte hem aan. Hij kokhalsde, maar kon zijn blik niet afwenden. Als gebiologeerd bleef hij kijken naar het kreng dat zachtjes verder dreef. Een onweerstaanbare braakneiging welde in hem op. Hij boog dieper voorover en gaf toe.

Op dat moment hoorde hij een man achter zich zeggen: 'Het gaat niet, zie ik. Kan ik helpen?'

Franz schudde het hoofd, maar de man wachtte tot hij zich beter voelde en aanstalten maakte om verder te gaan.

'Wilt u dat ik een eindje met u meeloop?' vroeg de onbekende voorbijganger bezorgd.

'Dank u,' antwoordde Franz een beetje verveeld. 'Het is echt niet nodig.' Hij nam zijn zakdoek en veegde zijn mond schoon.

De man, blijkbaar een veertiger met een zachtmoedige gelaatsuitdrukking, zei: 'Ja, je hebt het niet altijd zelf in de hand.' Hij hoestte een paar keer. 'Mijn wandeling zit er bijna op.'

'De mijne ook.'

'Woont u in het centrum?'

'Nee, net buiten de stad. Aan de Bergemeersen.'

'Een mooie buurt.'

'Inderdaad. Komt u van daar?'

'Nee... van het ziekenhuis. Mijn vrouw heeft een zware operatie ondergaan.'

'Ach,' mompelde Franz. Hij wist niets meer te zeggen en wreef over zijn voorhoofd.

'It could be worse,' zei de ander. 'Sorry. Zo reageren de Ieren wanneer het lot toeslaat.' Na een korte stilte vervolgde hij met een onmiskenbare tederheid in zijn lichthese stem: 'Nu slaapt mijn vrouw; de slaap zal haar goeddoen.'

'Ja...'

'Ik moet nu gaan. Misschien ontmoeten we elkaar nog eens.'

'Waarom niet,' zei Franz met een weemoedig glimlachje. Het kwam hem voor dat hij de hulpvaardige voorbijganger al eens eerder had gezien...

Toen hij thuiskwam, merkte Franz dat er licht brandde in de living. Hij schrok, duwde de deur verder open. Ada zat in de sofa en bladerde in een magazine. Ze keek hem vragend aan.

'Ik ben tot aan de Dender gewandeld,' zei hij. 'Er dreef een dode hond in het water.' 'Een dode hond,' herhaalde ze toonloos. Ze sloeg de ogen neer. 'Ik heb gedroomd dat ik op de oever van een rivier stond. Net onder het oppervlak zag ik iets dat op een lichaam geleek. Ik wilde in het donkere water stappen om het van dichtbij te kunnen zien. Opeens hoorde ik een schreeuw. Ik schrok wakker. Dacht dat er echt was geschreeuwd. Misschien had ik zelf geschreeuwd. Misschien iemand anders. Ik stond op en ging luisteren aan de deur van de slaapkamer van Oswald. Maar het was stil. Ik deed ze voorzichtig open en zag dat hij rustig lag te slapen. Dan ben ik naar beneden gegaan, maar je was er niet.'

Ze had gesproken zonder enige emotie, als iemand die zo afstandelijk mogelijk verslag wil uitbrengen. Franz dacht nog te zeggen dat hij kennis had gemaakt met een uiterst aardige, sympathieke man, doch hij kwam er niet toe. Het hart klopte hem in de keel.

'Je hebt je jas nog aan,' zei ze.

Hij liep terug naar de inkomhal. Haar opmerking irriteerde hem.

Dacht ze werkelijk dat hij dat niet wist? Of zei ze het zomaar? 'Een jas,' mompelde hij. 'Wat kan mij die jas schelen.' Er ging, kon hij niet nalaten te denken, stellig een bedoeling schuil achter die onbenullige woorden. En dan die droom... Waarom vertelt ze me die zo onbewogen? Hij hoorde haar uit de living komen.

'Ik ga slapen, Franz.' Weer diezelfde toonloze stem.

'Ik ook. Doe het licht maar uit.' Hij ging naar de badkamer om zich te verfrissen, zag in de spiegel zijn gezicht, zoals hij het gisteravond in het donkere venster had gezien: het gespannen gezicht van iemand die op iets wachtte, en fluisterde: 'Ben jij dat werkelijk? De vader van Oswald... de man van Ada?'

De spanning hield hem wakker, hoe moe hij zich ook voelde. Roerloos, nauwelijks ademhalend, lag hij naast Ada. Een afwachtende stilte leek zich tussen hen te hebben gevlijd. Hij moest terugdenken aan de tijd voor hij haar kende, toen hij zich probeerde voor te stellen hoe het was met een vrouw te slapen. Vage, verwarde voorstellingen van innige strelingen en omhelzingen had hij gekoesterd, en hij had het heerlijk gevonden zich erin te verlustigen, tot Ada in zijn leven verscheen en ze samen de liefde leerden bedrijven. Al een kwarteeuw deelden ze het bed. Hij lag links van haar, het dichtst bij de deur: van meet af aan had hij het zo gewild. 'Wil je misschien het eerst de deur uit?' had ze hem geplaagd. Wat zijn antwoord was geweest, herinnerde hij zich niet meer, alleen dat hij haar in zijn armen had genomen, dat ze op het bed waren neergevallen zonder elkaar los te laten, zonder zich vooraf te ontkleden. Ze knoopte zijn hemd los, hij haar blouse. Ze deden het langzaam, met een nieuwsgierige, intense aandacht – en het bed werd plots te klein voor al hun liefde.

'Jongen,' zei ze toen, 'mijn kleine jongen...' Later, na de geboorte van Oswald, zei ze het niet meer. Maar ze bleef, wanneer ze met hem vrijde, even hartstochtelijk als de eerste keer, zelfs nu ze ouder was geworden. Nog steeds fluisterde ze ongeduldig op het gepaste ogenblik: 'Ja, doe het – ja nu.' En dan het diepe kreunen, haar hete adem, haar nagels in zijn vel. Dat allemaal behoorde tot het ritueel... Vreemd hoe hij eraan kon denken zonder dat het in hem begeerte opwekte! En hij vroeg zich af of dit weekend voorbij zou gaan zonder het ritueel.

Franz lag op zijn rug, een handbreed van Ada verwijderd. Ze had de rug naar hem gekeerd toen hij in bed kwam. Nee, ze kon nog niet in slaap zijn gevallen. Hij voelde het, al gaf ze geen teken van leven. Misschien verwachtte ze dat hij iets zou zeggen. Maar wat moest hij zeggen? Al wat hij op het hart had, was onuitspreekbaar. Misschien kon ze – ondanks haar moeheid – de slaap niet vatten, omdat het onuitspreekbare ook haar kwelde. Voorzichtig gleed zijn hand onder de deken naar Ada, de vingertoppen raakten de dunne stof van haar nachtkleed.

'Franz,' hoorde hij. 'Kan jij ook niet slapen?'

'Ik probeer het... maar die dode hond spookt me nog altijd door het hoofd.'

'Ik had met jou moeten meegaan.'

'Om een kreng te zien?'

'Dan had ik geen akelige droom gehad.'

'Vergeet die droom... We moeten allebei aan wat anders proberen te denken.'

'Waaraan?'

'Aan vroeger misschien.'

'Hou je nog van mij?'

'Ja.'

Ze nam zijn hand vast. 'Het spijt me dat ik zo vlug naar bed ben gegaan.'

'Je was moe.'

'Jij niet?'

'Je weet dat ik een nachtraaf ben.'

'Ja. En je leest je te pletter.'

'Het is mijn werk.'

'Je leven eerder... Soms heb ik de indruk dat je voor een boek je leven zou geven.'

'Dat heb je toch nu niet ontdekt?'

'Sinds je uitgever geworden bent, Franz.'

Hij zweeg.

'Ik zie je nog zelf een boek schrijven!'

'Daar hoef je niet bang voor te zijn. Ik ben al blij dat ik iets kan uitgeven dat ik graag zélf had geschreven.'

'Zie je wel! Zélf iets schrijven is jouw echte droom. Vroeg of laat verschijnt er nog een boek van jou.'

'Dat wist ik niet.'

Ze gaf hem een kus. Op het voorhoofd. Hij kuste haar terug. In haar hals. Het was de nachtzoen die ze elkaar nog verschuldigd waren. Ada liet zijn hand los en draaide zich weer om. Franz bleef met wijdopen ogen staren in de duisternis, tot hij aan haar zachte ademhaling hoorde dat ze sliep. Dan gleed ook hij weg in een diepe slaap.

Voor Oswald begon de zondag met een wandeling. Een sterke, koude wind voerde grauwe, lage wolken aan, maar hij liet zich niet afschrikken door het gure weer; hij vond er integendeel plezier in te kunnen optornen tegen de wind. Onwillekeurig volgde hij de weg die zijn vader de vorige nacht was ingeslagen. Hij bleef echter niet staan op de brug en liep verder in de richting van het centrum. Toen hij aan de Houtmarkt kwam, begon het plots te regenen. Haastig sloeg hij de straat in die recht naar de Sint-Martinuskerk leidde. Het was de straat met het aloude Jezuïetencollege waar hij zes jaar lang school had gelopen. De stille, noemden zijn klasgenoten hem; en in alle stilte was hij van hen weggegaan op de dag van de diploma-uitreiking: hij was niet eens naar de afscheidsfuif geweest. Niemand van hen had hij sindsdien teruggezien en hij verwachtte ook niet dat ze erop uit waren om hem nog eens te ontmoeten. Nee, het viel hem toen niet moeilijk om afscheid te nemen. Echt moeilijk kreeg hij het pas later, bij het afscheid van zijn vriendin. Ook toen kon hij niet anders dan weggaan... Het alleen-zijn zat hem in het bloed.

Oswald naderde het collegegebouw. De deur van de kleine Jezuïetenkerk stond open en hij ging naar binnen. Om halfelf begon de zondagsmis. Hij keek op zijn horloge. Het was enkele minuten over tien. Terwijl zijn blik ronddwaalde in de lege, kille kerkruimte, kwamen hem uitspraken van Christus voor de geest. Alsof het hem werd gevraagd ze uit te spreken, prevelde hij: 'Het koninkrijk Gods is binnen in ons... Ik ben de weg, de waarheid en het leven...' Een kerkganger was hij niet, maar het Johannesevangelie had hem steeds aangetrokken. Johannes, de meest geliefde leerling van Jezus, die op Patmos een visioen kreeg. Van dat visioen had hij ooit in een kunstboek afbeeldingen gezien. Hij herinnerde zich een prent met de voorstelling van vier ruiters die in woeste galop dood en vernieling zaaiden.

Ineens werd hij opgeschrikt door voetstappen. Hij draaide het hoofd om en herkende meteen zijn oud-leraar godsdienst, bij wie hij altijd graag les had gevolgd.

'Dat is lang geleden!' zei de leraar. 'Ik heb deze morgen nog aan jou moeten denken – en nu zie ik je terug. Misschien is dit helemaal geen toeval, misschien heb je...' Hij maakte zijn zin niet af. Keek hem een ogenblik onderzoekend aan en merkte dan op: 'Je bent veel te vroeg voor de mis.'

'Dat weet ik,' zei Oswald een beetje onwennig. Hij voelde zich betrapt. 'Ik kwam even schuilen!'

'Zo. Waarom niet? En je bent, geloof ik, bijna afgestudeerd.'

'Het is mijn laatste jaar.'

'En daarna?'

'Ik weet het nog niet."

'Ik heb er ook een tijd over moeten nadenken. Eerst droomde ik van ontwikkelingshulp, uiteindelijk werd het lesgeven. Zo gebeurt dat. Het leven zit vol verrassingen.'

'Je speelt nog op het orgel?'

'Ja. Blijf je niet luisteren?'

'Dat zou ik kunnen doen, maar ze verwachten me thuis.'

'Natuurlijk. Ik begrijp het.'

'Speel je volgende zondag ook?'

'Nee, binnen een paar weken, wanneer de advent begint.'

'Misschien kom ik dan. Ik herinner me nog dat je ooit Bach hebt gespeeld.'

'Hou je van Bach?'

'Ja.'

'Ik zal me voorbereiden.' Hij lachte. 'Oefening baart kunst, maar oordeel niet te streng.' Bij die laatste woorden werd de binnendeur van het portaal opengeduwd. 'Ha, daar hebben we onze zangers! Nu moet ik je laten. We gaan nog wat repeteren. Tot binnenkort wellicht.'

Oswald verliet de collegekerk met het gevoel dat hij nu verplicht was om naar zijn oud-leraar te gaan luisteren. Intussen had het opgehouden met regenen. Hij besloot nog een tijdje rond te lopen. Op de Grote Markt bleef hij geleund tegen een gevel een poos staan kijken naar de voortijlende wolken, waartussen af en toe een bleke, koude zon tevoorschijn dook. Plots schoot hem een vers te binnen uit het gedicht *De wolken* van Martinus Nijhoff. Hij fluisterde: 'De wonderen werden woord en dreven verder...' Dan liet hij het hoofd zakken en zei bij zichzelf: Maar ik heb aan de wolken geen naam kunnen geven. Ze hebben hun geheimen voor zich gehouden...

Zonder aandacht te schenken aan zijn omgeving zette hij zijn wandeling voort. 'Lees De wolken van Martinus Nijhoff,' had zijn vader aangeraden, toen hij hem zei dat ze als huistaak een gedicht moesten bespreken. 'Misschien vind je wat de woorden verbergen.' Omdat zijn vader van het gedicht hield, was hij niet op zoek gegaan naar een ander. Hij had het gelezen en herlezen, nieuwsgierig en onwillig tegelijk, proberend te begrijpen waarom de vader weende, terwijl hij samen met zijn zoon naar de voorbijdrijvende wolken keek... En Oswald vroeg zich af of zijn vader nog zou weten dat hij zijn raad had opgevolgd en het gedicht had besproken. Nee, mijmerde hij, het heeft geen zin dat ik hem aan het gedicht herinner, die tijd is voorbij. Hij verwacht grootse dingen van mij, carrière en succes – alsof ik iets moet verwezenlijken wat hij niet heeft gekund. Maar wat zijn grootse dingen? Als er iets is dat ik zou willen, dan moet het zo echt zijn, zo wezenlijk echt dat ik niets anders meer kan verlangen. Ik wil geen valse dromen koesteren!

Oswald glimlachte ondanks de triestigheid die in hem opkwam. Het zou al mooi zijn, meende hij, als ik anderen gelukkig kon maken. Maar hoe doe je dat, wanneer je niet eens thuis bent in jezelf? Eensklaps stelde hij vast dat hij zich vlakbij de boekhandel van zijn vader bevond. Toen hij de zaak had bereikt, hield hij stil voor het uitstalraam. Zijn blik gleed over de herfstaanbiedingen van de bekende uitgeverijen. Binnenkort zouden er natuurlijk Omega-boeken liggen. Hij begreep niet goed wat zijn vader bezielde om op zijn eentje nog met een uitgeverij te beginnen. Opnieuw keek Oswald naar het luchtruim waar de wolken voortgestuwd door de wind hun jachtige reis verderzetten.

'Denk je ooit te kunnen achterhalen wat er zich in het hoofd van je bloedeigen vader afspeelt?' hoorde hij een stem plots vragen. 'Overigens, wanneer kan je van iemand zeggen dat je hem kent? In godsnaam, wanneer?' Er schoot hem geen antwoord te binnen. Werktuigelijk liep hij terug in de richting van de Grote Markt. Hij wilde ergens heen, maar niet naar huis. Het was nog te vroeg. Het vooruitzicht van de namiddag op zijn kamer te moeten doorbrengen, terwijl zijn ouders in de waan verkeerden dat hij aan zijn verhandeling zat te werken, schrok hem af. Zonder het te willen had hij in hen dromen gewekt, en zij hadden van hem een droombeeld gemaakt: de gedroomde zoon! 'Nee,' besloot hij, 'die kan ik niet zijn – die ben ik niet!' 'Maar hoe ga je hun dat duidelijk maken?' vroeg de stem in hem. 'Ze zullen je niet begrijpen en zich gekrenkt voelen... je smeken om je toekomst niet op het spel te zetten... En heeft je promotor al niet laten doorschemeren dat hij je graag als assistent zou hebben? Die kans mag je niet laten voorbijgaan. Denk aan je toekomst, denk aan je doctoraat.'

Hij huiverde. Ik heb geen zin om me te begraven tussen de boeken, zei hij bij zichzelf. Wie heeft het recht me voor zich op te eisen? Wie mag me... Hij maakte zijn vraag niet af. Plots verscheen hem zijn moeder voor de geest. Zou ze echt niet begrijpen dat hij vrij wilde zijn, dat hij desnoods bereid was om handenarbeid te verrichten – en naar het buitenland te vertrekken. 'Je mag me tot niets verplichten, mama,' fluisterde hij stilletjes voor zich uit.

Op de Grote Markt stapte Oswald het café binnen dat zijn vader soms bezocht, en bestelde een koffie. De idee om te gaan werken hield hem een tijdje bezig. Het leek hem de enige manier om niet in een impasse verzeild te geraken. In Gent, veronderstelde hij, zou een of ander restaurant wel een afwasser nodig hebben, en intussen kon hij zijn verhandeling afmaken. Nee, het was niet goed geweest om zo dikwijls naar huis te gaan, elk weekend opnieuw... Hij moest zich hoe dan ook losmaken, de deur van zijn geliefde kamer thuis waar hij over zoveel in alle eenzaamheid had nagedacht, definitief achter zich sluiten, en – om echt met het verleden te breken – in Gent een andere kamer zoeken, ver weg van de buurt waar hij nu woonde. Hij dronk zijn kop leeg en stond op het punt het café te verlaten, toen een jonge man binnenkwam.

Het was een klasgenoot uit zijn collegetijd, die hem ooit ten onrechte het verwijt had toegestuurd op een goed blaadje te willen staan bij de leraren, maar nadien toch toenadering had gezocht, waarop hij niet was ingegaan. Ze keken elkaar een paar seconden aan.

'Filip...' zei Oswald onaangenaam verrast.

'Heb je er iets op tegen dat ik je gezelschap hou?' vroeg de ander zelfverzekerd. Hij wachtte het antwoord niet af en nam plaats tegenover Oswald. 'Ik was niet van plan om dit café binnen te gaan,' zei hij. 'Maar toen ik je bij het venster zag zitten in diep gepeins verzonken, kon ik niet aan de verleiding weerstaan.' Hij riep de kelner: 'Voor mij een koffie.' En tot Oswald: 'Ik zie dat je kop leeg is. Wil je er nog een? Of wat anders?'

'Nee, dank je.'

'Ik heb nooit gedacht dat ik je zou terugzien – en nu zit je hier helemaal alleen in een café op een triestige zondagmorgen in de herfst! Dat had ik nooit kunnen hopen! Echt een aangename verrassing.' Hij wierp een welwillende, uitnodigende blik op zijn gewezen klasgenoot, maar die bleef zwijgen. 'Weet je dat je de laatste tijd niet uit mijn gedachten bent geweest,' vervolgde Filip. 'Op de oudleerlingendag hebben we het nog over jou gehad. Jammer dat je er niet bij was. Je hebt toch ook een uitnodiging ontvangen?'

'Ja.'

'Ik had heimelijk gehoopt je toen te ontmoeten, maar in de grond wist ik dat je niet zou komen. Neem me niet kwalijk, Oswald, je stond zo ver van ons af. Je wekte de indruk dat je niet thuishoorde in onze klas.'

'Wekte ik echt die indruk?'

'Eerlijk gezegd, ja!'

'Ik begrijp je niet. Wil je zeggen dat jullie je aan mij hebben zitten ergeren?'

'Oswald, ga alsjeblief niet veronderstellen dat ik je van iets wil beschuldigen. Er is niémand die je van iets beschuldigt. We verwachten alleen dat je vroeg of laat van jou zult laten horen. Niémand twijfelt eraan dat je het nog ver zult schoppen.'

'Niemand! Waarom vertel je me dat allemaal? Jullie hoeven helemaal niets te verwachten!'

Filip fronste de wenkbrauwen. 'Geef je er misschien de brui aan?'

'De brui waaraan?'

'O, ik maakte slechts een grapje, een gekke veronderstelling. Hoe zou ik kunnen weten wat je van plan bent? Drie jaar lang hebben we elkaar niet gezien. Intussen heb ik wel vernomen dat het je is gelukt de ene grote onderscheiding na de andere in de wacht te slepen! Dit jaar wordt het zeker de grootste.'

'Dank je. Maar vind je dat zo verdienstelijk? Geloof me, Filip, ik heb absoluut geen verdienste aan die zogenaamde schitterende resultaten. Hadden ze me werkelijk inspanning gekost, dan ja. Sorry dat ik me zo uitdruk. Vat het niet verkeerd op!'

Hij zweeg even. Zei dan aarzelend: 'Vreemd dat je nog aan mij bent blijven denken. Ik zou niet weten waaraan ik dat te danken heb.'

'Je hebt ooit gezegd dat het leven zonder God geen zin heeft,' merkte Filip nuchter op.

Oswald sloeg de ogen neer. Het waren inderdaad zijn woorden geweest. Hij had ze uitgesproken tijdens een les godsdienst, herinnerde hij zich, een paar maanden voor ze het college zouden verlaten.

'Maar,' ging Filip door zonder zijn blik van Oswald af te wenden, 'ik vrees dat we op deze wereld niet hoeven te rekenen op hulp van bovenaf; het leven gaat ook wel verder zonder God.'

'Dat heb je vroeger ook beweerd,' onderbrak Oswald hem. 'Jouw antwoord op wat ik toen heb gezegd.'

'Ja. En ik ben er nog altijd van overtuigd dat het geloof aan een God je kijk op het leven vertroebelt. Luister m'n goede vriend, ik ben van plan om de mij toegemeten tijd op aarde zo prettig mogelijk door te brengen. Waarom zou ik meer van het leven moeten te weten komen dan wat mijn zintuigen me kunnen leren? Het is puur tijdverlies om je bezig te houden met speculaties over een of ander hiernamaals. Denk je dat het leven waardevoller wordt als je er de hand in ziet van een goddelijke schepper? Nee, Oswald. Ik wil genieten. Mijn zintuigen gebruiken. Dat is mijn enige ambitie!' Hij dronk zijn kop leeg en vervolgde: 'Laten we nog iets drinken. Ik offreer. Je hebt toch nog wat tijd?'

'Tijd? Nu ja,' antwoordde Oswald aarzelend. Ze bestelden een glas bier.

'Je zou warempel zeggen,' zei Filip, 'dat je niet gelukkig bent met je successen.'

'Ik heb alleen willen zeggen dat ik me moeilijk tevreden kan stellen met iets dat me geen moeite heeft gekost.'

'Je zoekt het ver. Jij die zo verstandig bent, zou toch moeten weten...'

'Verstandig! Moet je verstandig zijn om..' Plots zweeg Oswald.

'Om gelukkig te zijn, bedoel je? Misschien is het inderdaad zo dat intelligente mensen meer het risico lopen om een ongelukkig leven te leiden dan de minder begaafden, de eenvoudigen van geest.' Filip lachte. 'Ergens heb ik gelezen dat denken een ziekte van de geest is. Die auteur – zijn naam ben ik vergeten – had het bij het rechte eind. Hij had ingezien dat het zinloos is op zoek te gaan naar een of ander mysterie achter de dingen, omdat het gewoonweg niet bestaat. Alleen wat we met onze eigen ogen kunnen zien is werkelijkheid, al de rest is leugen en bedrog. Met dié waarheid voel ik me gelukkig, heel gelukkig!'

'En over die waarheid heb je zitten nadenken. Ook jij ontkomt niet aan het denken, Filip!'

'Nee, Oswald, nee! Versta me niet verkeerd. Die waarheid heeft mijn ogen en oren geopend. Ze heeft zich aan mij opgedrongen en ik heb naar haar geluisterd. Kijk, zei ze, er is zo ontzettend veel waaraan je plezier kan beleven, je hoeft echt niet op zoek te gaan, er doen zich gelegenheden genoeg voor om te genieten... laat ze niet voorbijgaan!'

'En je hebt al ruim de gelegenheid gehad?'

'Natuurlijk. Wat dacht je? Overigens – ik maak me geen zorgen als er eens dagen zijn waarop de zon minder schijnt. Ik heb een baan in de bank, huur een kleine maar comfortabele studio niet ver van hier, rij met een auto en kan overal naartoe. Het is goed leven in Vlaanderen! Met een beetje geluk word ik nog rijk. Wat moet ik meer wensen? Een vrouw, een gezin? Nee, die last is me te zwaar. Weet je, Oswald, mijn ouders zijn uit elkaar gegaan. Een paar maanden geleden. Ik heb het nooit zien aankomen, en ik zal waarschijnlijk ook nooit te weten komen waarom ze die stap hebben gezet. Ze maakten er geen drama van. Misschien waren ze op elkaar uitgekeken, of pasten ze gewoonweg niet bij elkaar. Kan jij je voorstellen dat je vader je op een dag doodleuk meedeelt: 'Je moeder en ik hebben besloten om niet langer onder hetzelfde dak te blijven wonen?' – en dat op een toon alsof er geen vuiltje aan de lucht is?'

'Nee, ik zou het niet verdragen.'

'Maar ik heb het kunnen verdragen, heel gemakkelijk zelfs! Eigenlijk had ik geen moeite met hun beslissing. Ja, waarom zouden ze niet uit elkaar gaan als ze daar zin in hebben? En waarom zou ik er een tragedie van maken? Ik geloof dat ze met de scheiding hebben willen wachten tot ik een baan had. Nu hoeven ze voor mij niet meer te zorgen. En ik ben vrij. Ik moet me voor hen niet meer verantwoorden. Vind je ook niet, Oswald, dat ze al bij al te bewonderen zijn voor de moed die ze hebben opgebracht om toch nog jarenlang bij elkaar te blijven? Of moet ik medelijden met hen hebben? Medelijden omdat ze aan elkaar gekluisterd zo'n triestig leven hebben geleid om mij te ontzien. Nu ik het huis uit ben en zelf mijn brood verdien, kunnen ze volop van het leven gaan genieten. Ja, ieder zijn vrijheid! Vind jij dat ook niet? Nu goed, je hoeft niet te antwoorden. Ik respecteer ten volle je recht op zwijgen. En ik kan ook respect opbrengen voor je religieuze overtuiging, al moet ik zeggen dat godsdienst de mens nog geen heil heeft gebracht. Begrijpelijk dat de kerken leeglopen. Zo verstandig zijn we intussen dan toch geworden dat we niet meer klakkeloos aannemen wat de kerk ons voorschrijft. Overigens, zijn er nog priesters die het paradijs niet hier op aarde zoeken? Ik kan de afvalligen geen ongelijk geven. Geef me liever een *hiernumaals*, Oswald... en laten we genieten van het ogenblik! Meer heb ik niet te zeggen. Behalve misschien nog dit: ik voel me absoluut niet geroepen om de wereld te veranderen, die kan ook voort zonder mij. Maar jij – jij hebt een opdracht omdat je gelooft. Ik niet, ik geniet – ik wil genieten omdat het me niet gegund is te geloven.'

Wellicht is hij toch niet zo gelukkig, dacht Oswald. Hij zei: 'Ik hoop dat je het geluk voor het grijpen hebt.'

'Je zal zien. Ik nodig je uit om vriendschap te sluiten.' Filip hief het glas. Oswald aarzelde even. Ten slotte stootte hij aan, onwillig en nieuwsgierig tegelijk.

'Tot op de bodem,' zei Filip. En toen hun glazen leeg waren: 'Dit is een uitzonderlijk ogenblik, Oswald. Je hebt naar mij geluisterd. Je had kunnen weggaan, maar je hebt het niet gedaan. Begrijp je?'

'Ik heb geen enkele reden om niet naar jou te luisteren, Filip.'

'Zo. Daar ben ik blij om. Het is de eerste keer dat ik iemand in vertrouwen neem. Vanaf het ogenblik dat ik je leerde kennen, wist ik dat je iemand was die je mocht vertrouwen. Ik dacht: het moet een buitengewone ervaring zijn... ja, een voorrecht iemand als jij in vertrouwen te kunnen nemen. En nu krijg ik de kans om je nog beter te leren kennen. Je hebt al een stap gezet.'

'Wat bedoel je?'

'Wel ja, je houdt er niet van dat in het leven alles van een leien dakje loopt. Je verlangt naar confrontatie, avontuur... naar de grote uitdaging! Maar weet je al tegen wie je het moet opnemen, Oswald? Weet je waartegen je je moet verzetten?'

'Ik wil geen vijanden, Filip.'

'En, ben je daar bang voor?'

'Er is niets dat me afschrikt.'

'Dan zijn we bondgenoten. Als je wilt, kun je me altijd komen opzoeken. Mijn deur staat voor jou open. Ik zou het ten zeerste op prijs stellen.'

Hij noteerde op een bierviltje zijn adres en telefoonnummer en zei dan alsof Oswald hem had opgehouden: 'Nu moet ik gaan.'

Werktuigelijk nam Oswald het bierviltje aan en volgde zijn vroegere klasgenoot naar buiten. Opnieuw liep hij door de straat waar zich het college bevond. Hij twijfelde of hij onmiddellijk naar huis zou terugkeren. Had Filip gevraagd om met hem mee te gaan, hij zou niet hebben geweigerd. Hij had de vraag zelfs heimelijk verwacht, toen ze op het marktplein afscheid van elkaar namen. Goed, besloot hij, ik zal hem eens opzoeken of uitnodigen, maar dat betekent nog niet dat we vrienden zullen worden. Hun gesprek liet hem niet los. Wellicht, zo zei hij bij zichzelf, heeft Filip gelijk en zal ik het inderdaad moeten opnemen tegen een anonieme vijand, of me moeten verzetten tegen iets waarvan ik me nu niet bewust ben. Hij kon zich echter niet voorstellen wat hij verkeerd had gedaan om een vijand te hebben. Hij wilde er geen, had hij gezegd – alsof hij er toch rekening mee hield dat iemand hem vijandig gezind was. En als iemand het werkelijk op hem had gemunt, hoe kwam je die dan op het spoor?

'Je bent gek,' zou zijn gewezen vriendin gereageerd hebben, 'je beeldt je wat in!' Hij kwam aan de rivier. Bleef enkele ogenblikken staan op de brug en fluisterde terwijl hij in het water staarde: 'Ach kom, laten we ons toch maar eens inbeelden dat er mensen zijn die ons helemaal niet kunnen luchten. Filip bijvoorbeeld... Misschien doet hij slechts alsof hij me in vertrouwen wil nemen, misschien hoopt hij dat ik mijn ziel voor hem zal blootleggen, god weet waarom...' Hij liep verder en zocht naar een afdoende reden om Filip kwaadaardige bedoelingen in de schoenen te schuiven, doch vond er geen. De enige bekommernis van zijn oude klasgenoot was om genietend door het leven te gaan, een keuze die hij niet kon betwisten zolang ze niemand schade berokkende. Vocht je het recht op vrije keuze of mening aan, dan ontstond vijandschap. Carpe diem, Filip. Jij bent daartoe in staat en wellicht nog tot veel meer. Ik wil weten of je gelukkig bent. Met eigen ogen zien hoever je geluk reikt, zien wat het betekent te kunnen genieten!

Plots versnelde Oswald zijn pas. Het werd tijd dat hij zo vlug mogelijk de trein naar Gent nam, en daar verder schreef aan zijn verhandeling, aan de laatste bladzijden. Dit werk, deze al te gemakkelijke opdracht, zou hij nog moeten voltooien vooraleer een ander leven te beginnen...

'Ik begrijp hem niet,' zei Ada tegen Franz, zodra hun zoon was vertrokken. 'Ik heb de indruk dat er iets met hem aan de hand is. Hij was van plan om pas morgenvroeg de trein naar Gent te nemen, en nu is hij plots weg.'

'Je bent te vlug bezorgd. Hij weet wat hij wil.'

'Denk je? Toen ik hem naar het station voerde, heeft hij nauwelijks iets gezegd.'

'Praat hij anders zoveel met jou? Onze zoon is van nature een stil water. Je mag er zeker van zijn dat hij ons binnenkort zal verrassen met zijn eindwerk.'

'Ik hoop het.'

'Je twijfelt. Weet jij misschien meer dan ik?'

'Meer? Wat kan ik meer weten?' Ze vroeg het voorzichtig, op een toon alsof ze van hem hulp verwachtte: het verlossende, geruststellende antwoord.

'Was hij vrijdagavond ook zo zwijgzaam?' Franz besefte dat hij nu zelf bezorgd werd.

'Heb je dat niet gemerkt?'

'Nee.' Plots vreesde hij dat het gesprek de verkeerde richting zou uitgaan.

'Jammer dat je Don Giovanni gemist hebt.'

'Vind je het zo erg dat ik er niet bij was? Nu heeft Oswald tenminste naar een geniale opera geluisterd!'

'Ja,' zuchtte ze. 'Dankzij jou. De slotscène vond hij indrukwekkend. 'Zo moest hij sterven,' zei hij, 'zonder lafheid.' En ik zei: 'Nu ben je net als papa... die zou ook zoiets hebben gezegd. Jullie hebben allebei echt iets aparts, Franz.'

'Heb je dat nu pas vastgesteld?' liet hij zich ontvallen. Hij begreep niet wat hem opeens bezielde. Zijn vrees om iets verkeerds te zeggen was niet verdwenen. Het leek wel of Ada hem ertoe dreef het gesprek voort te zetten tot hij een punt had bereikt waar hij gedwongen werd te zwijgen.

'Nee,' antwoordde ze.

'Wanneer?'

'Ben je het vergeten?'

Hij deed alsof hij nadacht, terwijl zijn blik rustte op de onyxen asbak op de salontafel.

'Het is niet erg als je het vergeten bent,' zei ze. 'Misschien herinner je je het wel later.'

Hij wist niet of ze het meende. 'En wat is er zo apart aan ons?' vroeg hij.

'Jullie leven in jullie eigen wereld, Franz, een ontoegankelijke wereld...'

'Denk je dat we iets te verbergen hebben?' Zijn hart sloeg sneller. En net als op vrijdagavond kwam in hem het pijnlijke verlangen opzetten om weg te gaan. Een geforceerd glimlachje speelde om zijn lippen.

'Je hebt gelijk,' zei ze zacht. 'Ik zal me geen zorgen meer maken. Ik zal het proberen.' Ze zocht zijn blik. 'Ik hou van je, Franz.'

'Ja,' zei hij. 'We houden van elkaar.' Hij keek op zijn horloge, hoorde zichzelf zeggen met een stem die hij nauwelijks als de zijne herkende: 'We moeten vertrekken, Ada. Het is tijd. Vader wacht op ons.'

3

Het tweede bezoek van Franz aan Ingrid verliep eerder moeizaam en kende een wending waaraan hij zich volstrekt niet had verwacht.

'Ik was graag zelf naar jou gekomen,' verontschuldigde ze zich, 'maar zoals je ziet – mijn voet zit nog altijd in het verband.'

Toen hij zei dat haar boek zeker de belangstelling zou wekken van de critici, gaf ze hem te verstaan dat ze geenszins uit was op succes. 'En ik ben ook niet van plan om nog andere boeken te schrijven,' voegde ze er meteen aan toe. 'Alles wat ik te zeggen had, staat in mijn verhaal.'

'Dat zeg je nu,' wierp hij op. 'Misschien ga je morgen al aan de schrijftafel zitten, gewoon omdat je niet anders kan.'

'En er is dus niemand anders dan jij die mijn verhaal gelezen heeft?' vroeg ze na een korte stilte.

'Nee, niemand,' zei hij categoriek. 'Het boek is voorlopig een geheim tussen jou en mij. Maar binnenkort zal men verrast opkijken. Vind je *De brug* een geschikte titel?'

'Ja, waarom niet. Ik heb het lot van mijn boek in jouw handen gelegd.'

'Maak je geen zorgen, Ingrid,' stelde hij haar gerust. 'Je boek moést geschreven worden. Dat weet je natuurlijk zelf wel.' Zijn blik ontmoette de hare. 'En nu ik die titel heb mogen vinden, voel ik me meer dan een gewone uitgever.'

'Je bent ook meer dan een uitgever,' merkte ze op. 'Je bent...' Plots zweeg ze.

'Mag ik het niet weten?' drong hij aan.

'Het lijkt wel of je me nodig hebt,' antwoordde ze ontwijkend.

'Nodig... Wat bedoel je?'

'Je wilde toch niet dat ik naar een andere uitgeverij zou overstappen.'

'Het was jouw beslissing. Je was vrij.'

'Nu niet meer?'

'Je kan nog altijd weggaan.'

'Natuurlijk, maar ik denk er niet aan.'

'Dank je,' fluisterde hij. 'Dat wordt stellig een mooie samenwerking.' Hij nam een slok van het mineraalwater dat ze had uitgeschonken en haalde uit zijn aktentas het contract dat hij met een haast angstvallige nauwgezetheid had opgesteld. 'Hier,' zei hij, 'zo weet je waar je recht op hebt: jouw auteursrechten!' Ineens vreesde hij dat zijn bezoek afgelopen zou zijn, zodra ze haar handtekening had gezet. Ze accepteerde de titel, ze zou niet overstappen naar een andere uitgeverij: alles was dus geregeld. En toch was er die vrees om te moeten vertrekken. Hij keek haar gespannen aan, terwijl ze het document in ontvangst nam.

Ingrid fronste de wenkbrauwen en zei verwonderd: 'Ik heb helemaal niet aan een contract gedacht!' Ze overliep het vluchtig en gaf het hem terug. Gelijk besefte Franz dat hun gesprek pas was begonnen.

'Je tekent niet?'

'Nee. Zonder handtekening ben ik ook gebonden.'

'Ik ook.'

'Daar wil ik niet aan twijfelen.'

'Je hebt een blind vertrouwen,' merkte hij glimlachend op. 'Alsof je me al jaren kent.'

'Ik heb vertrouwen,' beaamde ze. 'Maar het is niet blind. Ik ben er zeker van dat je al het mogelijke zult doen om mij als schrijfster te lanceren, alhoewel dat niet nodig is! Ik koester immers – wat je intussen al weet – geen literaire ambities. Wel geef ik toe dat ik geschreven heb om gelezen te worden. En waarom zouden anderen nu al mijn verhaal niet mogen lezen?' vroeg ze, peinzend voor zich uit sprekend. 'Bijvoorbeeld je vrouw en kinderen. Je zou kunnen vragen of ze *De brug* een goede titel vinden.'

Franz keek haar niet-begrijpend aan. 'O, mijn vrouw leest geen literatuur… en mijn zoon interesseert zich alleen voor geschiedenis.'

‘Maar als jij mijn boek zo goed vindt, zullen ze het misschien lezen.’

‘Ik weet het niet. Ik kan hen toch niet verplichten!’ Franz voelde dat ze ergens op aanstuurde.

‘Het lijkt wel of je voor iets bang bent... hoe vreemd! Maar waarom zou je hun niet simpelweg kunnen zeggen dat je een boek hebt gelezen dat je na aan het hart ligt... heel na aan het hart.’ Ze had aarzelend gesproken, net of ze zelf opeens door een onbekende vrees werd bevangen. En toch school er achter haar weifelende woorden een vastberadenheid die zijn wantrouwen wekte.

‘En moet ik er vervolgens aan toevoegen dat het een waar gebeurd verhaal is? Een dramatische liefdesgeschiedenis die nog altijd voortduurt? Zoiets zou hen misschien nieuwsgierig maken.’ Franz schrok van de onmiskenbare spot in zijn stem. Hij sloeg de ogen neer. Wilde niet verder nadenken.

‘Ja,’ fluisterde ze.

‘Ik geloof je,’ haastte hij zich te zeggen. ‘Vergeef me als ik je gekwetst heb... Nu ja, het voornaamste is dat je boek overtuigt. Nooit heb ik het gevoel gehad dat je jezelf zat op te dringen. Van meet af aan werd je gedragen door je verhaal. Je personages hebben je bij de hand genomen en je hebt gedaan wat ze vroegen... Hij liet zich meeslepen door zijn eigen literaire bevindingen.

‘Mag ik je iets vragen?’ zei ze plots. ‘Iets heel belangrijks...’

‘Wat?’ vroeg hij verbaasd. Franz stak het contract, dat hij nog steeds vasthield, terug in zijn aktentas.

‘Zou je ervoor willen zorgen dat je vrouw en je zoon mijn verhaal lezen?’ Ze keek hem aan met een dwingende blik.

‘Nog voor het gedrukt wordt?’

‘Ja, zo vlug mogelijk.’

‘Ik zie niet in waarom dat nodig is. Je zei toch dat je vertrouwen in mij had. Hun oordeel zal niets veranderen aan mijn beslissing.’

‘Ik weet het, Franz. Een literair oordeel hoeven ze ook niet te geven.

Het gaat om iets anders. Maar als je hardnekkig blijft weigeren, wordt alles vreselijk moeilijk voor mij. Ik had niet verwacht dat je mijn verhaal voor je vrouw en je zoon verborgen zou houden.'

Franz zweeg. – Hij kon Ingrid niet bekennen dat hij in feite niet wilde dat ze te weten kwamen wie hem op dit ogenblik heel na aan het hart lag. En ook zij had iets te verbergen. Maar wat?

Ze ging voor het raam staan. 'Het waait en stortregent,' zei ze. 'Echt rotweer!' En toen ze weer neerzat: 'Luister, ik denk dat het beter is te wachten met de publicatie. Misschien is het zelfs beter dat mijn script niet wordt uitgegeven.'

'Dat meen je niet, Ingrid,' fluisterde hij. Er joeg een koude rilling door hem heen.

'Je zei... je hebt me duidelijk laten verstaan dat je me niet in de steek zou laten! En nu, plots, trek je je terug. Ik begrijp je niet meer!'

'Ik zal je niet in de steek laten, Franz. Trouwens, je hebt mijn verhaal. Je mag het gerust houden... Maar het hoeft niet gepubliceerd te worden.'

'Ik begrijp je niet,' herhaalde hij. 'Geen enkele schrijver zou me geloven als ik dit vertelde.' Hij durfde haar niet aan te kijken. 'Wat ben ik met je boek, als ik het niet mag uitgeven?' vroeg hij ten slotte. 'Ik zou het je terug kunnen geven.'

'Teruggeven...' zei ze aarzelend. 'Als je denkt dat je het moet doen...'

'Nee,' onderbrak hij haar. 'Het spijt me dat ik zoiets heb durven denken.' Hij voelde zich opeens aan haar overgeleverd. Met hart en ziel. Zo graag had hij haar hand vastgenomen en aan zijn hart gedrukt. Hij wist niet meer wat hem bezielde toen hij – net als zij een paar ogenblikken geleden – opstond en voor het venster ging staan.

'Het is inderdaad rotweer,' hoorde hij zichzelf zeggen. De stilte die er na zijn woorden viel, was geladen. Wat moet er nu verder gebeuren? dacht hij. Het is niet eens zeker dat ze haar boek wil uitgeven. Alsof haar iets dwars zit. Doch wat? Ze zei dat ik haar nodig heb. Natuurlijk heeft ze gelijk! En zij heeft mij ook nodig, maar niet om haar boek uit te geven. Waarom dan wel? Hij had zin om zo meteen de vraag te stellen. Hij deed het niet, draaide zich om en zei: 'Het is werkelijk nog even wennen aan wat je gezegd hebt. Misschien is het beter dat ik nu ga. Ik wil je niet langer lastig vallen, Ingrid. Bel me binnen een paar dagen op.'

'Blijf nog wat,' zei ze. 'Ik kan je niet zomaar laten vertrekken. Het heeft geen zin bedenktijd te nemen.'

Werktuigelijk ging Franz opnieuw zitten. Haar gezicht stond ernstig. Het verried duidelijk dat ze op het punt stond iets uitzonderlijks mee te delen, iets dat ze niet direct over de lippen had kunnen krijgen. Het bloed bonsde aan zijn slapen.

'Ik ben je een verklaring schuldig,' vervolgde ze zacht. 'Je hebt me gezegd dat mijn verhaal moest worden geschreven. Ik heb het geschreven voor Oswald. Ja, Hugo is Oswald!'

'Mijn zoon,' mompelde Franz. Ze houdt van mijn zoon, ging het flitsend door zijn hoofd. Ze houdt van hem! Hij probeerde zijn emoties te onderdrukken. 'Waarom heb je je verhaal niet aan hém opgestuurd?' vroeg hij moeizaam.

'Ik heb eraan gedacht.'

'Je had het moeten doen. Als je werkelijk van hem houdt, had je het moeten doen!'

'Hij zou niets van zich hebben laten horen, of het verhaal misschien gewoon hebben teruggestuurd. En wat dan? Ik ben bang, Franz. Bang dat hij nooit gelukkig zal kunnen zijn.'

'Zeg dat niet, Ingrid! Ik wil niet dat je bang bent.'

'Ben jij dan nooit bang geweest?'

Haar vraag verraste hem. Een gevoel van beklemming maakte zich van hem meester. Hij wist dat hij zou liegen. 'Nee,' antwoordde hij, 'ik ben het nooit echt geweest.'

Plots moest hij denken aan Ada die zich zorgen maakte over Oswald. Zou hij haar moeten vertellen wat Ingrid hem had toevertrouwd? O ja, hij kon niet ontkennen dat angst in hem de kop had opgestoken. En hij had zo verlangd naar een avontuur dat hem zou bevrijden van jarenlange, verstarrende gewoonten. Uit passie voor de literatuur was hij uitgever geworden. En een jonge, talentvolle schrijfster bracht zijn plannen in de war met een verhaal dat ze nooit zou hebben geschreven als Oswald niet van haar was weggegaan. Hoe moest hij zijn zoon nu onder ogen zien?

Hij hoorde Ingrid zeggen: 'Ik heb je ongerust gemaakt. Het spijt me, Franz. Het toeval wil dat je uitgever bent... Oswald heeft me ooit verteld dat je een uitgeverij hebt opgericht.'

'En wat vond hij ervan?'

'Hij zei alleen: Daar heeft mijn vader lang van gedroomd.'

'Wist ik maar waar *hij* van droomt! O, er wacht hem een schitterende toekomst. Die zal hij wel niet op het spel zetten. We hebben hem alle kansen gegeven om aan zijn toekomst te werken. Jouw Hugo kan niet mijn zoon zijn, Ingrid. Hugo twijfelt aan zichzelf, voelt zich nergens thuis. Hij staat weerloos in het leven. Nee, zo ken ik Oswald niet, zo hebben we hem nooit gekend! Als hij werkelijk van je houdt, zou hij bij jou zijn gebleven.'

'Hij is weg... en hij houdt van mij!'

'Denk je dat hij zal terugkeren als hij je verhaal leest?'

'Ik weet het niet. Maar ik ben er wel zeker van dat hij nog aan mij denkt, dat hij nog geen afscheid heeft kunnen nemen. Had hij me verlaten voor een ander, dan zou ik het uiteindelijk minder erg hebben gevonden.'

'Minder erg... God, wat scheelt hem toch? Ik moet met hem praten. Hij kan je niet zomaar voor de gek blijven houden. Heeft hij je nooit verteld wat hij na zijn studies van plan is? Nee, je mag me niets verbergen. Ik ben zijn vader. Ik heb het recht om te weten wat er met hem aan de hand is. Je hebt hem gekend. Hoe lang al? Hij heeft me nooit over jou gesproken!' Plots hield Franz op met spreken, versteld dat hij zich had laten meeslepen door de meest tegenstrijdige gevoelens. 'Het spijt me,' mompelde hij na een poos. 'Vergeet wat ik gezegd heb. Alleen dit niet: (hij aarzelde even) Ik zou blij moeten zijn dat je nog altijd van mijn zoon houdt.'

'Geef hem het verhaal, Franz. Laat het hem lezen. Luister naar wat hij zal zeggen!'

'En als hij niets zegt?'

Ze gaf niet onmiddellijk een antwoord. Het leek wel of ze zijn antwoord niet had gehoord. Dan zei ze: 'Oswald mag niet weten wat ik je gevraagd heb. Zeg hem niet dat ik de schrijfster ben. Zoek een pseudoniem, dat maakt het voor jou gemakkelijk. Nee, het kan niet dat hij niets zal zeggen. Beloof me dat je hem het verhaal zult geven. Maak het voor hem mogelijk om te spreken over wat ik... wat wij niet weten!'

Ja, dacht hij te zeggen. Doch hij zweeg.

Ze keek hem smekend aan. Fluisterde: 'Ik heb vertrouwen in jou. Al vanaf het ogenblik dat we elkaar voor het eerst ontmoetten, was ik er zeker van dat ik je mocht vertrouwen. Zijn lot ligt in jouw handen!'

En mijn lot? dacht hij. Is ze zich er wel van bewust hoe pijnlijk dit allemaal... deze bekentenissen voor mij zijn? Zo hulpeloos zit ze daar, op nauwelijks een paar meter van mij. Kon ik haar maar tegen mij aandrukken, haar troosten! O, wat houdt ze nog voor mij verborgen? 'Ik zou je willen helpen,' zei hij. 'Ik moet...' Er schoten hem geen woorden meer te binnen. Voor zijn geest verscheen Oswald die langzaam langs het water loopt en verdwijnt in de avond. Was dat zijn zoon? Een schim die nergens thuishoort, misschien op zoek is naar onderdak, misschien... Wat was het moeilijk om vader te zijn! 'En als hij niets zegt?' vroeg Franz opnieuw.

'Daar wil ik nu niet aan denken. Je kent het verhaal. Jij bent de enige die nu met hem kan praten. Je hebt zopas zelf gezegd dat je met hem moet praten.'

'Om wat te weten te komen, Ingrid?'

'Waarom hij zegt dat hij is voorbestemd om alleen door het leven te gaan. Waarom hij beweert dat hij niemand gelukkig kan maken.

Nochtans zijn we maandenlang gelukkig geweest. Onwaarschijnlijk gelukkig, achteraf bekeken. We gingen naar films en het toneel, maakten wandelingen. En op een dag, tijdens een van onze wandelingen, vroeg hij of ik ook zonder hem gelukkig zou zijn. Je kent het antwoord, Franz.'

'Ja.' Hij dacht een poos na en herhaalde zacht Hella's woorden alsof het de zijne waren: 'Waaraan denk je toch? Ik weet dat je van mij houdt – en wil dat ik gelukkig ben!'

'Zo is het,' beaamde Ingrid, 'dát heeft Oswald zeker gewild.'

'En als ik nu in zijn plaats de vraag stelde?' vroeg Franz. 'Wat zou je NU antwoorden?'

'Dat het me pijn doet dat we elkaar niet meer terugzien. Maar – het mag vreemd klinken – ik voel me helemaal niet ongelukkig zoals men zich zou kunnen voelen, wanneer men in de steek wordt gelaten door iemand van wie men zielsveel houdt. Toen hij wegging, voelde ik me niet eens in de steek gelaten. Het leek wel of hij van mij moest weggaan om een lange, verre reis te maken zonder te weten wanneer hij zou terugkeren...'

'En je dacht,' onderbrak hij haar, 'ik schrijf een brief, maar het werd een verhaal waarin je alles opnieuw wilde beleven om te achterhalen wat hem bezielt. Het kwam je voor dat je hem niet echt hebt gekend, dat hij bij jou liefde heeft gezocht doch om een of andere reden plots bang is geworden en is beginnen te twijfelen. Je schreef dat Hella aanvoelde dat Hugo diep in zijn hart bang was om haar liefde te blijven beantwoorden, dat hij gekweld werd door iets onuitspreekbaars. Een moeilijke periode brak aan. Hugo werd zwijgzaam, je zag hem ook minder. Hij had het erg druk, beweerde hij. Hella maakte zich zorgen. Op een dag ging ze naar hem toe, drie weken nadat hij haar die bewuste vraag had gesteld...' Franz sprak stil voor zich uit zonder Ingrid aan te kijken. 'Hugo was verrast door haar bezoek,' zei hij nog. Dan vond hij plots geen woorden meer. Er staat niet wat er staat, ging hem door zijn geest. Ingrid heeft niet alles kunnen neerschrijven.

'Ik hoop dat hij mijn verhaal zal lezen,' zei ze, 'en erop zal reageren.'

'Het moet voor jou niet gemakkelijk zijn geweest exact weer te geven wat er zich tussen jullie heeft afgespeeld,' merkte Franz peinzend op. 'Ja,' vervolgde hij na een korte pauze, 'zo'n gebeuren ontsnapt aan de tijd; je schrijft het op en ineens zijn er geen dagen meer, alleen nog de woorden, de beelden, je haalt ze naar binnen in je verhaal met zijn eigen tijd.' Het klonk alsof zijn gedachten uitgingen naar iets dat veel verder reikte dan Ingrids script.

'En als hij niet wil terugkeren,' zei ze. 'Wat dan? Moet ik hem opzoeken?'

'Ik begrijp dat je ongerust bent,' antwoordde hij, 'maar Oswald heeft je niet ongelukkig willen maken.'

'Dat troost me, Franz... vooral wanneer ik terugdenk aan die moeilijke periode. Je hebt daarnet gezegd dat Hella – dat ik naar hem toe ging. Hij spande zich vreselijk in om te doen alsof er niets aan de hand was. In zijn studio heerste er een ontzettende wanorde. Zijn bed was onopgemaakt, overal slingerden boeken rond, in zijn fauteuil lagen kleren. Hij gooide de kleren op het bed en zei dat ik moest gaan zitten. 'Luister,' begon hij, 'ik heb er lang over nagedacht. Het is beter dat we elkaar niet meer ontmoeten, en misschien ga ik ook niet meer naar huis, hoewel...' Hij keek me aan met een vreemde, onrustige blik. 'Hoewel,' herhaalde hij zonder zijn zin af te maken. Ingrid hield even op met spreken en zei dan: 'Terwijl ik dit allemaal neerschreef, wist ik dat ook jij mijn verhaal moest lezen.'

'Hugo bekende dat hij liever niet naar huis zou terugkeren,' bracht Franz moeizaam uit. 'Maar eigenlijk zei hij niet waarom. – Heeft Oswald je echt niet de ware reden gezegd? Heeft hij je niet verteld waar hij naartoe wilde? Enkele weken geleden verzekerde hij me nog dat hij zich thuis beter kon concentreren op zijn werk. Ik begrijp het niet!'

'Ik luisterde aandachtig naar wat hij me verder te zeggen had,' antwoordde Ingrid. 'Hij sprak over Parcifal die vroeg: 'Ach moeder, wat is God?' En de raad meekreeg dat hij zich tot Hem moest richten wanneer hij in nood verkeerde. 'God,' zei de moeder van Parcifal, 'is een licht nog heller dan een zomerdag; Hij is de enige trouwe toeverlaat...' En dan vertelde Oswald me dat ze stierf van verdriet toen haar zoon wegging om zijn tocht te ondernemen.'

'Ja,' zei Franz, 'Oswald hield van dat verhaal. Dat het nu pas tot me doordringt. Vreemd. Het kwam niet eens bij mij op toen ik het script las. Je schreef nochtans dat Hugo zich verdiepte in de lotgevallen van *Parcifal*. Nee, ik heb er nooit één ogenblik aan gedacht dat Hugo Oswald zou kunnen zijn!' Hij zuchtte en schudde het hoofd. 'Ik kan het nauwelijks geloven. Maar waarom wil hij weggaan van jou... van ons? Ik zie geen reden!'

'Die moet er zijn,' fluisterde ze, 'meer kan ik niet zeggen; misschien zullen jij en je vrouw ze kunnen achterhalen. Geloof me: ik kan het niet.'

Franz besefte dat het tijd werd om te gaan. Ze stonden op.

'Help hem,' smeekte ze plots, 'we moeten hem helpen.'

Een ogenblik keek hij haar verbijsterd aan. Haar ogen hadden een diepe, droevige glans. Alsof hij steun zocht, nam hij haar beide handen vast en kuste ze innig.

'Ik bel je zodra ik met hem heb gesproken,' beloofde hij.

'Dank je,' zei ze.

Het stortregende nog steeds toen Franz de studio van Ingrid verliet. Hij zette de kraag van zijn jas op en liep haastig, beschutting zoekend tegen de gevels, naar de parking. Intussen was het ook beginnen te schemeren, maar hij had geen zin om onmiddellijk naar huis te rijden. Even buiten het stadscentrum stopte hij voor een rustig café en besloot er een tijdje te blijven om het gesprek met Ingrid te laten bezinken. Hij nam zijn gsm en verwittigde Ada dat hij pas in de loop van de avond thuis zou zijn. 'Ik zit in Leuven,' zei hij op vlakke toon. 'Ik ben op bezoek geweest bij een auteur en heb nu een afspraak met een collega-uitgever.'

'Ga je samenwerken?'

'Ik weet het nog niet. – A propos, je hoeft voor mij geen avondeten klaar te maken. Ik loop wel ergens een snackbar binnen. Tot straks.'

'Dit keer heb je dan toch niet helemaal gelogen,' spotte een stem in hem.

Ada zat in de salon te lezen in het laatste nummer van het pedagogische tijdschrift waarop ze was geabonneerd, en rookte een sigaret. Gaandeweg dwaalden haar gedachten af naar Franz en Oswald. Ze bleef het vreemd vinden dat de jongen vorige zondag onbegrijpelijk plots was vertrokken en kwam in de verleiding hem op te bellen. Haar ongerustheid nam toe. Ze verzette zich ertegen en hoopte dat Franz niet te laat naar huis zou komen. Natuurlijk begreep ze dat hij het erg druk had, zodat hij bijna geen tijd kon vrijmaken voor haar en hun zoon. O, ze had er niets op tegen dat hij zijn lang gekoesterde droom probeerde te verwezenlijken! Ze moest hem die vrijheid gunnen. Maar ze mocht zich toch ook zorgen maken als hij slechts voor zijn uitgeverij begon te leven. De laatste tijd liep hij er immers erg teruggetrokken en afwezig bij, net zoals Oswald. Soms wekte hij de indruk dat hij hun huis wilde ontvluchten – alsof hij er zich na al die rustige, stille jaren niet meer thuis voelde. Ja, ondanks het keiharde werken hadden ze een rustig, zorgeloos leven geleid. Ze kon zich niet één dag herinneren waarop het anders was geweest. Hooguit hadden ze enkele keren geredetwist: rimpels aan de oppervlakte. Maar wat bevond er zich onder die oppervlakte? Was het misschien iets dat ze nooit geregeld zouden kunnen krijgen onder elkaar? Iets waarvan ze zich niet eens bewust was? Franz zei altijd: 'Maak je geen zorgen.' Plots rees er in haar twijfel of hij het wel meende en ze vroeg zich ten slotte af of er achter die geruststelling niets onrustwekkends schuilging. Al die vragen beletten haar verder te lezen. Ze legde het tijdschrift op de salontafel. 'Denk je dat we iets te verbergen hebben?' had Franz vorige zondag gezegd, vlak voor hij zijn vader ging bezoeken. Haar antwoord was noch ja noch nee geweest. In de plaats daarvan had ze beloofd dat ze zou proberen niet meer zo bezorgd te zijn, ofschoon ze wist dat het haar nooit zou lukken! Dan schoot haar te binnen dat ze de opmerking had gemaakt dat hij en Oswald iets aparts hadden. Dat was zeker niet gelogen! En ze had gevraagd of hij dan niet wist wanneer het haar was opgevallen... O ja, ze had Franz bewust willen maken van het feit – het onmiskenbare feit! – dat ze heel dicht bij hen stond, hoe moeilijk ze het haar ook maakten door zich in hun eigen wereld te willen terugtrekken. Ze voelde zich tekortgedaan. Vreesden ze dat ze hun wereld zou binnendringen? Misschien hadden ze toch iets te verbergen voor haar. Andermaal trachtte ze zich te verdiepen in het artikel dat ze was beginnen te lezen. Ze las: 'Een halve eeuw geleden werd het huwelijk gezien als de hoeksteen van de samenleving.' Ze zuchtte, legde het tijdschrift terug op de salontafel en stak een tweede sigaret op. Met dromerige blik volgde ze een poos de omhoogcirkelende rook; dan zette ze de televisie aan, maar ze vond geen programma dat haar interesseerde en schakelde het toestel weer uit.

Ongeduldig keek Ada op haar horloge. Een halfuur geleden – om acht uur precies – was ze in de salon komen zitten. Ze had echter de indruk dat ze er al uren zat, alsof het haar was opgelegd te wachten en geduld te oefenen. 'Wat word ik oud,' zei ze bij zichzelf, 'een oude, argwanende vrouw.' Ze wilde de stem van Franz horen: hem horen zeggen hoezeer hij haar had gemist. Ze wilde zijn lippen voelen branden op haar mond en borsten... voelen dat zij de enige was voor hem! En plots vroeg ze zich af: Waarom hebben we zaterdagnacht nadat ik hem die vreselijke droom had verteld, niet met elkaar de liefde bedreven? Waarom heb ik hem weggestuurd toen hij in mijn werkkamer zijn hand op mijn schouder legde? Hij verlangde naar mij en ik stuurde hem weg om verder te kunnen werken. Zou ik dat vroeger hebben gedaan? Hoe graag wilde ze zijn verlangen *nu* bevredigen? Zo lang ze konden verlangen naar elkaar, bleef dit huis hun onderdak. Ze nam een besluit en ging naar de slaapkamer.

Een tijdje zat ze in gedachten verzonken op de rand van het bed. Dan haalde ze uit de kleerkast de jurk die ze samen met Franz had gekocht, toen ze met vakantie waren in de Provence. Ze glimlachte. Haar vingers betastten de dunne, lichtblauwe stof. 'Je staat er mooi mee,' had hij gezegd, 'en jong.' Ze ontkleedde zich en trok de jurk aan over haar naakte lichaam. Vervolgens bekeek ze haar gezicht in de spiegel met de blik van een vrouw die zoekt naar sporen van veroudering. Die waren er, maar ze vielen gelukkig niet echt op. Overigens, als ze zich schminkte, zag je van de fijne rimpeltjes onder de ogen en om de mond niets meer. Alleen de plooien in de hals, merkte ze nu, waren toegenomen. Ja, de huid was er duidelijk losser geworden. Ze wendde de ogen af, liep naar de badkamer en ging onder de douche.

Een behaaglijke warmte doorstroomde haar lichaam tot in de meest verborgen plekjes. Haar poriën openden zich voor de zachte lavendelgeur van de shampoo. Glad werd haar huid en over die gladheid liet ze de handen glijden. 'Franz,' fluisterde ze, 'laat me niet alleen, neem mijn handen, laat ze niet los!' Ze greep de sproeikop, spoelde het schuim van haar lichaam, lang en overvloedig. God, hoe heerlijk was het water, hoe deed het haar hunkeren naar de zon, naar de azuurblauwe hemel boven het helwitte strand waar ze met de kleine Oswald schelpen had gezocht, die hij nadien in een grote, glazen bokaal stak. De bokaal stond lange tijd op het rek in zijn kamer, tot hij uit zijn handen glipte, en tussen de glasscherven lag in twee gebroken zijn enige kinkhoorn. Ontroostbaar was hij toen. Ada draaide de kraan dicht, wreef zich droog terwijl het haar een aangenaam, bevredigend gevoel gaf te mogen vaststellen dat ze aan zee nog altijd in bikini mocht verschijnen. Neen, haar lichaam was niet dat van een vrouw die de vijftig naderde. Opnieuw trok ze haar jurk aan. Daarna droogde en borstelde ze zorgvuldig haar kortgeknipte, donkerblonde haren waarin ze nauwelijks enige vergrijzing bespeurde. En ineens vond ze dat ze er jong uitzag, onweerstaanbaar jong. Zo zou ze in de salon weer op hem wachten, met een glas wijn!

Voor de deur van Oswalds kamer bleef Ada een ogenblik staan. Dan ging ze binnen, deed het licht aan en keek om zich heen. Het was haar gewoonte om in het begin van de week even een blik te werpen in de kamer van haar zoon om te zien of hij ze netjes had achtergelaten. Ze glimlachte: het bed was keurig opgemaakt en er slingerden geen kleren rond. Plots werd ze nieuwsgierig toen ze op de schrijftafel een paar boeken zag liggen. Zou hij die hebben vergeten mee te nemen? Ze nam er een op en merkte dat er een agenda onder lag. Haar nieuwsgierigheid groeide. Ze legde het boek neer en doorbladerde de agenda. Er stak een kaartje in met het adres en telefoonnummer van een zekere Ingrid. Haar hart begon sneller te slaan. Waarom moest hij verzwijgen dat hij een vriendin had? Ja, meende ze, het kon niet anders of ze was zijn vriendin – en misschien was hij nu bij haar. Het stemde haar verdrietig dat hij iets verborg wat ze toch mocht weten! Maar ze zou hem niets zeggen, ook niet aan Franz. Ze mochten niet weten dat ze haar nieuwsgierigheid niet had kunnen bedwingen. Ada legde de agenda terug op zijn plaats. Voortaan behoorde de kamer toe aan een andere Oswald.

Ze besloot hem vanavond toch maar niet op te bellen en nog geen glas wijn te drinken voor Franz er was. Met een plotselinge ijver haalde ze de fles en twee glazen. Alles moest gereedstaan op de salontafel, opdat hij duidelijk zou zien dat ze aan hem had gedacht, zelfs meer dan gedacht! En er moet ook muziek zijn, vond ze, sfeervolle muziek om de avond zacht te laten eindigen. Ze zette een cd op met de verstilde, intieme pianocomposities van Frederico Mompou. De tijd verstreek. Het viel haar hoe langer hoe moeilijker op Franz te wachten. Waarom had hij niet gezegd wanneer hij thuis zou zijn? Het leek wel of hij geen afspraken kon maken. Ze wilde niet kijken hoe laat het was, ze wilde de tijd vergeten, luisteren naar Mompou door wie Franz ook zo vaak werd bekoord. Maar de muziek hielp haar niet vergeten, bracht haar niet in de stemming om geduld te oefenen, een teder en stil geduld.

Toen ze op het punt stond de cd af te zetten, hoorde ze hem eindelijk de hal binnenkomen. Ze bleef zitten. Bijna geruisloos opende hij de deur naar de salon.

'Je hebt het gezellig gemaakt,' zei hij. Zijn stem klonk mat. 'Wijn, schemerlicht, zachte muziek...' Hij gaf haar een kus.

'Ik heb nog niets gedronken,' zei ze.

'Je hoefde daar echt niet mee te wachten, Ada.' Hij zette zich neer tegenover haar, keek voor zich uit met een donkere, afwezige blik.

Ze nam de fles. 'Zal ik?' vroeg ze.

Hij knikte. Wreef over zijn voorhoofd en glimlachte zwakjes.

Ze schonk de glazen vol. 'Dit zal je goeddoen na zo'n lange werkdag. Je hebt toch al gegeten vanavond? Anders maak ik vlug wat gereed.'

'Gegeten... ja, dank je.' Ze namen een slok wijn. Dan vroeg hij: 'Moet je morgen gaan werken?'

Ze zocht zijn blik. Hield hem even vast. Verwonderd. 'Morgen is het woensdag, Franz. Ben je echt al vergeten dat woensdag dit jaar mijn vrije dag is?'

'Vorig jaar was je op vrijdag thuis.'

'Had je dat misschien liever?' Ze zuchtte.

'Nu heb je een rustdag in het midden van de week,' antwoordde hij alsof hij de vraag niet had gehoord. 'En vrijdagnamiddags moet je ook al niet lesgeven... Je hebt een zee van tijd.'

'Maar jij niet.'

'Ik zal morgen wel wat later gaan werken.'

'Doe dat.' Ze dronk van haar wijn en keek hem uitnodigend aan. Zag hij dan niet dat ze naar hem verlangde, dat ze voor hem haar lichtblauwe jurk had aangetrokken? Ze wou willen zeggen: 'Kom naast me zitten,' maar ze kon de woorden niet over de lippen krijgen. Ze wilde dat hij nu een stap zette. Opnieuw wreef Franz over zijn voorhoofd. 'Heb je hoofdpijn?' vroeg ze.

'Een beetje,' mompelde hij, 'het gaat wel over.'

'Ja...'

'Je hebt Mompou opgezet. Net de muziek die we nodig hebben.'

'Ik wist niet dat het je een plezier zou doen.'

Met neergeslagen ogen fluisterde hij: 'Tes pas, enfants de mon silence...'

Zo roerloos en in zichzelf gekeerd zat hij in de fauteuil dat ze ervan schrok. Wat voelde hij? Waaraan dacht hij? Ze hunkerde naar een antwoord dat hij zou geven met heel zijn lichaam.

Ze stond op, ging achter hem staan en legde haar handen op zijn schouders.

'Ada...'

'Ja, Franz...'

'Nu herinner ik me weer de laatste verzen van het gedicht *Les pas* van Valéry, waardoor Mompou werd geïnspireerd. Wil je ze horen?'

'Natuurlijk'

'J'ai vécu de vous attendre, et mon coeur n'était que vos pas...'

'Ik heb op jou gewacht, Franz.'

'Ik kon niet vroeger.'

'Mijn hart was bij jou.' Ze streelde zijn borst. 'Heb je niet gemerkt dat ik op jou gewacht heb?'

'Je had niet mogen wachten.'

'Waarom niet?'

'Ik mag je niet teleurstellen, ik zou het ook niet willen! Maar...' Plots zweeg hij.

Ze vroeg: 'Waarom zeg je het niet?'

'Uitgever zijn is een moeilijk beroep, Ada.'

'Ik dacht dat je het graag deed.'

'Dat is ook zo. Alleen moet je rekening houden met – met heel wat risico's. Sorry, ik wil je daarmee niet lastigvallen.'

'Je zei dat je me niet wil teleurstellen, Franz.'

'Ben je misschien bang dat het zou kunnen gebeuren?'

Ze boog zich over hem heen en drukte haar gezicht tegen het zijne. 'Het gebeurt niet, Franz,' fluisterde ze. 'Zeg dat het niet gebeurt!'

Hij nam haar beide handen en kuste ze. Dan liet hij ze los. Ada huiverde. Onbereikbaar werd hij ineens. Ze ging opnieuw tegenover hem zitten. 'Ziet hij dan werkelijk niets?' vroeg ze zich af. Vroeger zou hij hebben gezegd: 'Je hebt je mooi gemaakt; die jurk staat je beeldig.' En hij zou haar in zijn armen hebben genomen. Ze dronk haar glas uit. Vulde het andermaal, boordevol dit keer.

'Je drinkt nauwelijks,' zei ze. 'Heb je geen zin?'

'Ik heb alle tijd,' antwoordde hij. 'Laten we nog wat naar Mompou luisteren.'

Ze reageerde niet. Kon zich niet van de indruk ontdoen dat hij haar het zwijgen wilde opleggen. Alsof het werkelijk haar bedoeling was de rest van de avond vol te praten! Wat doet hij moeilijk, zei ze bij zichzelf, indien het moet zal ook ik alle tijd hebben. Toen de pianomuziek zachtjes was weggestorven, greep ze naar haar glas, doch maakte, terwijl ze het hief, zo'n onhandige beweging dat ze op haar jurk morste. Geschrokken zette ze het glas neer en bekeek de donkerrode plek op haar borst.

'Net op je mooiste jurk,' zei Franz. 'Waarom heb je die aangetrokken?'

'Weet je het echt niet?' vroeg ze geprikkeld. 'Ik zal het je zeggen. Voor jou heb ik ze uit de kast gehaald, alleen voor jou!' Het klonk uitdagend. 'En nu ga ik die vlek met zout inwrijven. Ga jij intussen mijn nachtkleed halen.' Ze liep naar de keuken.

Toen Franz terugkeerde, zat Ada al in de sofa. Naakt en met een glimlach om de mond die hij nooit eerder bij haar had gezien. Het gaf hem een schok. Ze trok het nachtkleed niet aan, maar legde het in haar schoot. Hij ging zitten. Meed haar blik. Het hinderde hem dat ze net nu naar hem verlangde. Even dacht hij te zeggen dat hij moe was. Doch die kwetsende leugen kreeg hij niet uitgesproken. Beschamend, ronduit beschamend, verweet hij zichzelf. Hoe durf je zoiets te denken, terwijl zij bereid is zich te geven! Je kan haar niet afwijzen. Ze zou het nooit vergeten! Kijk hoe mooi haar lichaam nog is.

‘Wat is er toch, Franz?’ hoorde hij Ada vragen.

‘Niets,’ antwoordde hij resoluut. Alsof hij een beslissing nam. Ik mag haar niet ontgoochelen, flitste het door zijn hoofd. Hij dronk een slok wijn. ‘Dat was een uitstekend idee,’ zei hij goedkeurend. Hun blikken ontmoetten elkaar.

‘Wat?’ vroeg ze verwonderd.

‘Raad eens…’

‘Ik zou het niet weten!’

‘Dat je de fles wijn hebt klaargezet. Het is nog geen vrijdagavond, en je begeeft je al aan de drank! Je hebt het ritueel verbroken, Ada – de orde verstoord. Je zit vol verrassingen!’

Ze lachte. ‘Ach, voor één keer!’

‘Het mag nog gebeuren.’ Hij nam weer een slok. Keek naar haar borsten, die hij zo dikwijls met tedere, voorzichtige handen had gestreeld. Dan liet hij zijn blik even rusten op het nachtkleed in haar schoot. Schijnbaar achteloos schoof ze het over haar dijen. Ze rekte het bovenlichaam en hield een poos beide handen achter het hoofd. Zijn blik verloor zich in haar donkere okselholten. Hij voelde begeerte wakker worden, maar hield zich in. Straks, zei hij bij zichzelf, straks… Laten we eerst nog wat drinken en genieten van de roes.

Ze raadde wat er in hem omging, liet de armen zakken en bracht met een langzaam, verleidelijk gebaar haar glas aan de lippen. Toen ze het neerzette, was het bijna leeg. ‘Nu is het jouw beurt,’ fluisterde ze.

‘Tot op de bodem, Ada!’

Hoe kan hij zo vlug van stemming veranderen, dacht ze. Die uitgeverij maakt hem nog gek. Maar vanavond is hij van mij, vanavond bestaan we alleen voor elkaar…

‘En nu jij, Ada.’ Hij schonk haar glas vol.

‘Wil je me dronken voeren, Franz? Moet die fles echt leeg nu?’

‘Mag dat niet?’

‘Jij hebt minder gedronken dan ik.’

‘Goed. Als je er niet tegen kan, is je glas wijn voor mij.’

'Nee, ik maak het wel helemaal leeg!' Ze hunkerde naar zijn handen, die heel zacht over haar lichaam zouden glijden, het zouden verkennen tot in zijn intiemste plekje. Franz wachtte met ingehouden spanning. Pas toen ze naar haar glas greep, vulde hij opnieuw het zijne. 'Ik haal je nog in,' zei hij.

'Je mag.'

Hij lachte. Stond op en dronk met haar mee. Dit keer niet tot op de bodem. Hij hield ermee op zodra ze stopte. 'Mooi,' zei hij, 'nu hebben we nog wat over voor de rest van de avond.'

'En wat nog in de fles zit, is voor jou, Franz!'

'Dank je.' Hij ging naast haar zitten en legde zijn linkerhand op haar dij. Ze streelde ze met de vingertoppen, innig en intens. Dan bedekte haar hand de zijne, als een warme schelp. Een tijdje zaten ze zwijgend naast elkaar. En toen ze ten slotte hun glas hadden uitgedronken, sloeg bij Franz eensklaps de begeerte toe. Hij sprong op, kleedde zich uit en duwde Ada hard neer in de sofa. Met een haastig, wild gebaar gooide hij het nachtkleed op de grond; ruw betastte hij haar borsten.

'Nee, Franz… in godsnaam niet zo!' smeekte ze. 'Doe het niet zo!' Ze snikte, terwijl hij voortijdig klaarkwam.

4

Terug in Gent na zijn onvoorziene vertrek uit het ouderlijke huis, verdiepte Oswald zich opnieuw in zijn eindwerk. Inderdaad, zei hij bij zichzelf, dichter Wolfram had het bij het rechte eind: de dwaas Parcifal moet sterven opdat de nieuwe de graal kan vinden. Hij overwoog zijn notities, maar van schrijven kwam niets terecht. Juist nu hij meer dan ooit een punt wilde zetten achter zijn verhandeling, was er iets in hem dat er zich tegen kantte. Hij ging vroeg slapen met het vaste voornemen de volgende dag zo vlug mogelijk aan het werk te gaan, maar ook dan lukte het hem niet iets zinvols aan het papier toe te vertrouwen. Een hele tijd zat hij vergeefs aan zijn bureau, waarin hij zijn laptop had weggeborgen, omdat hij die voorlopig niet nodig had. Overigens had hij het altijd aangenamer gevonden met de hand te schrijven dan letters in te drukken op een toetsenbord. 'Dat verdraaide besluit!' zuchtte hij. Vruchteloos hield hij zijn balpen tussen de vingers: geen enkele zin die in zijn hoofd opkwam, bevredigde hem. En hij werd het moe zijn hersens te pijnigen.

Om zijn ergernis kwijt te geraken ging hij 's namiddags – in plaats van college te lopen – rondzwerven in een buitenwijk van de stad, tot hij gedreven door honger een eetcafé binnenstapte. Daarna wandelde hij weer doelloos verder zonder zich nog langer te ergeren over zijn schrijfproblemen. Een tijd volgde hij de rivier, af en toe halt houdend om te zien hoe snel de eenden het brood dat hun werd toegeworpen, uit het water hapten, of om het donkere wateroppervlak af te speuren op zoek naar iets dat door de onzichtbare stroming werd meegevoerd. Hij peinsde: hoe heerlijk moet het zijn op je rug in het water te liggen, zijn kracht te voelen en je met de stroming te laten meedrijven, de ogen gesloten... En in de aloude binnenstad met haar wirwar van smalle straten en steegjes koesterde hij het opwindende gevoel verdwaald te zijn geraakt in een labyrint zonder centrum.

De dag daarop trok Oswald er weer op uit. Hij liep een verlaten, terrasvormig buurttuintje in dat aan de rivier grensde en waar hij vroeger wel eens kwam met Ingrid. Hij zette zich neer op een bank. Een waterige novemberzon zorgde ervoor dat het niet echt koud werd. Hij stak zijn handen in de diepe, warme zakken van zijn jack en stelde vast dat de voering van de rechterzak was gescheurd. Toen hij onwillekeurig een paar vingers door het gat duwde, stootten zijn vingertoppen tegen een klein metalen voorwerp. Het was de ring die Ingrid hem ooit had gegeven. Ze had hem gevonden bij de ingang van het bioscoopcomplex waar ze 'Het meisje met de parel' zouden zien. De ring, in de vorm van een slang die in haar eigen staart bijt, was te groot voor haar. Ze vond het niet jammer. 'Je krijgt hem,' had ze gezegd. 'Kom, geef me je hand.' Meteen had ze de ring aan zijn vinger geschoven. Maar toen hij enkele dagen later naar huis reed, had hij hem in zijn zak gestoken, omdat hij niet wilde dat zijn ouders hem zagen. Zo moest hij dan door het gat – of was het aanvankelijk niet eerder een onbeduidend gaatje? – naar beneden zijn gegleden. En hij was er steeds van overtuigd geweest dat hij de ring verloren had! Hoe scherp stond ook dit kleine voorval in zijn geheugen gegrift! Nog hoorde hij Ingrid lachend zeggen: 'Nu zijn we die slang gelukkig kwijt, het is toch maar akelig ermee rond te lopen rond je vinger.' Alsof het om een ring ging die ongeluk kon brengen! Oswald schoof hem opnieuw aan zijn vinger en verliet het tuintje.

Er zouden meer van die tuintjes aangelegd mogen worden langs het water, dacht hij. En waarom zou ik niet op zoek gaan naar een kamer met uitzicht op de rivier? Liefst een stille, eenvoudig ingerichte achterkamer. In beslag genomen door de idee van een mogelijke verhuizing liep hij verder in de richting van het oude centrum.

Wat later zat Oswald in een snackbar in de buurt van de Opera. Aandachtig bekeek hij de ring, zich afvragend of hij hem zou blijven dragen. Een akelige slang als herinnering aan Ingrid, mijmerde hij somber gestemd, een slang ter nagedachtenis van wat niet in vervulling kon gaan, omdat ik haar leven niet mocht verknoeien. Nu ja, mettertijd zal ze me vergeten en van iemand anders houden... Ja, ze moét me vergeten! Maar moet ik haar ring dragen? Me elke dag opnieuw martelen met herinneringen? Oswald at haastig voort. Dan wierp hij een blik op zijn horloge. Het was halfzeven. Hij voelde zich vreselijk ongemakkelijk worden. Alsof hij vandaag nog een opdracht diende uit te voeren maar niet meer wist welke. Zonder te weten waarom schreef hij op een bierviltje: 'We zijn hier geweest,' en daaronder zijn initialen en die van Ingrid. Enkele minuten later begaf hij zich op weg naar zijn studio, die hem plots angst inboezemde. Niettemin moest hij terugkeren, langs de vertrouwde straten met de vertrouwde gevels waarachter onbekende levens schuilgingen, onbekende werelden die alle op een of andere manier met elkaar verbonden zijn, op elkaar inwerken. Het leek of hij tot nu toe niets anders had gedaan dan terugkeren, of zijn lange stadswandelingen nodig waren om hem ervan bewust te maken dat zijn leven tenslotte niet meer was dan een poging om een definitieve terugkeer te realiseren. Hij sloeg zijn straat in, keek met gemengde gevoelens naar zijn vertrouwde huis en merkte dat er iemand voor de deur stond. Vanwege de schemering herkende hij de gestalte niet onmiddellijk. Toch kwam ze hem bekend voor. Hij deed nog enkele stappen, draaide zich dan vliegensvlug om en keerde haastig op zijn schreden terug. De gestalte die voor het huis had postgevat, was zijn vader: een schimmige verschijning als het ware opduikend uit het niets! Tot zijn grote opluchting had die hem niet zien aankomen: hij had staan turen naar het venster van zijn studio op de eerste verdieping. Gelukkig ook was hij niet thuis, anders had het licht gebrand en dan had hij wel moeten opendoen! Oswald fronste de wenkbrauwen. Vader die me komt opzoeken, zei hij bij zichzelf, totaal onverwachts. Misschien zal hij me nu opbellen. Mijn gsm ligt op mijn bureau, ik kan straks zien of hij me een bericht heeft gestuurd... vervelend die gsm waardoor je zo gemakkelijk bereikbaar wordt; en waar moet ik nu naartoe?

Ineens werd voor Oswald alles moeilijk: thuiskomen, mensen zien, een aangename avond doorbrengen, breken met het verleden... Mocht hij dan in godsnaam niet *zijn* leven leiden, vrij en onafhankelijk? Het werd tijd dat hij het in eigen handen nam. Nee, het mocht hem niet ontglippen! Wanneer dat gebeurde... Hij kon het zich niet voorstellen. Oswald versnelde zijn pas. Een vaag schuldgevoel begon hem te kwellen. Hij was op de vlucht geslagen voor zijn bloedeigen vader die het toch goed met hem meende. En was hij maanden geleden ook niet weggevlucht van Ingrid? Voor wie zou hij nog op de vlucht moeten slaan? Plots schoot hem te binnen dat hij vorige zondag tegen Filip had gezegd: 'Er is niets dat mij afschrikt.' 'God, wat een leugen,' mompelde hij. 'Ik ken mezelf niet.'

Een groepje luidruchtige studenten kwam zijn richting uit. Om ze te ontwijken, stak hij de straat over en bleef blindelings, met gebogen hoofd, snel voortlopen. Het scheen hem toe dat er ten slotte niets anders op zat dan in beweging te blijven om het pijnlijke schuldgevoel te verdrijven. O, hij was bereid een hele nacht lang Gent te doorkruisen, als dat gevoel hem maar verliet! Een doffe moeheid nam geleidelijk van hem bezit. Toen hij even stilstond, begon alles om hem heen te duizelen. Hij zocht met de rug steun tegen een gevel, sloot de ogen en haalde enkele keren diep adem om door zijn verhitte lichaam de koude avondlucht te laten stromen. Het kikkerde hem even op. Hij maakte zich los van de gevel en leverde zich weer over aan zijn doelloze wandeling, al snakte hij ernaar om zo vlug mogelijk in bed te liggen. 'We houden het vol,' fluisterde hij onwillekeurig. 'Nog een tijdje en dan keren we terug; het zou niet goed zijn als we elkaar nu zagen, voor geen van ons beiden zou het goed zijn.' Met zijn zakdoek wreef hij het klamme zweet van zijn voorhoofd. 'Volhouden,' herhaalde een stem in hem. Vervolgens spotte ze: 'Wat wil dat zeggen: volhouden? Ik begrijp je niet. Je vader aan de deur laten staan! Zou je dat ook doen met je moeder?' Oswald zweeg, bang dat iemand het antwoord zou horen. Nog altijd gloeide zijn lichaam. Hij knoopte zijn jack los. Dacht: ik zal toch maar ergens gaan rusten.

In de buurt van het Sint-Baafsplein stapte hij – voor de laatste keer die dag – een café binnen. Hij bestelde een glas bier, ledigde het in een drietal teugen en bestelde een tweede. Uit aan het plafond opgehangen luidsprekers klonk popmuziek. 'Say that you love me, love me, love me...' kreunde een zangeres met hese, nasale stem. De bassen dreunden. De verdovende, zinloze herhaling van lege woorden en klanken wekte in Oswald een hevige afkeer op. Grondeloze stilte verlangde hij nu, een stilte waarin je eindeloos diep kon wegzinken – onbereikbaar ver. Koortsig dronk hij zijn glas uit. Hij betaalde. De vlucht had lang genoeg geduurd. Verbeten en met snelle pas vatte hij de terugweg aan alsof verloren tijd moest worden ingehaald.

Niemand had een bericht gestuurd. Enigszins opgelucht legde Oswald zijn gsm terug op zijn bureau. Nu hoefde hij niet te antwoorden, geen teken van leven te geven. Hij probeerde een snee brood met kaas te eten, maar na de eerste hap kreeg hij plots de neiging om te braken. Hij liep naar het toilet en gaf over. Nadat hij zich had verfrist, strekte hij zich uit op bed zonder zich te ontkleden. Bijna ogenblikkelijk viel hij in slaap. Door het venster drong het avondlicht vrij naar binnen: hij had zich niet eens de moeite getroost om de zware, donkere overgordijnen dicht te schuiven. Omstreeks middernacht schoot hij wakker. Zijn bleke gezicht drukte pijn en verlangen uit.

'O nee,' mompelde hij, 'het kan niet...' Wat niet kon, was het intieme tafereel waarover hij had gedroomd. Een vrouw stond naakt onder neerstromend water. Haar handen gleden over haar glanzende, smetteloos witte lichaam. Hij keek heimelijk toe door de deurkier, en durfde niet te bewegen uit vrees dat het minste gerucht haar aan het schrikken zou brengen. Zijn ogen kregen maar niet genoeg van het schouwspel. Maar geleidelijk aan werd hij er zich van bewust dat ze heel goed wist dat ze werd gadegeslagen. Plots begon ze te neuriën: 'Love me, say that you love me...' Nog nooit had een stem hem zo betoverend mooi, zo verlokkelijk in de oren geklonken als op dat ogenblik. Hij wilde zich in haar armen storten en blijven herhalen:

'Mama, ik hou zo van jou – lieve mama...' Toen ontwaakte hij uit zijn droom.

Oswald ging rechtop zitten. Tastte aan zijn gloeiende voorhoofd. Ik mag niet ziek vallen, zei hij bij zichzelf. Als ze horen dat ik ziek ben, komen ze naar hier. Morgen ga ik naar de dokter; die schrijft me wat voor en 's avonds ben ik opgeknapt. Hij schoof de gordijnen dicht, trok zijn pyjama aan en kroop tussen de lakens. Pas laat in de nacht sluimerde hij in.

'Het begin van een griep,' zei de dokter. 'Blijf een paar dagen rustig thuis, neem drie keer per dag je medicijn en dan ben je er weer bovenop.' Oswald voelde zich gekooid. Terug op zijn kamer was hij weer op zijn bed gaan liggen. Doch hij kon de slaap niet vatten. Er was zoveel waaraan hij moest denken: zijn doelloze wandelingen in de stad, zijn vader voor de gesloten deur, zijn verhandeling... Als hij die verhandeling af had voor Kerstmis, dan zouden ze thuis natuurlijk opgetogen zijn. Ze zouden zeggen: 'Dat is het mooiste kerstgeschenk dat je ons kon geven.' En vader zou het al hebben over zijn doctoraat, terwijl moeder... Ineens kwam hem zijn droom voor de geest. Hij begroef zijn gezicht in zijn hoofdkussen. 'Mama,' fluisterde hij, 'ik vergeet je nooit, ik hou van Ingrid maar ik kan niet – ik mag niet... het kwelt me al maanden; als die kwelling voortduurt, word ik gek... weet je, Ingrid, ik ben met mama naar Don Giovanni gaan luisteren, ik wist niet dat opera zo mooi kon zijn... en mama straalde!' Hij snikte. Herinneringen doemden op.

Waarom toch had Ingrid zoveel van hem verwacht? vroeg hij zich af. Maar kon het wel anders? Ze liepen op blote voeten over het strand, door plassen koud water die de zee had achtergelaten. De zon scheen; er woei een zachte wind. Vlagen lauwe warmte vermengden zich met de frisse lucht. 'Eind mei verhuis ik naar Leuven,' zei ze onverwacht. 'Ik heb er werk gevonden.' Ze zweeg. De zee hield even op met ruisen.

'Naar Leuven,' herhaalde hij verwonderd.

'Ik ben lang genoeg verkoopster geweest, meer dan een half jaar! Nu word ik secretaresse; het is moeilijk om de juiste job te vinden, maar dat komt nog wel; we hoeven ons geen zorgen te maken.' Haar arm raakte de zijne met een zachte druk die duidelijk leek te willen maken dat ze iets van hem verlangde.

'Dan zullen we elkaar minder kunnen zien...' hoorde hij zichzelf zeggen met gesmoorde stem, terwijl hij op de rand van het bed ging zitten. Het waren dezelfde woorden die hij toen had uitgesproken. 'Maar we zullen toch vrienden blijven,' had hij er aarzelend aan toegevoegd. Ofschoon hij diep in zijn binnenste wist dat ze veel meer waren dan zomaar vrienden.

'Twijfel je daaraan?' had ze gevraagd.

En hij: 'Nee Ingrid.' 'Jij bent mijn enige vriend,' had ze gezegd, 'ik zal je nooit in de steek laten.'

Hij had haar kunnen omhelzen toen, zijn mond op de hare drukken. Hij had het niet gedaan. Ze rende weg. Hij achtervolgde haar, maar ze was sneller dan hij. Vlak bij een golfbreker hield ze stil. Hij gooide de zak neer waarin hun schoenen zaten en liep naar de zee. Een golf spatte hoog op. Hij sprong achteruit, doch het was te laat; de natte broekspijpen kleefden aan zijn benen.

'Het is nog niet warm genoeg om je broek te laten drogen,' zei ze toen hij weer bij haar stond. 'Nu zal je het wel koud krijgen. Kom, ik wrijf je voeten droog,' en fluisterde: 'Kom, zet je neer...' Net zoals mama zou hebben gezegd.

Oswald stond moeizaam op van het bed en wankelde naar de keukenhoek. Zijn mond was kurkdroog. Hij dronk een glas water. Gulzig. Het water sijpelde langs zijn mondhoeken. Dan ging hij naar de badkamer. Verdwaasd keek hij in de spiegel. 'Ik ben het wel degelijk,' mompelde hij. 'Zolang ik nog in staat ben om mezelf te herkennen is alles in orde.' Hij stak zijn hoofd onder de kraan, bekeek zich nog eens in de spiegel. 'Nu zie je eruit als een drenkeling,' zei hij meesmuilend. Een poos later lag hij weer in bed.

'Vind je het erg?' had ze gevraagd.

En hij: 'Wat zou ik erg moeten vinden?' Ze liet zijn voeten los en richtte haar hoofd op.

'Je weet het wel,' antwoordde ze.

Hij greep naar zijn schoenen en frunnikte aan de veters. Ja, dát had hij gedaan: proberen een knoop te ontwarren, in plaats van te zeggen: 'Ik vind het erg dat je moet verhuizen,' in plaats van haar tegen zich te drukken en in haar oor te fluisteren: 'Ik zal je missen...'

Ten slotte zei ze: 'Geef hier, ik zal die veter wel uit de knoop halen, ik heb scherpe nagels.'

En toen ze hem de schoen teruggaf, noemde ze hem 'mijn kleine, onhandige jongen.' Hij wist dat hij het was, niet anders kon zijn. De liefde kwam naar hem toe, en hij had zich gedragen alsof hij ze niet zag. Zo dikwijls hadden ze elkaar ontmoet, nu eens op zijn, dan weer op haar kamer. Ze woonden in dezelfde straat, en ze waren in hun vriendschap als broer en zuster tot zij meer wilde zijn en van hem verwachtte dat ook hij meer werd – dáár aan zee. Tijdens hun terugkeer bekroop hem het gevoel dat er iets ongeoorloofds was gebeurd, iets dat hij geen naam kon geven. Hij vroeg zich af of ze ook dat gevoel had. Nee – merkte hij met een tersluikse blik – ze had het niet. Voor haar hing er geen schaduw over hun terugkeer. Integendeel, heel ontspannen, met om haar mond een zweem van een glimlach, zat ze achter het stuur van haar kleine tweedehandswagentje. Ze wekte de indruk zich over een en ander vrolijk te maken. Hij verdroeg het niet, maar onderdrukte zijn onbehagen. Toen ze in Gent aankwamen – de avond was gevallen – stelde hij voor om wat te gaan eten. 'Ik heb genoeg eten in huis voor ons twee,' zei ze. Het klonk zo vanzelfsprekend dat hij ermee instemde. Hij dekte de tafel, terwijl ze koffie zette. Het was niet de eerste keer dat hij bij haar at. Die avond echter had ze hem uitgenodigd om hem de kans te geven zijn onhandigheid goed te maken. Hij kwam er niet toe. In elk gebaar dat ze stelde, school er een verwachting die hij niet kon beantwoorden.

'Mama,' kreunde Oswald stilletjes, verontschuldigend bijna. 'Ik kon niet… wilde niet, ik zag jou en ik wilde niet: dat mocht ik haar niet zeggen…' Hij wierp de deken van zich af en ging voor het venster staan. Een half jaar geleden woonde ze nog tegenover hem.

'Vanuit het open raam heb ik je voor het eerst gezien,' vertelde ze toen ze met elkaar kennismaakten. 'Ik vond het grappig je in al je zakken te zien zoeken naar een sleutel die uiteindelijk in je boekentas bleek te zitten. Wie stopt er nu een sleutel tussen zijn boeken?'

Het was een schitterende, zomerse dag in de herfst. Het begin van zijn voorlaatste academiejaar. Hij was pas verhuisd naar de Jordaensstraat die uitliep op een pleintje in het midden waarvan een oude boom stond met een reusachtige, wijdvertakte kruin. Voordien huurde hij een kamer boven een winkel in de drukke Sint-Pietersnieuwstraat. Onder de reuzenboom fietste ze hem op die dag zo rakelings voorbij dat hij opzij moest springen. Ze stopte.

'Ik had je niet gezien,' verontschuldigde ze zich.

'Het is niets,' zei hij. Ik had maar op het trottoir moeten lopen.'

'Doe je dat dikwijls?' vroeg ze.

'Wat?'

'Niet letten op het verkeer.'

'Ik ben die boom goeiedag gaan zeggen,' lachte hij. 'Hij staat hier prachtig. Vind je niet?'

'Ben je misschien een dichter?'

'Ik?' Hij keek haar verwonderd aan.

'Je praat met de bomen.'

'Je hoeft geen dichter te zijn om met een boom een praatje te kunnen slaan.'

'Nee, je hebt gelijk.'

Sinds die dag wuifden ze 's morgens elkaar toe van achter hun raam. En soms trokken ze het open om een afspraak te maken.

'Lieve Ingrid,' fluisterde Oswald, 'mijn lieve zuster die altijd naar mij luisterde wanneer ik over Parcifal vertelde… hoe stil en ernstig zat je dan tegenover mij!'

Nog enkele ogenblikken bleef hij voor het venster staan. Het bloed bonsde aan zijn slapen. Even schemerde diep in hem de dwaze hoop dat ze voor het venster van het bewuste huis aan de overkant van de straat zou verschijnen. Dan ging hij opnieuw op bed liggen. Ik heb een zuster verloren, suizelde hem door het hoofd, meer dan een zuster... ze zal nooit meer terugkeren...

Tegen de avond kreeg hij een telefoon van zijn moeder. Hij stond net op het punt zijn medicijn in te nemen.

'Stoor ik je niet?' vroeg ze. Het was de vraag die ze gewoonlijk stelde, wanneer ze hem opbelde. Maar dit keer klonk haar stem zo vreemd voorzichtig dat de vraag hem verwonderde.

'Helemaal niet,' antwoordde hij. 'Waarom zou je me storen?'

'Het kan toch zijn dat je het druk hebt.'

'Natuurlijk... Maar nu niet.'

'Kom je vrijdag naar huis?'

'Ik weet het nog niet.'

'Dan ben je uiteindelijk toch nog liever in Gent?'

'Ik ben er graag.'

'Dat begrijp ik, Oswald. En kan je je er nu ook beter concentreren op je studie?'

'Dat valt best mee.' Hij probeerde zo onbezorgd mogelijk te spreken. 'En af en toe ga ik wandelen.'

'Een goed idee. De boog kan niet altijd gespannen staan.'

'Nee.'

'Vergeet niet je vuile was mee te brengen als je dit weekend komt.'

'Ik kan ook wel naar een wassalon gaan, mama. Je hebt al werk genoeg.'

'Mag mama niet meer voor je zorgen?'

'Dat bedoel ik niet.'

'Oswald, ik weet wel dat je het zo niet bedoelt. Maar we helpen waar we kunnen. Misschien komt er nog een moment dat je ons echt nodig zal hebben...'

'Maak je geen zorgen, mama!' Het verwonderde hem dat ze ineens een ernstiger toon aansloeg. Hij had zin om het gesprek af te breken. Enkele seconden bleef het stil tussen hen beiden. Onwennigheid bekroop hem; hij vreesde dat ze het zou gewaarworden. En toen hij wilde herhalen wat hij haar zojuist had gezegd, zei ze: 'Een moeder is altijd bezorgd, Oswald. Dat mag je haar niet kwalijk nemen.'

'Ik neem je niets kwalijk, mama!'

'Natuurlijk niet, jongen.' Zoveel innigheid sprak uit die luttele woorden dat ze hem hevig ontroerden. Slechts met moeite slaagde hij erin om zijn ontroering onder controle te houden. 'Ik zal je nu maar laten,' hoorde hij nog in de verte, 'tot binnenkort.'

'Tot binnenkort,' zei hij zacht.

Ik ga niet naar huis, besloot Oswald. Dit weekend breng ik hier door, al doet het pijn te weten dat Ingrid er niet meer is. Hij had gehoopt de pijn te kunnen verzachten door meer naar huis te gaan, maar het hielp niet. Ze was zelfs toegenomen. 'Nee, mama,' zei hij bij zichzelf, 'je kan de pijn niet wegnemen. Hoe dichter ik bij jou ben, hoe scherper ik ze voel. Je mag van mij niets uitzonderlijks verwachten, niets anders dan dat ik verschrikkelijk veel van je hou. Dat is geen droom, mama!' Hij nam zijn medicijn en zette zich neer in zijn fauteuil. Hij zou willen werken aan zijn verhandeling, aan het besluit. Het zal fantastisch zijn wanneer ik er een punt achter heb gezet, dacht hij. Gelijk welde een gevoel van weemoed in hem op. Maandenlang was zijn verhandeling een houvast geweest, en dat houvast zou weldra wegvallen. Daarna moest hij verder op weg naar een duistere, onbekende bestemming. Ik zal me zo vlug mogelijk aan het schrijven zetten, nam hij zich voor, zodra het gaat. Al schrijvend zal ik afscheid nemen. En misschien stuur ik aan Ingrid een kopie. Dat wordt dan het definitieve afscheid. Weer bestormden hem herinneringen.

Hij vroeg zich af hoe Ingrid de voorbije maanden had doorgebracht. Ongetwijfeld zou ze nog aan hem denken. Maar hoe? Het schoot hem te binnen dat hij een kaartje bezat met haar gsm-nummer en haar adres. Hij begon te zoeken tussen zijn papieren, in de zakken van zijn jack, in zijn boeken, zijn portefeuille... Vergeefs. Wel vond hij in zijn portefeuille een papiertje waarop hij het adres en gsm-nummer van Filip had overgeschreven, maar niet het zo vurig gewenste kaartje: het enige geschrift dat hij van haar bezat! Oswald ging weer zitten. 'Zou je haar werkelijk hebben opgebeld?' zei een stem in hem op ongelovige toon. 'Je bent toch van haar weggegaan om haar niet ongelukkig te maken!'

Ze hadden een toneelvoorstelling bijgewoond en waren op de terugweg naar huis. Weldra zou ze verhuizen. En nog steeds had hij sinds hun uitstap naar zee niet gezegd dat hij haar zou missen. Nu lag het op zijn lippen om het te zeggen. Het hing van hem af of ze samen zouden blijven of niet. Ze hield van hem.

Haar studio in Leuven stond voor hem open. 'Je bent altijd welkom, Oswald.'

'Ik weet het, Ingrid.' Aan die paar bij een eerdere ontmoeting uitgesproken zinnetjes had hij moeten denken, terwijl ze in de milde lenteavond zwijgend naast elkaar liepen. Toen ze aan de hoek van hun straat kwamen, hield hij plots halt.

'Ingrid,' zei hij, 'ik weet dat ik steeds welkom zal zijn, maar het is zo moeilijk... ik wil niet dat je me mist.'

'Dat mag je van mij niet eisen,' antwoordde ze speels en ernstig tegelijk. 'Zet die vreemde gedachten gewoon uit je hoofd. Was het geen goede beslissing om eens naar de schouwburg te gaan?'

'Ja,' fluisterde hij.

'Kom, laten we bij mij nog iets drinken.'

Hij was haar gevolgd. Bleef een tijd luisteren naar de *Nocturnes* van Chopin. De piano dompelde hem onder in een grenzeloze weemoed. Hij ontweek haar blik. Wilde niet zwak worden, zelfs al hield hij zielsveel van haar. Je mag haar niet aanraken, flitste het door zijn hoofd. Toen hij de ogen sloot, was het of ze verdween in de muziek, erin veranderde en in hem binnendrong om bezit van hem te nemen, voor altijd.

'Vond je het mooi?' vroeg ze.

Hij knikte.

'Hier,' zei ze, 'je krijgt de cd.'

'Ingrid, ik hou van die Nocturnes. Maar het spijt me, ik... je mag niet...'

'Doe niet gek,' onderbrak ze hem, 'hier, het is muziek waarvan je houdt; die kan je toch niet afwijzen!'

Hij aarzelde. 'Bewaar ze dan, omdat ik ze zo mooi vond,' zei hij eindelijk. 'Nu moet ik gaan, Ingrid.'

'Slaap wel, Oswald.' Ze draaide zich vlug om terwijl hij de deur opendeed. Hij begreep dat ze niet wenste dat hij haar gezicht zag.

Alsof hij hun gesprek van toen wilde verderzetten, zei hij stil voor zich uit: 'Ik kon niet slapen, Ingrid. De Nocturnes hielden me wakker. Ik ging zonder het licht aan te steken voor het venster staan en keek naar het donkere venster van jouw kamer. Sliep je al? Ik heb het je niet gevraagd toen je me dagen nadien kwam opzoeken.' Oswald beet op zijn onderlip. Ineens sprong hij op en begon andermaal verwoed te zoeken naar het kaartje. Het bleef onvindbaar. 'Als het hier niet ligt, dan ligt het thuis,' concludeerde hij geschrokken. Hij kroop in bed. Liet het schemerlampje branden, zocht een gemakkelijke lighouding en probeerde zijn geest tot bedaren te brengen. Doch aan de stroom van herinneringen kwam geen einde. Het leek of heel zijn verleden aan de oppervlakte moest komen, opdat er geen onderscheid meer zou bestaan tussen nu en toen: het nu moest verdwijnen in het toen... Lag hij niet dáárop te wachten. Gespannen wachten tot hij helemaal in het verleden was ondergegaan: verdronken. Oswald haalde diep adem, net of hij alle krachten wilde bundelen om toch maar te proberen de stroom over te zwemmen. Dan ontspande hij zich, strekte zich uit op zijn rug en ving in de schemer een glimp op van de afbeelding aan de muur tegenover hem.

Ze stelde Maria voor, de gekroonde koningin uit het *Lam Gods*. Hij had de afbeelding niet zelf opgehangen. Ze hing er al voor hij de studio huurde. Hij was er zo gewoon aan geraakt dat hij er mettertijd geen aandacht meer aan schonk. Maar nu volstond een glimp om getroffen te zijn.

'Je mag me alles toevertrouwen,' zei een warme, liefdevolle stem die geleek op die van Ingrid.

'Alles?' vroeg hij. 'Ik weet niet of dat mogelijk is.'

De stem zweeg. Ten slotte ging hij verder in zichzelf. Net of zijn gedachten konden worden gehoord. Na ons bezoek aan de schouwburg zagen we elkaar in geruime tijd niet meer. Je zocht me op. Je was ongerust geworden, Ingrid, want ik verscheen niet meer voor het raam. Je had me niet willen storen, omdat je wist dat ik het toen erg druk had met mijn studie, maar je ongerustheid werd je te machtig. Ik had me werkelijk ingegraven in mijn lectuur. Bladzijden vol aantekeningen pende ik neer tot de kramp in mijn vingers schoot; ik las en noteerde als gek, verbeeldde me dat ik gegevens verzamelde voor een ridderverhaal... En dan kwam jij. Onverwachts, of toch niet. Want gedurende al die tijd dat ik werkte aan mijn verhandeling was je aanwezig in mijn gedachten. Soms had ik zelfs het gevoel dat ik bezig was je tevoorschijn te schrijven. 'Ben je een kluizenaar geworden?' schertste je. Maar ik merkte dat je schrok van degene die je voor je zag. 'Bijna,' antwoordde ik. Je keek me aan met een ernst die grensde aan droefheid. Toen had ik een arm over je schouders willen leggen om je te troosten. Ik begreep niet waarom ik het niet heb gedaan. Je zei dat ik geleek op iemand die jaren in eenzaamheid heeft doorgebracht en vergeten is hoe je mensen moet begroeten. Oswald sperde de ogen wijdopen. Een poos rustte zijn blik op de gekroonde koningin. Eensklaps zei hij hardop: 'Dan had je eerder op bezoek moeten komen!' Beschaamd over die reactie voegde hij er dadelijk aan toe: 'Nee, dat zal ik natuurlijk niet hebben gezegd... ik zal hebben gezegd: leer me dan hoe je iemand moet begroeten.' Maar ook van die woorden was hij niet heel zeker. Het ergerde hem dat zijn geheugen het even liet afweten. Hij onderdrukte zijn wrevel en begon te mijmeren over het onderwerp van zijn verhandeling. Alsof ze geroepen werden, doemden voor zijn geest de ridders op die de gelofte hadden afgelegd om een heldenstuk te volbrengen. Hij herkende ze: Parcifal, Peredur, Gawain, Galahad... Ze reden met open vizier, hun paard de vrije teugel latend, en verdwenen weldra in een mistige verte. 'Weet je nog, Ingrid, dat ik over hen vertelde?' vroeg hij voor zich uit. Opnieuw keek Oswald naar de gekroonde koningin. Zonder de ogen van haar af te wenden fluisterde hij: 'Ach moeder, wat is God?' Natuurlijk had ze hem niet gehoord. Stil en ingetogen las ze verder in het boek dat ze vasthield. Het boek dat stellig het antwoord bevatte op de prangende vraag. En ook de ridders kenden het antwoord nu... Maar *hij* moest erop wachten met de vreemde gewaarwording doelbewust te zijn achtergelaten in een verkeerde, hem totaal onbekende tijd. Hoe graag had hij de ridders vergezeld op hun avontuurlijke zwerftochten! 'Mama,' zei hij luidop, 'zou jij me hebben laten vertrekken?'

Oswald trok de deken over zijn hoofd. Net of hij het antwoord niet wilde horen. 'Dwaas,' mompelde hij, 'je begint je zoveel in te beelden dat de werkelijkheid je ontsnapt; je bent ziek – maar juist niet ziek genoeg om... om in bed te blijven!' Met een ruk wierp hij de deken van zich af, liep naar de deur en deed ze open. Een poos bleef hij staan op de schemerige overloop, niet goed wetend of hij de trap zou afdalen en naar buiten zou gaan om frisse lucht te happen. Toen er beneden voetstappen weerklonken, ging hij vlug weer zijn kamer in. Het besef dat er nog anderen onder hetzelfde dak woonden, en dat men aan zijn deur kon hebben staan luisteren benauwde hem. 'Weer inbeelding,' trachtte hij zichzelf gerust te stellen. 'Ik heb immers niets gedaan dat het daglicht niet kan velen.'

Hij leunde ruggelings tegen de deur en keek om zich heen met een trage, onderzoekende blik. De hele ruimte en alles wat er zich in bevond, was hem pijnlijk vertrouwd. De laatste keer dat Ingrid bij hem op zijn studio was, zat ze in de fauteuil en luisterde naar wat hij te vertellen had over Parcifal. Hij zat op de rand van het bed en sprak maar door zonder haar te ontzien. Toen hij was uitgepraat, zei ze: 'Laten we gaan wandelen – het is zacht buiten.' Onderweg vroeg ze: 'Is dit dan echt onze laatste avond?' Ze had duidelijk moeite om het te geloven. En hij had gezegd: 'Het is beter zo, Ingrid. Je moet me vergeten. Vergeet ook alles wat ik je daarstraks heb verteld over Parcifal.'

Oswald kwam los van de deur. Het leek of een bodemloze afgrond hem naar zich toe zoog. Hij duizelde even. Hield zich vast aan zijn bureaustoel. Ja, hij moest inderdaad zo vlug mogelijk een andere kamer huren. 'Zodra mijn verhandeling af is, verhuis ik,' zei hij op een toon die geen tegenspraak duldde. Werktuigelijk ging hij zitten aan zijn bureau, stak de lamp aan en sloeg zijn map met notities open. Ze daagden hem uit direct de kroon op het werk te zetten. Nu moet het lukken, dacht hij gejaagd, nu moet ik orde scheppen in mijn gedachtewereld. Vliegensvlug nam hij een blad papier, greep naar zijn pen en schreef:

Alleen wie niet de moed heeft om op zoek te gaan naar zijn ware zelf, hoort thuis in een tijd waarin geschiedenis en maatschappijen worden gemaakt door mensen aan de top van de piramide; zij willen niet dat er vrije ridders, nieuwe helden bestaan die luisteren naar de innerlijke stem en gehoor geven aan de oproep om de grote tocht te ondernemen.

Oswald borg het blad papier in de map. Onbruikbaar voor mijn verhandeling, zei hij bij zichzelf. Gebruik ik die zinnen, dan krijg ik het verwijt te horen dat ik een moraalridder ben (hij zuchtte), met mijn gewezen godsdienstleraar zou ik er nog over kunnen praten... of met Filip die me blijkbaar meer dan genegen is. Plots herinnerde hij zich dat hij een papiertje met het adres en gsm-nummer van zijn vroegere klasgenoot in zijn portefeuille had gestoken. Ha, waarom zou hij hem niet opbellen en voorstellen om vrijdagavond langs te komen? Tegen dan zou hij zeker helemaal genezen zijn.

'Een schitterend initiatief,' zei Filip. 'Ik ben blij dat je me niet vergeten bent, en dat je tijd wil vrijmaken voor een oude schoolkameraad die het niet zo ver zal schoppen als jij.'

'Het is geen daad van naastenliefde,' zei Oswald overdreven nadrukkelijk.

'Dat hoor ik graag! We zullen het met elkaar nog roerend eens geraken.'

'Waarover?'

'Nu ja, zeg maar over het leven!' antwoordde Filip lachend. 'Hoe laat verwacht je mij?'

'Wel... we kunnen iets gaan eten, dus... kies jij maar het tijdstip.'

'Goed. Om zeven uur ben ik bij jou.'

'Afgesproken!'

Een vreemde opwinding maakte zich van Oswald meester. Hij liep enkele keren op en neer. Liet zich dan neervallen in zijn fauteuil en mompelde instemmend: 'Een goed idee, Filip! We zullen het hebben over het leven. Ik ben benieuwd je te horen.'

Toen hij weer in bed lag, viel hij onmiddellijk in slaap. Hij sliep aan een stuk door tot om acht uur het weksignaal van zijn gsm ging. Het leek hem onmenselijk vroeg en hij verweet zichzelf dat hij gisteravond geen later uur had ingesteld. Nee, hij voelde zich absoluut niet gereed om de dag te beginnen. Het bed was een nest, een veilige, warme holte. Wanneer hij het te vlug verliet, zou hij niet opgewassen zijn tegen een nieuwe dag. Oswald besefte dat hij een reden zocht om te blijven liggen. Een tijd hield hij de ogen gevestigd op de reproductie van de gekroonde koningin. Haar serene gelaat straalde een bovenaardse rust uit. Hoe langer hij ernaar keek, hoe sterker zijn verlangen werd om in die rust te worden opgenomen, en zich even rustig als zij te kunnen verdiepen in zijn werk. Hij had de indruk dat zij het voorbeeld gaf, dat ze hem uitnodigde te doen wat hij moest doen. Hij stond op en schoof de gordijnen open. Uit de grauwe, gesloten hemel viel een dunne regen. Rotweer, zei hij bij zichzelf, als je er lang blijft naar kijken, word je nog doornat vanbinnen. Vandaag zal er zeker geen verandering in komen. Een jonge vrouw verliet het huis tegenover het zijne. In een stoffen zak die op haar buik hing, lag – het hoofdje net boven de rand – een baby met een wit mutsje op. Zodra ze de buitendeur had dichtgetrokken, ontvouwde ze een regenscherm. Oswald had zin om het venster open te gooien en haar duidelijk te maken dat je een baby beter niet blootstelde aan zo'n miezerig weer. Hoe kan een moeder haar weerloze kindje al die miezerigheid laten inademen, dacht hij onthutst. Dat is krankzinnig. Ze had me kunnen vragen om op haar kindje te passen terwijl ze de stad in ging. Ja, ze had het me gerust mogen toevertrouwen. Ze weet dat ik hier woon; ze heeft me al gezien toen ik Ingrid bezocht, die in hetzelfde huis woonde als zij. Hij herinnerde zich dat Ingrid hem had verteld dat ze door de man die het kind had verwekt, in de steek werd gelaten. Woedend was hij geweest, zo woedend dat hij er zelf van schrok.

Ja, herhaalde hij koppig bij zichzelf, ze had het me moeten toevertrouwen – pas dan zou mijn namiddag echt zinvol verlopen zijn.

Oswald liep naar het badkamertje. Opnieuw zijn gezicht in de spiegel. Hij schrok. Wie hij zag was een vreemde die hem wantrouwig opnam en op het punt stond te vragen; 'Ben jij werkelijk Oswald?' Hij draaide zich om en ging onder de douche. Toen hij vervolgens wat wilde eten, constateerde hij dat er dringend boodschappen moesten worden gedaan. Hij kocht voor een drietal dagen het noodzakelijke, daarnaast – wat ook Ada niet laten kon – chocolade, en omdat Filip kwam blikjes bier en een zak chips.

Omstreeks tien uur was hij klaar met ontbijten. Maar hij had plots het gevoel dat het veel later was. Alsof de tijd hem in verwarring wilde brengen. 'Fout,' zei een stem die hij al eerder meende gehoord te hebben – alleen wist hij niet wanneer. 'De oorzaak van de verwarring ligt bij jou, jij hebt de chaos in je leven binnengehaald, je hebt hem geduld!' Een poos stond hij in gepeins verzonken voor zijn boekenkast. Zijn gezicht verried een sterke innerlijke spanning. 'Juist,' prevelde hij, 'de chaos is gekomen van zodra ik in mezelf begon af te dalen: ik mocht niet aan mezelf voorbijlopen… hij zou er niet zijn als ik een andere weg was ingeslagen, maar ik had niet te kiezen.'

Hij liet zijn blik glijden langs de ruggen van de boeken, nam een oude pocket en ging zitten in de fauteuil. *De glans der middeleeuwen* heette het boekje; de kaft droeg de afbeelding van een luisterrijk kasteel, blijkbaar de reproductie van een miniatuur. Een jaar geleden had zijn vader het voor hem gekocht in een tweedehandsboekenwinkel. Toen hij het doorbladerde, merkte hij dat er heel wat dingen in voorkwamen die hem bekend waren, en hij had het terzijde gelegd. Nu echter las hij, zonder dat het hem dit keer moeite kostte om zich te concentreren, bladzijde na bladzijde. Zijn belangstelling groeide. Op een bepaald ogenblik kon hij zelfs niet nalaten enkele zinnen over te schrijven die op hun manier uitdrukten wat hij met zijn studie wilde verhelderen. Heel gewone woorden waren het. Doch aan het eenvoudigste gaat men vaak voorbij. Onbegrijpelijk. Hoe had hij zo achteloos kunnen zijn! Waren de zinnen hem indertijd opgevallen, dan zou hij ze stellig hebben onderstreept of overgeschreven.

Niemand wordt ridder geboren. Ridderschap wordt verdiend. De ridder vertegenwoordigt een mens in de hoogste zin van het woord. Men wil dat hij zichzelf voorbijstreeft, dat hij tegelijkertijd de schoonste en de meest goede mens is, terwijl hij zijn persoon in dienst moet stellen van de medemens.

Oswald hield op met kopiëren. Twijfel overviel hem. Voor wie doe ik dit? zei hij bij zichzelf. Waarom? Misschien is mijn verhandeling niet meer dan het werk van een vlijtige kopiist die het in zijn hoofd heeft gehaald aan de bekende dingen wat commentaar toe te voegen. God, waarmee heb ik me maandenlang beziggehouden. Allemaal verspilde energie! Hij barstte uit in een korte, spottende lach. Het boekje, de balpen en de steekkaart met de overgeschreven zinnen vielen op de grond. Hij sloot de ogen. De tijd mocht blijkbaar ook vandaag niet rustig voorbijgaan. 'Je hebt het gewild,' mompelde hij, 'je hebt het niet meer in de hand.' Hetzelfde korte, akelige lachje ontsnapte hem. Hij kwam uit zijn fauteuil, schonk zich in de keukenhoek een glas bier uit en vatte post voor het venster. Er stopte een wagen voor het huis waar Ingrid had gewoond. Een schok voer door hem heen, toen hij zijn mama zag uitstappen. Bliksemsnel week Oswald achteruit. Hij dronk zijn glas leeg en borg zijn medicijn, dat op het aanrecht lag, weg in de keukenkast. Even later belde ze aan.

'Ik was in de buurt,' zei ze. 'Ik dacht: ik zal toch maar eens binnenspringen, misschien is hij thuis. Heb je geen les?'

'Neen,' antwoordde hij verstrooid.

'Maar je bent wel druk bezig.' Ze raapte pocket, steekkaart en balpen op van de grond. 'Was je zo gehaast om open te doen dat je meteen alles liet vallen?' vroeg ze glimlachend.

Hij zweeg. Ze legde alles op zijn bureau en zette zich neer in de fauteuil. Hij wilde niet dat ze over zijn studies zou beginnen en zei: 'Ben je in Gent boodschappen komen doen?'

'Nee, ik ben een les van een stagiaire gaan bijwonen.'

'Zo vroeg!'

'Is dat vroeg – halfelf?'

'Natuurlijk niet.'

'Jammer dat we niet samen kunnen gaan eten. Om één uur moet ik weer een les bijwonen.'

'Wil je een kop koffie, mama?'

'Graag. Plezierig verwend te worden!'

'Ik heb ook nog chocolade gekocht.'

'Geef me maar een stuk, dat smaakt bij de koffie, en gaarne ook een boterham.'

Ze keek toe hoe hij in de keukenhoek koffie zette en de tafel dekte. Het viel haar op dat hij er ongewoon gespannen uitzag en moeite deed om het te verbergen. En dan zijn ring... Die had hij zeker gekregen van het meisje dat Ingrid heette.

'Hoe vlug de tijd gaat!' zei ze toen ze tegenover elkaar aan het tafeltje zaten. 'Binnenkort ben je afgestudeerd, en dan zullen we je thuis nog minder zien, dan ben je misschien helemaal weg.' Er klonk een zweempje triestheid in haar stem.

'Weg... Wat bedoel je, mama?'
'Je kan toch niet eeuwig thuis blijven, Oswald.'
'Eeuwig? Nee, daar denk ik niet aan. Wie weet reis ik nog de wereld rond. Zou jij geen wereldreis willen maken, mama?'
'O, er is nog zoveel te zien in Europa. En waarheen zou jij het liefst reizen?'
'Ik denk... naar een land dat nog niet in kaart is gebracht,' zei hij bloedernstig.
'Er is geen plekje op aarde dat nog niet is ontdekt, Oswald.' Ze zuchtte.
'En als ik nu toch eens op zoek ging naar een onbekend land?'
'Maar Oswald, waarvan zit je nu te dromen? Maak een wereldreis, en je zult moeten toegeven dat er niet zoveel meer te dromen valt, misschien helemaal niets!' Ze dronk van haar koffie en at een boterham met kaas, traag en nadenkend. Een poos zeiden ze niets.
Dan vroeg hij: 'Heb jij nooit gedroomd, mama?'
'Ja, jongen. Ik heb ooit gedroomd van een dochtertje.'
'Waarom heb je me dat nooit verteld?'
'Na jou kon ik geen kinderen meer krijgen... Nee, ik heb het je nooit willen zeggen.'
'Een zuster,' fluisterde Oswald. 'Die had ik graag gehad.'
'Ik ben blij dat we jou hebben. Voor je kwam, heb ik wekenlang moeten rusten – anders was je er niet.'
'Welke naam zou je aan een meisje hebben gegeven, mama?'
'Ik denk dat we haar Ingrid zouden hebben genoemd. Vind je het een mooie naam?'
Hij sloeg de ogen neer. 'Ja, natuurlijk.' Zijn stem trilde een beetje.
'Kom je dit weekend naar huis?' vroeg ze. Het klonk terloops.
'Nee, ik blijf hier werken.' Hij brak een stuk van de reep chocolade, die hij op tafel had gelegd. 'Neem ook een stuk, mama.'
'Ja, je bent niet vergeten dat ik van chocolade hou.' Weer zwegen ze. Plots zei ze: 'Je hebt zo'n mooie ring!' Alsof het haar nu pas was opgevallen.

'Ik heb hem gevonden,' zei Oswald zo onverschillig mogelijk. En hij dacht: Dom dat ik vergeten ben hem af te doen, maar ik was te verrast om eraan te denken, bovendien voel ik al niet meer dat ik een ring draag, zo gewend ben ik het geworden.

'Hé, dromer! Mag ik hem eens zien?'

Hij schoof de ring van zijn vinger. Ze bekeek hem aandachtig. 'Fijn juwelierswerk,' merkte ze op. 'Hoe grappig: een slang die zichzelf opeet! Je hebt geluk dat je een gouden slang hebt gevonden die geld waard is.'

'Geluk!' zei Oswald met stemverheffing, terwijl hij de ring weer aan zijn vinger stak. 'Denk je dat hij me geluk zal brengen?' Hij schrok van zijn nogal scherpe uitlating met de negatieve ondertoon.

Voorzichtig vroeg ze: 'Waarom draag je hem dan?'

'Ik was hem bijna kwijt. Een paar dagen geleden vond ik hem terug. Dus draag ik hem... om hem zeker niet te verliezen!'

'Je hebt gelijk; veiliger dan hem ergens verloren te leggen. Maar als je bang bent dat hij geen geluk brengt, zou je hem beter verkopen.'

'Ik ben helemaal niet bang, mama. Wees gerust, er zal me niets overkomen, ik ben niet bijgelovig.'

'Je hoeft me niet te overtuigen, Oswald. Het zou inderdaad jammer zijn, als je hem verkocht.'

'Nee, dat doe ik zeker niet. Trouwens, (hij keek haar aan met een mysterieus glimlachje) je krijgt de ring. Papa zal hem ook mooi vinden.'

'Het is jouw ring, Oswald!'

Hij drong niet aan. Zijn zenuwen waren tot het uiterste gespannen. 'Wil je nog een kop koffie?' vroeg hij om iets te zeggen. Hij ontweek haar blik.

'Nee – dank je,' zei ze. 'Ik zal je nu maar laten verder werken; ik heb je lang genoeg opgehouden.' Aarzelend, als hoedde ze er zich voor zich te zeer op te dringen, voegde ze er nog aan toe: 'En – wanneer denk je ermee klaar te zijn... met je verhandeling? We kijken er naar uit, hoor!'

'We zijn bezig, mama,' antwoordde hij ietwat korzelig. 'Maar voor Kerstmis is ze zonder twijfel af. Het moet.'

'O, ik wil je echt niet opjagen! Neem rustig de tijd. Langzaam gaat zeker.'

'Wat een mooi spreekwoord!'

'Zo is het,' zei ze. 'Je hebt ons nooit teleurgesteld, Oswald. Verre van. (Het viel Ada op hoe somber zijn gezicht ineens werd.) We weten dat we nog heel veel van jou mogen verwachten.'

'Wat verwachten jullie?' onderbrak hij haar abrupt. Zijn hart bonsde hevig. Hij wierp haar een uitdagende blik toe.

'Dat je van je leven iets uitzonderlijks maakt, en voor anderen een voorbeeld bent, zodat ook wij gelukkig kunnen zijn!'

Ze greep zijn hand vast: die met de ring. 'Ik hoop dat je steeds echt gelukkig zal zijn, Oswald. Beloof me dat je niemand ongelukkig zult maken.'

Ze had met zoveel tederheid en overredingskracht gesproken dat hij zich moest inhouden om niet in snikken uit te barsten. Hij sloeg zijn ogen neer. Zag haar zachte, smetteloos witte hand als een schelp op de zijne. Haar trouw- en verlovingsring glansden diep. Hij voelde zijn ring, de slang die zich rond zijn vinger had gekronkeld en roerloos onder de schelp lag. Een zachte druk van haar vingers deed hem opschrikken.

'Kan je beloven wat ik je heb gevraagd?' vroeg ze op een vriendelijk aanmanende toon, terwijl ze haar hand terugtrok.

'Moet ik uitzonderlijke dingen doen? Dat kan ik toch moeilijk beloven,' antwoordde hij.

'Niemand ongelukkig maken is al iets uitzonderlijks, Oswald.'

'Dát wil ik beloven!'

'Werkelijk?' Ze glimlachte hem toe. 'Nu moet ik gaan.'

'Ik jaag je niet weg.'

'Ik weet het, Oswald.'

Ze gingen naar beneden. Van op het trottoir bleef hij haar traag wegrijdende wagen nastaren. Waarom ben je gekomen? peinsde hij. Lieve mama, waarom ben je toch gekomen?

Zijn namiddag kende weerom een doelloos verloop. De belofte die hij had gedaan, bracht hem in verwarring. Om er niet voortdurend aan te denken hield Oswald zich bezig met het doorbladeren van boeken en herlezen van sommige passages. Een tijd ook luisterde hij naar zijn geliefde componisten en liet hij zich drijven op de wisselende stemmingen die de muziek opriep. Daarna wandelde hij tot bij zijn lievelingsboom op het Prudens Van Duyseplein aan het einde van de straat. Ik had hem al eerder goeiedag moeten komen zeggen, dacht hij omhoogstarend naar de kale kruin, waarover een dunne nevel hing. Nauwelijks hoorbaar fluisterde Oswald: 'Weet je nog dat ik onder je kruin met Ingrid heb kennisgemaakt? Jij was getuige. Ze reed me bijna omver met haar fiets. Ja, was jij er niet geweest, dan zou ik haar nooit hebben leren kennen. Ik kon niet op het trottoir blijven, want ik wilde absoluut weten hoe het voelt onder je reuzenkruin. Je was zo trots op al die schitterende herfstbladeren dat ik er niet aan kon weerstaan hun kleurenschittering van nabij te bewonderen. Ik had me in je kruin willen verbergen, net zoals je wil verdwijnen in een prachtig schilderij. Maar nu zie je er zo intriestig uit. Je zwijgt, je houdt je adem in alsof er iets ergs te gebeuren staat... Kon ik je maar troosten, ik zou gelukkig zijn! En jij zou weten dat je een vriend hebt die pijn kan verzachten, wonden helen.'

Oswald keerde terug naar zijn studio, waar hij niets anders deed dan liggend op zijn bed met gesloten ogen in alle stilte de avond afwachten.

Nadat het helemaal donker was geworden, ging hij eten in de pizzeria die Ingrid hem ooit had aangeraden. Niet ver van de ingang zat een studiegenoot. Oswald deed of hij hem niet had opgemerkt en liep door naar het tafeltje achteraan in het restaurant. Pas had hij plaats genomen of hij stelde met een tersluikse blik vast dat de ander hem gadesloeg.

Mijn ring, moest hij plots denken, die mag hij niet zien. Hij stak hem vlug op zak en riep de dienster. De ander, die net gedaan had met eten, kwam naar hem toe en vroeg waar hij de voorbije dagen gebleven was, en of hij dan niet meer wist dat hij zich geëngageerd had om mee te werken aan het project *Reiziger zijn in de middeleeuwen.* Ze waren – zoals afgesproken – gisteren bijeengekomen en het werk vorderde. 'Ik ben ziek geweest,' antwoordde hij kregelig, 'maar begin januari is mijn bijdrage zeker af; ik ben eraan bezig.' Wat hij vervolgens vernam over examens, professoren, fuiven klonk hem allemaal zo vreemd in de oren dat hij het gevoel kreeg een buitenstaander te zijn, iemand die eigenlijk niet meer bij de groep hoorde, maar aan wie toch nog even de kans werd geboden om te bewijzen dat hij er wel echt deel van wenste uit te maken. Toen de studiegenoot weg was, verweet Oswald zichzelf dat hij hem wat op de mouw had zitten spelden: hij was immers nog niet eens begonnen aan een bijdrage! De pelgrimstochten zou hij behandelen, tochten die werden ondernomen omdat men geloofde dat de bestemming van de mens elders te vinden is dan in deze wereld: zo groot was toen de behoefte om thuis te komen. Het lag omzeggens voor de hand dat zijn voorkeur zou uitgaan naar zo'n thema. Het was een werkelijkheid die in hem leefde, en het project gaf hem de gelegenheid om er zich over te bezinnen. Hij deed gewoon wat hij moest doen. Maar nu – na zijn ontmoeting met de studiegenoot – had hij opeens de bizarre gewaarwording dat hij zichzelf in de weg stond… dat hij het zichzelf onmogelijk aan het maken was om eenvoudige opdrachten uit te voeren.

Met een bedrukt gemoed verliet Oswald het restaurant. Omdat hij geen zin had om de rest van de avond op zijn studio door te brengen, trok hij naar de bioscoop. Hij liet zich meeslepen door een onwaarschijnlijk liefdesverhaal met happy ending, en wandelde daarna ontevreden naar zijn studio terug.

's Nachts had hij net zoals een paar dagen geleden een droom. Een vrouw zit neer in de schaduw van een boom. Ze is naakt. Hij wil verder gaan, doch ze wenkt hem en doet teken om naast haar te komen zitten. Blijkbaar heeft ze op hem gewacht. Haar gezicht komt hem vaag bekend voor, maar hij herinnert zich niet waar en wanneer hij het kan hebben gezien. Hij heeft de indruk dat het niet tot hem mag doordringen wie de vrouw is. Het lijkt wel of voor zijn geest een matglazen scherm werd geschoven. Plots beseft hij dat het misschien toch beter is zich volstrekt niets te herinneren. Ze vlijt zich tegen hem aan, en hij legt een arm over haar schouders. Schroom belet hem andere handelingen te stellen, ofschoon haar vlekkeloze zijden huid een gloed uitstraalt die zijn bloed verhit. De vrouw fluistert met een donkere, omfloerste stem: 'Heb je hem mee?' Werktuigelijk tast hij in zijn zak. 'Hier is de ring,' zegt hij. Ze steekt hem aan haar vinger. Dan herkent hij haar. Ze staat op. Verblindend wit is het lichaam dat zich boven hem verheft. Slank en jong zoals hij het nooit heeft gezien. Hij wil de ogen sluiten, maar kan niet. Traag schuift ze nu de ring van haar vinger en houdt hem in een zonnestraal die door het gebladerte van de boom flitst. Als verlamd ziet hij hoe het glanzende, gouden kleinood tot leven komt. Een slangenkop richt zich op. Dan het hele lijf. Ze lacht even. Laat het steeds groter wordende reptiel over haar arm glijden, vervolgens over de zachte ronding van haar schouder naar de borsten en tussen de borsten naar beneden waar het verdwijnt in de vulva. Ontzet wendt hij het hoofd af. Hij hoort haar zeggen: 'Wees niet bang, hier is de ring. Kijk!' Hij gehoorzaamt. Kijkt met heftig kloppend hart. 'Sta op,' zegt ze. Weer gehoorzaamt hij. Ze reikt hem de ring aan. 'Hier, nu is het jouw beurt, hou hem in het licht!'

'Nee!' gilde Oswald. 'Mama, nee!' en hij gooide de deken van zich af, liep naar het badkamertje en braakte. Toen hij weer in bed kroop, probeerde hij te denken aan de gekroonde koningin. Tot slaap hem overmande.

Vrijdag. In de voormiddag gaf zijn promotor college van tien tot twaalf. Het was onder zijn impuls dat ze het project hadden aangevat. Hij had nog een paar uur de tijd om te beslissen of hij al dan niet de les zou bijwonen. Aandachtig las hij achtergrondinformatie die betrekking had op de betekenis van de pelgrimstochten in de middeleeuwen. En terwijl hij er zich in verdiepte, werd hij er zich scherp van bewust dat hij de rol moest spelen van de historicus die poogt te achterhalen hoe mensen leefden, dachten, voelden eeuwen geleden. Maar tegelijkertijd wekte zijn lectuur het gekke verlangen om ook een echte pelgrim te worden: ze wakkerde het hoe langer hoe meer aan zoals vuur wordt aangewakkerd door de wind. Kon ik het worden, peinsde hij, dan zou in mijn leven iets uitzonderlijks zijn gebeurd. Alleen, hoe word je het in deze tijd? Welke weerstanden moet je overwinnen? Vorige zondag had Filip hem schertsend gevraagd of hij al wist tegen wie hij het moest opnemen, Filip die van het leven wilde genieten en hem uitdaagde om hetzelfde te doen. Wat kon het zijn oude klasgenoot schelen of de mens een pelgrim was of niet! Oswald zette zich Filip uit het hoofd. Eigenlijk zijn we allemaal geroepen om pelgrims te zijn, dacht hij, iedereen ontvangt die oproep, niet iedereen doet er wat mee. Hij overwoog hoe hij zijn bijdrage zou beginnen. Dan schreef hij:

Wanneer Elkerlijk die een zondig leven heeft geleid, van de Dood verneemt dat hij onverwijld een pelgrimstocht moet ondernemen, waarvan niemand op geen enkele manier kan terugkeren, zoekt hij hulp bij vrienden, familie en zelfs zijn aardse goederen. Vruchteloos smeekt hij om mee te gaan. Ten einde raad vraagt hij aan Deugd om hem te vergezellen. Maar ze is te zwak en zegt hem zich te laten leiden door haar zuster Kennis. Elkerlijk komt tot inkeer. Hij biecht, doet boete en levert zich over aan de genade van God. Gezuiverd van zonden kan hij zich ten slotte berouwvol op weg begeven, alleen vergezeld van Deugd die nu sterk genoeg is.

Glashelder is de spiegel die Elkerlijk aan ieder voorhoudt: het bestaan is slechts een doortocht, de mens een voorbijganger. De middeleeuwer erkent die waarheid en aanvaardt dat hij eens verantwoording zal moeten afleggen voor zijn aardse leven. Maar redding blijft mogelijk.

Oswald legde zijn balpen neer. Plots wist hij niet meer hoe het nu verder moest met zijn tekst. Misschien was ik beter vertrokken van een beschrijving van de belangrijkste pelgrimswegen in Europa, zei hij bij zichzelf, of van het ontstaan van de pelgrimstochten, in plaats van de inleiding toe te spitsen op die laatmiddeleeuwse moraliteit. Nee, zolang ik niet zeker ben van het uitgangspunt moet ik zwijgen over mijn bijdrage aan het project. Hij ging niet naar de les. Bleef zitten lezen tot de middag en trok dan de stad in. Laat in de namiddag was hij terug op zijn studio. Hij had een tijd in een café gezeten, zomaar gezeten met een kop koffie voor zich... het suikertje laten smelten in zijn mond, het koekje opgepeuzeld, een tweede kop besteld en er even aan gedacht de kathedraal te bezoeken... en was ten langen leste teruggekeerd langs het water. Nu wachtte hij op Filip, een beetje zenuwachtig en nieuwsgierig tegelijk. In een opwelling had hij hem uitgenodigd, omdat hij ineens behoefte had gekregen aan een gesprek met een leeftijdgenoot. Ja, liever Filip uitnodigen, meende hij, dan studiegenoten die zich voortdurend met mij willen meten of me alleen aan het woord laten, wanneer het niet anders kan. Misschien ben ik ook te saai voor hen, te moeilijk in de omgang, maar niet voor jou, Filip: je hebt me onmiddellijk spontaan in vertrouwen genomen, je herinnert je zelfs nog wat ik meer dan drie jaar geleden hebt gezegd; maar ik zal op mijn hoede zijn!

'Eerlijk gezegd, Oswald, ik had niet verwacht dat we elkaar zo vlug zouden terugzien. Je telefoontje was een complete verrassing.'

Filip gaf zijn oude schoolkameraad een schouderklopje en volgde hem de trap op naar zijn studio.

'Hier wordt dus echt gestudeerd en nagedacht' zei hij zodra Oswald hem had binnengeleid. 'En ook muziek beluisterd,' voegde hij eraan toe, zijn blik gericht op de cd's die op een rekje lagen dat tussen de fauteuil en het bureau aan de muur was bevestigd. 'Ik ben er zeker van dat je een hartstochtelijke minnaar bent van klassieke muziek.' Hij ging voor de boekenkast staan. Las de titels. Plots draaide hij zich om, keek

Oswald recht in de ogen en zei bijna uitdagend: 'Blijkbaar ben je een man van het verleden. Ik niet. Wat voorbij is – is voorbij. Niets blijft. Vroeg of laat zal álles vergaan. Ook herinneringen, ook de kennis die we hebben vergaard, eeuwenlang... Alles opgelost in het niets! Van al onze zogenaamde eeuwenoude beschavingen waarop we zo trots zijn, zal eens geen spoor meer te vinden zijn. God (riep hij uit), wat een leugen, die eeuwige schoonheid! Ik hou van schoonheid zonder meer, Oswald. Van de mooie dingen die ons zijn nagelaten en ten slotte in schoonheid zullen moeten verdwijnen. Verder reikt mijn liefde voor het verleden niet, en zoals je wel zult weten: die is louter zintuiglijk. Een zoete troost toch nog te kunnen genieten van wat mooi is voor het verdwijnt. Ik geniet ervan, maar ik hecht er mij niet aan. Want vergankelijkheid is de essentie van al wat bestaat, Oswald! Weet je, er komt een tijd dat zelfs het communisme en nazisme uit het collectieve geheugen zullen verdwijnen. Dan zal het zijn of hun wreedheden nooit hebben plaatsgevonden, meer nog: het oude collectieve geheugen zal ophouden te bestaan en een nieuw zal geboren worden met andere volkeren... Ha, ik zie dat je een kopie hebt hangen van de madonna.'

'De madonna van het Lam Gods,' fluisterde Oswald.

'Ja-ja, zij is het. Dat zie ik wel.'

'Een glas bier?' vroeg Oswald die geen zin had om op Filips tirade te reageren.

'Graag. Ik verdenk je ervan dat je speciaal voor mij bier hebt gekocht. Of vergis ik me?'

'Nee.' Oswald monkellachte en trok zich terug in de keukenhoek.

Filip liet zich neer in de fauteuil. Keek toe hoe de ander uitschonk. 'Je bent het niet gewoon, hé? Meer schuim dan bier. Kom laat het zo. Je hoeft niet alles in één keer in het glas te gieten. Bier schenken is een kunst.'

Oswald knikte. Gaf hem glas en blikje, en ging met zijn biertje tegenover hem zitten. Ze stootten aan.

'Luister,' zei Filip, 'ik wil je wat vertellen. Twee jaar geleden ben ik beginnen te schilderen. Het zal je misschien verbazen, maar dat is al sinds lang een verborgen passie. Ik heb wel eens, toen ik op het college zat, enkele schilderijtjes gemaakt. Toen mijn vader ontdekte waarmee ik me bezighield, schoot hij in de lach en zei: 'Ben je soms van plan om kunstenaar te worden? Van kunst word je niet rijk jongen, tenzij je een grote bent en beroemd. Overigens zijn de meeste groten pas heel groot na hun dood, maar dan is het te laat: ze hebben bijna geen cent gezien.' Hij bekeek mijn schilderijtjes: enkele experimenten met hevige kleuren, schudde het hoofd en ging weg zonder een woord te zeggen, al had ik graag uit zijn mond vernomen wat hij ervan vond. Nu ja, kunst interesseerde hem niet, maar van je bloedeigen vader mag je toch meer verwachten dan wat hoofdgeschud. Totaal ontgoocheld heb ik daarna al die schilderijtjes vernietigd. Natuurlijk waren ze niets waard, en ik ben blij dat ze van de aardbodem verdwenen zijn. Ik was vooral ontgoocheld in mijn vader, begrijp je! Op die ontgoocheling volgde woede die echter vlug overwaaide. Ik kon het hem immers niet kwalijk nemen dat hij mijn probeersels niet apprecieerde, dat hij niet wilde dat ik een armoezaaier zou worden! Maar ik gaf de moed niet op. Drie jaar geleden ging ik teken- en schilderlessen volgen, het jaar dat mijn ouders uit elkaar gingen. Ik zou me wreken, ervoor zorgen dat mijn schilderijen gekocht werden.'

'En heb je er al verkocht?'

'Wat dacht je?' antwoordde Filip met een diepe, wat overdreven zucht. 'Alles op zijn tijd. Je moet kunnen tentoonstellen… iemand vinden die over jou schrijft. Dát is belangrijk!'

'Publiciteit dus.'

'Uiteraard. Hoe kan je anders verkopen?'

'Misschien heb je toch een opdracht te vervullen, Filip,' merkte Oswald nadenkend op.

'Wat bedoel je?'

'Vorige zondag zei je dat je er geen hebt… maar je schildert, misschien heb je als schilder hoe dan ook een opdracht.'

'O ja?'

'Zoals ik er een heb, omdat ik geloof.' En snel voegde Oswald eraan toe: 'Dat waren jouw woorden, Filip!'

'Inderdaad. Heb je daaraan zitten denken? Het verrast me.'

'Nee – maar nu je hier bent, nu je me dat allemaal hebt verteltd...' Hij zweeg even. Zei dan: 'Ik zou graag je schilderijen zien.'

'Werkelijk?' Dat doet me plezier. Ik stel het ten zeerste op prijs dat je interesse vertoont. Ik ben benieuwd je mening te horen! Die zal wel iets te maken hebben met de opdracht die je me in de schoenen wil schuiven. Of niet?'

'Zo goed mogelijk schilderen, Filip. En iets van de werkelijkheid laten zien dat ons, niet-schilders, is ontgaan. Een andere opdracht zie ik voor jou niet zitten.'

'Dan komt jouw opdracht, vermoed ik, erop neer een goede gelovige te zijn, en een goed geschiedschrijver – of historicus.'

Ze barstten allebei in lachen uit. Leegden hun glas en keken elkaar aan alsof ze zich plots bevrijd voelden van een zware last.

'Ik denk te weten wie mijn criticus zal worden,' zei Filip op een vleierige en tegelijk zelfverzekerde toon.

'Dat meen je niet!' riep Oswald uit. 'Ik voel me absoluut niet geroepen om over schilderkunst te schrijven. Ik ben niet op de hoogte. Trouwens, ik heb het erg druk met mijn eindwerk en een project.'

'Het is niet mijn bedoeling je op stang te jagen. We hebben de tijd. Een tentoonstelling zie ik overigens pas volgend jaar in de herfst gebeuren. Maar intussen zal je kennis gemaakt hebben met mijn werk. Je gaat me toch niet in de steek laten?'

'Ik heb bedenktijd nodig, Filip.'

'Ik zal je inwijden in mijn kunst. En, er schiet me iets te binnen (hij sloeg een triomfantelijke toon aan): je schuwt geen inspanning Oswald, je hebt zelfs een hekel aan gemakkelijke arbeid..., geef toe – dit waren jouw woorden: er is niets dat me afschrikt!'

'Toegegeven. Ik zeg niet nee.'

'Goed. We spreken af. Doe je het, en ik twijfel er niet aan dat je het zal doen, dan krijg je niet alleen een schilderij maar ook een percent van de verkoop.'

'Dat hoeft niet. Als ik het doe, zal het zijn, omdat ik... omdat ik achter je werk sta. Een mooi schilderij is al genoeg.'

'We zullen zien. Wanneer kom je langs?'

'Ik zal je opbellen.' Oswald keek naar buiten, naar het huis aan de overkant... waar op de eerste verdieping licht brandde. Plotseling verscheen Ingrid voor zijn geest. Hij bedwong zijn emoties en schoof het gordijn voor het venster. Op luchtige toon vroeg hij: 'Heb je nog geen honger?'

'Nu je het zegt!' riep Filip uit. 'We kunnen niet blijven zitten kletsen.'

Ze brachten een uurtje door in een Grieks restaurant. De bouzoukimuziek op de achtergrond zorgde voor de nodige stemming. Terwijl zijn gewezen klasgenoot zichtbaar plezier beleefde aan de avond en de Griekse keuken uitvoerig prees, vroeg Oswald zich af of hij er wel goed aan had gedaan hem uit te nodigen. Over graal, ridderschap en religie viel zeker niet meer te praten. Het was een dwaze veronderstelling geweest dat het kon! Nu hij zag hoe Filip, die in zijn nopjes was dat hij zijn belangstelling had kunnen wekken voor zijn werk, zich te goed deed aan eten en drinken (hij had de grootste schotel genomen en in een mum van tijd een paar glazen wijn geledigd), was hem zelfs de gedachte aan een serieus gesprek te veel. Hij at met stijgende tegenzin en liet een stuk moussaka liggen. Ze dronken nog een koffie. Filip wilde absoluut een gezellige kroeg opzoeken. 'Nu is het mijn beurt om te trakteren,' zei hij.

Ze vonden een kroeg waar het aanvankelijk vrij rustig was. Doch naarmate de avond vorderde, kwamen er steeds meer lawaaierige jongeren binnenvallen. De muziek werd harder gezet.

'Zouden we niet opstappen?' vroeg Oswald.

'Voor mij hoeft het niet.'

'Ik verdraag het gedreun niet.'

Filip grijnslachte en trommelde met de vingers op de tafelrand. 'Je went er wel aan, je zal zien. Het wordt een leuke avond. Ik ga nog een paar glazen bier halen.'

Hij baande zich een weg tussen de rechtstaande jongens en meisjes onder wie enkelen aan het heupwiegen waren. Oswald keek hem na. Een donkerharig meisje verscheen in zijn gezichtsveld. Haar buik was half ontbloot. Zijn blik haakte zich vast aan haar beringde navel. Opeens merkte hij dat het meisje hem bliksemsnel met een mysterieus-ondefinieerbaar glimlachje opnam en vervolgens iets zei tegen de jongen naast haar: een struise, kaalgeschoren kerel met oorring. Hij wendde de ogen af en zag hoe Filip, in elke hand een boordevol glas, er warempel in slaagde laverend tussen de beweeglijke lichamen tot bij hem te komen, zonder een druppel te morsen.

'Ik heb het warm, Oswald. Jij niet?'

Hij knikte. Hoestte even.

'Hé, wat heb je? Je kijkt alsof je geschokt bent. Kom, laten we het glas heffen!' Ze dronken bijna tot op de bodem. Filip veegde met de rug van zijn hand het schuim van de lippen, terwijl hij zijn ogen liet ronddwalen. 'Jezes,' fluisterde hij, het gezicht dicht tegen dat van Oswald. 'Je moet eens kijken... er staat daar in het midden van de kroeg een aardige meid met donker haar... zuiders type, geflankeerd door een paar jongens... kijk vlug, maar niet te opvallend!'

'Ik hoef niet te kijken.'

'Heb je haar misschien al gezien?'

'Ja.' Hij dronk zijn glas uit.

'Wat denk je ervan? Jammer dat ze niet alleen is.'

Oswald haalde de schouders op. Kwam in de verleiding om toch weer te kijken, maar bleef ten slotte naar zijn leeg glas staren.

'Ze zou een pracht van een model zijn,' ging de ander verder. 'Ik zal haar vragen of ze wil poseren.' Zijn ogen vlamden.

'Doe wat je wil, Filip!' Er raasde een storm door zijn hoofd. Hoe lang zou hij het volhouden?

'Luister, Oswald. Ik heb een plan. Jij blijft hier zitten, terwijl ik wat ronddrentel dicht bij hen, zogezegd op zoek naar de toiletten. Dan vraag ik hun of ze soms toevallig gezien hebben waar ze zich bevinden. Misschien nogal doorzichtig... maar kom, het contact is gelegd! En dan zien we wel verder. Je neemt het me toch niet kwalijk? Ja jongen, het zal een leuke avond worden. Ik heb zo'n voorgevoel! Tot straks. En hou het in de gaten; als het gelukt is, kom je maar langs.'

Oswald leunde achterover op zijn stoel, zonder blijf te weten met zijn tegenstrijdige gevoelens. Ze hadden tegenover elkaar gezeten als samenzweerders, en hij was medeplichtig geworden aan een nogal obscuur plan. Toch koesterde hij heimelijk de hoop dat Filip niet van een kale reis zou thuiskomen. Maar gelijk bekroop hem het gevoel dat hij Filip de kastanjes uit het vuur liet halen om te kunnen kennismaken met dat donkerharige meisje! Waarom wist hij niet: er ging gewoon een aantrekkingskracht van haar uit die hem van zijn stuk bracht. Hoe ánders had hij kennisgemaakt met Ingrid! Zij was de lente geweest die op een schitterende herfstdag in zijn leven was verschenen, de lenteprinses die aan de meest grauwe dagen kleur en licht gaf... En hij had haar verjaagd, zodat alleen nog de herfst heerste, soms met een doodse, kille stilte – soms stormachtig met donkere wolken. Opnieuw weerstond hij de verleiding om in de richting van het meisje te kijken. De dreunende muziek martelde hem. Hij wreef met zijn zakdoek het zweet van zijn voorhoofd. Toen hij hem in de zak van zijn jack stak, viel hem te binnen dat in dezelfde zak zijn slangenring moest zitten. Hij tastte. Ja, de ring zat er nog. Herinneringen kwamen naar boven, doch konden niet optornen tegen het beeld van het meisje met de ontblote buik. Oswald wierp uiteindelijk toch een vlugge blik in haar richting. Hij zag dat Filip erin geslaagd was een gesprek aan te knopen en stond werktuiglijk op. Toen hij langs zijn oude klasgenoot kwam, zei die met een veelbetekenend glimlachje: 'Je bent toch niet weg, hoop ik!' Oswald schudde van nee. Hij begreep dat Filip het meisje ervan had overtuigd om te poseren, en dat hij zich bij hen moest vervoegen.

Ze heette Nina. Had voor vertaalster gestudeerd, maar verdiende voorlopig haar brood als mannequin en telefoniste. Haar broer Luc en zijn vriend Marc volgden nog een toneelopleiding aan het conservatorium. Ze had het onmiddellijk heel leuk gevonden om voor een schilder model te mogen staan. En of hij, Oswald – 'wat een vreemde, oubollige naam!' – ook artiest was?

'Ik heb geen talent om het te zijn,' antwoordde hij.

'Welke talenten heb je dan? Wacht, laat me raden...' Ze fronste haar wenkbrauwen. 'Nee, een sportman schuilt er niet in jou, een advocaat ook niet, een ingenieur misschien, of een leraar... Ja eerder een strenge, ernstige leraar! Denk jij ook niet, Luc?'

'Jij moet altijd iemand kunnen uithoren of plagen,' zei Luc. 'Laat je niet doen, Oswald. Ik ken mijn zusje. 'Hij gaf zijn vriend een knipoog. 'Kunnen we ergens gaan zitten?'

'Onze plaatsen zijn intussen al bezet,' zei Filip. 'Blijven we hier of zoeken we een rustigere plek op?'

'Liever iets rustigs,' drong Oswald aan.

'Zie je wel,' plaagde Nina, 'echt iets voor een toekomstige leraar, maar dan voor een heel strenge.' Ze knoopte haar jeansvestje dicht. En tot Luc: 'Jij weet wel waar. We volgen je.'

De rest van de avond kende een haast bizar verloop. In het café waar ze ten slotte terechtkwamen, was op de muur achter de tapkast over de hele lengte een schaars geklede vrouw geschilderd die behaaglijk op haar zij lag en met de rechterhand haar hoofd ondersteunde. De enige kleuren in de muurschildering waren rood en zwart. Vuurrood voor de volle, wulpse lippen – zwart voor het bh'tje, slipje en de kortgeknipte haren. De vrouw keek met lichtjes openstaande mond en een speelse, zinnelijke blik de gelagzaal in, alsof ze wilde zeggen: 'Natuurlijk hebben jullie dit stereotiepe spelletje wel door, maar ik weet dat jullie erin trappen.'

Aan de overige muren hingen zwart-witfoto's van beroemde jazzmusici, en boven de deur de foto van Al Capone. Ze gingen tegenover de tapkast zitten.

De dienster bracht de glazen die ze hadden besteld.

'Eindelijk' riep Filip uit. 'Nu kunnen we het glas heffen op onze kennismaking – en op de vriendschap!'

Oswald dacht: hoe gemakkelijk slaagt hij erin mensen in te palmen. Morgen kunnen het weer anderen zijn, dan praat hij wellicht over geldzaken, dan is hij een doodgewone bankbediende, doch nu geniet hij ervan te worden bewonderd als schilder. Zou hij nog andere rollen kunnen spelen?

'Eerlijk gezegd,' begon Luc, nadat ze een eerste slok hadden gedronken, 'ben ik nieuwsgierig naar het portret van mijn zusje. Heb je er al enig idee van, meester, hoe je ze gaat voorstellen?'

'Mijn idee is nog vaag... té vaag om er nu al mee uit te pakken; ze moet nog groeien, vaste vorm krijgen.'

'En dat gebeurt natuurlijk terwijl Nina erbij is. Zij moet je helpen die idee uit de mist te halen. Kijk eens zusje, wat een opdracht! Je bent plots onmisbaar geworden.' Hij wees naar de muurschildering. 'Zou je haar zo willen schilderen, meester?'

'Zo? Zelfs met nog minder als het nodig is. Vermoedelijk is het dat wat je bedoelt.'

'Wat zitten jullie toch te zaniken!' zei Nina eensklaps. 'Het zou ook kunnen, nietwaar, Filip, dat er al een ideetje gereed in je hoofd zit, maar dat het voorlopig nog een geheim moet zijn. Voor mij maakt het allemaal niets uit, ik schik me wel, ik ben het gewoon. 'Zeg eens,' richtte ze zich tot Oswald, 'we weten nog altijd niet wie er in jou schuilgaat. Jij weet het van ons, nu is het jouw beurt om je bekend te maken!'

'Is dat zo belangrijk? Goed. Als je het weten wil, ik studeer geschiedenis.'

'Wat een vak! Ik zal dan toch gelijk krijgen. Jij wordt geschiedenisleraar, hé? Wat kan je anders met zo'n vak aanvangen? Ik heb dat nooit graag gestudeerd. Altijd maar data, veldslagen, politiek gehakketak... Nee, daar heb ik geen geheugen voor. Mijn leraar zei: 'Ons vak is er om het geweten wakker te schudden.' Hij was een idealist. Ben jij dat ook?'

'Ik ben een mediëvist.' Hij lachte.

'Je zoekt het ver.'

'Je kan niet ver genoeg gaan in het leven.'

'God, wat een wijsheid!' Nu lachte ze ook. Haar ogen schitterden. 'Ik geloof dat je een leraar zult worden bij wie ik graag les zou volgen. Mijn leraar was eerder saai. Voortdurend lessen trekken, moraliseren... Nooit eens het privéleven van bijvoorbeeld Napoleon of Hendrik de Achtste.'

'Oswald wordt geen leraar,' onderbrak Filip haar plots. 'Hij is voorbestemd om professor te worden. Altijd grote onderscheiding, of is het grootste?'

Alle blikken waren nu op Oswald gericht. Hij voelde een trage woede in zich opkomen. Zijn hand omknelde het bierglas. Het scheldwoord 'rotzak' bleef in zijn keel steken. Hij perste de lippen opeen. Zo zat hij een poos niet wetend wat te antwoorden, terwijl Luc en Marc hem aanstaarden alsof hij een fenomeen was en buitengewone daden had verricht. Even hield hij zijn ogen gevestigd op de muurschildering. Dan sloeg hij ze neer en fluisterde: 'Je kan maar pas gelukkig zijn als je het hoogste hebt bereikt.' Niemand reageerde. De stilte dreigde onbehaaglijk te worden. En het was Oswald zelf die ze verbrak. 'Wees gerust,' zei hij, 'hier zit geen toekomstige leraar of professor aan tafel, alleen iemand die van het verleden houdt, omdat hij er zich thuis voelt.' Nog nooit had hij zo gemakkelijk en open over zichzelf tegen vreemden gesproken. Hij nam een grote slok bier.

'Mag ik veronderstellen,' vroeg Luc voorzichtig,' dat je helemaal niet tevreden bent met onze tijd, onze maatschappij?'

'Ik heb niet de pretentie een maatschappijcriticus te zijn. Het verleden boeit mij. Niet meer dan dat!'

'Ja, ik meen het te begrijpen,' zei Luc met een raadselachtig glimlachje. 'Ik probeer je gedachten te lezen... en ik lees dat we onze voorouders moeten leren kennen om te weten wie we zijn. Overigens, als je je ergens thuis voelt, begin je normaal geen netelige vragen te stellen over dat huis en zijn bewoners. Begin je toch zulke vragen te stellen, dan is er misschien iets mis met jou... Dan snap ik ook dat men de neiging heeft om zich af te vragen: wie ben ik?'

'Heel interessant,' bracht Filip in het midden. 'Heden en verleden zitten samen aan dezelfde tafel onder de waakzame ogen van Al Capone en dame Maja, niet de *Maja* van Goya natuurlijk maar wel die van een onbekende Gentse meester! Ja, over de vrouw zullen we het wel vlug eens geraken. Zij heeft zoveel kunstenaars uit alle tijden het hoofd op hol gebracht en geïnspireerd!'

'Wie is Maja?' vroeg Nina.

'Venus neergedaald op aarde, duidelijk met de bedoeling te provoceren. Ze heeft zich met een blik vol berekening neergevlijd op zachte kussens en Goya verleid met haar betoverende, duivelse blik. Ze is zowel naakt als gekleed te bewonderen.'

'Maya is de illusie,' viel Oswald hem in de rede. 'De wereld als illusie, zo leert ons de Oudindische filosofie.'

'Kan me niet schelen,' zei Filip. 'Ze is een vrouw van vlees en bloed, ze verstrikt de mannen in haar netten, en dat lijkt me helemaal geen luchtspiegeling!'

'Misschien is dat je verborgen ideetje...' Nina keek hem spottend aan. 'Dan ben je niet bijster origineel.'

'Ik ben niet van plan om me door iemand te laten beïnvloeden. Ik zal je schilderen op mijn manier, desnoods aan de telefoon!'

'Of als mannequin,' opperde Marc, die zich niet onbetuigd wilde laten.

'De echte Nina,' mompelde Oswald, 'alleen de echte, die moet hij schilderen.'

Filip verbleekte. 'Waar is hier de artistieke vrijheid?' verkondigde hij. 'Een kunstenaar laat zich niets voorschrijven. Zijn vrijheid staat borg voor kwaliteit.'

'Doe wat je wil,' onderbrak Nina hem.

'Natuurlijk, dat spreekt vanzelf,' zei Filip met een grijns. En na een korte stilte: 'De rest laat ik aan jullie fantasie over.'

'En wat zegt jouw fantasie, Oswald?' vroeg Nina. Ze zaten naast elkaar op een gestoffeerde bank, heel even raakte haar schouder de zijne. Hij zweeg. Dacht aan Ingrid, aan mama...

'Hé, waarom zeg je niets? Ben ik soms een luchtspiegeling voor jou geworden? Er zit een echte Nina naast je!'

'Ik weet het niet,' zei hij tenslotte aarzelend. 'Maar wat Filip heeft gezegd, klinkt mooi. Ja, misschien is ze inderdaad een bron, een verborgen bron...'

'Misschien,' beaamde Luc. Ook Marc knikte bevestigend, grijnslachte, riep de dienster en bestelde een rondje. 'Op onze roerende eensgezindheid!' zei hij met stemverheffing zodra de glazen op tafel stonden. 'En nu geen geklets meer over de vrouwen!'

'Waarover dan wel?' wierp Filip op. 'Toch niet opnieuw over de kunst van het schilderen. Daarover rep ik vanavond met geen woord meer. Nu moet het theater maar eens aan bod komen!'

'Akkoord,' zei Luc. 'Iets ernstigs nu.' Hij knipoogde naar Marc. 'Wij zijn gewoon met andermans woorden te spreken.' Plots sprong hij op, liep naar de tapkast en fluisterde wat tegen de waard. Die stak zijn duim omhoog ten teken van goedkeuring. De muziek werd afgezet. Nadat de waard had aangekondigd dat naar aloude gewoonte de klanten voor verrassingen mochten zorgen en dat het dit keer de beurt was aan een paar toneelspelers, floepten de lichten uit. Er viel een adembenemende stilte, die enkele seconden duurde. Dan ging het licht weer langzaam aan. In het zwakke schijnsel schreed Luc, die bij de buitendeur post had gevat, met een dreigende uitdrukking op zijn gezicht naar de tafel waaraan Marc, Nina en zijn kersverse vrienden zaten. Zodra hij ze had bereikt, had het licht zijn gewone sterkte teruggekregen. Zijn ijzige blik gleed langs de gezichten van zijn zus, Filip en Oswald, die onwillekeurig de ogen neersloegen. Dan bleef hij rusten op Marc, die hem trotseerde.

'Elkerlijk,' begon Luc op strenge, waarschuwende toon, 'gij zult voor God rekenschap moeten afleggen.'

'Ik?' vroeg Marc verbaasd. 'Wie zijt ge dat ge u verstout me zoiets te bevelen?'

'Ik ben de Dood door God gezonden.'

Marc kromp ineen en smeekte: 'Ach Dood, zijt ge al zo dicht bij mij als ik er allerminst op verdacht ben... Wilt ge geld hebben? Ik zal u honderdduizend euro geven opdat ik mijn leven mag behouden. Laten we als het u belieft een akkoord aangaan.'

'Elkerlijk, dat kan niet gebeuren. Ik bekommer me niet om aardse goederen. En volgens Gods bevel spaar ik niemand: noch paus, noch koning, noch president. Ik geef geen uitstel en een akkoord sluit ik niet.'

Marc verborg zijn gezicht in beide handen en jammerde: 'O wee, ellendige rampzalige stakker! Nu weet ik geen raad omdat ik rekenschap moet afleggen. Mijn inventaris is zo slordig en vuil dat het me in korte tijd nooit zal lukken die in orde te brengen. O, de angst slaat mij om het hart. Geef me nog uitstel van straf, lieve Dood, tot ik ben voorbereid om voor Gods troon te verschijnen. Twaalf jaar volstaan, tien is ook goed...'

'Smeken of kermen helpen niet, Elkerlijk.' Luc legde een hand op Marcs schouder en besloot onverbiddelijk: 'Dus ziet wat u staat te beginnen.'

Beide spelers maakten een diepe buiging. Daarop grepen ze naar hun glas en riepen: 'Op het leven!'

Er weerklonk een voorzichtig, beleefd applaus. 'Op het leven!' herhaalden Luc en Marc, en ze dronken in één teug de rest van hun glas leeg. Enkelen volgden hun voorbeeld, onder wie Filip, Nina en ook schoorvoetend Oswald, terwijl sommigen onwennig lachten. De waard zette opnieuw muziek aan. De trompet van Armstrong. Aan de tafel van de spelers bleef het een poosje stil. Marc was naar de toiletten. Luc wachtte zelfverzekerd op de reacties van de anderen die zich even in hun gedachtewereld hadden teruggetrokken.

Ineens zei Nina: 'Jullie hebben een flauwe grap uitgehaald. En wat een lullige tekst. We zijn toch niet naar hier gekomen om aan de dood te denken! Ik heb nog niet lang genoeg geleefd om rekenschap af te leggen.'

'O, we zijn *Elkerlijk* aan het instuderen. En we dachten: Laten we eens een fragment uit dat toneelstuk kiezen en zien hoe het overkomt.'

'Je had een fragment kunnen nemen uit een ander stuk.'

'Maar we wilden geen grap uithalen!' riep Luc verongelijkt uit. 'Daar valt toch niet aan te twijfelen.' Hij wierp een schijnbaar hulpeloze blik in de richting van Filip en Oswald, als zocht hij steun. 'Hebben we het er dan niet goed afgebracht?' vroeg hij pathetisch. 'We wilden tonen dat ook wij de middeleeuwen niet vergeten zijn. Onze mediëvist weet natuurlijk ook wel dat Elkerlijk in zijn genre een meesterwerk is, zoals literatuurhistorici beweren.

Filip zei: 'Ik betaal een volgend rondje.'

'Ik drink niets,' zei Nina.

En Oswald: 'Ik ook niet.' Hij had zin om een luchtje te scheppen. Om heel alleen terug te keren naar zijn studio. Maar er was Filip. Die kon hij niet achterlaten. En die bleef maar drinken. Hoe moest hij straks naar huis rijden? flitste het door zijn hoofd. Er mag hem niets overkomen. God, wat een misselijk vertoon! Ik kan er niet aan meedoen. Maar hoe geraak ik hier weg? Een verschrikkelijke onrust beving hem.

Marc kwam terug. 'Jullie hebben toch al iets besteld, hoop ik?'

'Voor drie,' antwoordde Luc. 'Nina en Oswald drinken niet; ze hebben al te veel op!'

'Dat hebben jij en Marc, en Filip natuurlijk ook!' reageerde Nina heftig.

'Ons optreden is haar niet bevallen, Marc. Trek het je niet aan. Ze heeft de schrik te pakken gekregen.'

'Schrik?' Haar donkere ogen bliksemden. 'Ik ben helemaal niet bang. Je weet heel goed dat ik nooit bang ben geweest. Van niets!'

'Net zoals Oswald,' kwam Filip onverwacht uit de hoek. 'Jullie zijn, als het eropaan komt om je te verdedigen, zo te horen uit hetzelfde hout gesneden.' En nadat de dienster de glazen bier had gebracht, voegde hij er op een ironische toon aan toe: 'Alleen vraag ik me af hoe jullie zouden spreken met de dood voor ogen. Jullie hoeven het me nu niet te vertellen... Ja, Nina heeft gelijk: we zijn niet hier om aan de dood te denken!'

'Vind je Elkerlijk echt een lullige tekst?' vroeg Oswald stilletjes en met enige aarzeling aan Nina, terwijl de anderen onder elkaar grapjes zaten te verkopen.

Ze haalde de schouders op. Keek hem van terzijde aan. Onderzoekend.

Oswald dacht: Voelt ze mijn onrust, dat ik weg wil – de nacht in? Lopen langs de rivier tot aan de bron, om daar te drinken – en te rusten... En dan de ring: die is voor mama, eens zal ze hem toch moeten aannemen... of ik kan hem ook in de bron gooien, als offer of om een wens te doen. Heeft Nina dan niet in de gaten dat er me iets vreselijks dwarszit? Terwijl hij in de zak van zijn jack, die hij naast zich op de bank had gelegd, naar zijn zakdoek tastte, beroerden zijn vingertoppen weer eventjes de slangenring. Hoe zouden ze opkijken als hij hem tevoorschijn haalde! Een felle gloed verspreidde zich in zijn lichaam. Hij veegde met zijn zakdoek het zweet van zijn voorhoofd en stak hem weer weg. In een opwelling zei hij: 'Ik zal toch maar iets drinken. Wie wil er nog een glas?'

'De mannen zeker en vast!' antwoordde Luc.

'Om mee te doen: spuitwater,' zei Nina. 'Iemand moet nuchter blijven.'

'Ja,' fluisterde Oswald. Zijn schouder raakte de hare. Daarstraks hadden hun schouders elkaar ook al geraakt. Viel het de anderen niet op hoe dicht hij en Nina bijeen zaten? Ze praatten over het theater, over Oedipus en Hamlet. Hij probeerde hun gesprek te volgen. Plots schoot hem te binnen dat hij de dienster nog moest roepen. Hij deed teken. Dat hij zo verstrooid kon zijn! Zo in de war. Hij vergat zelfs spuitwater te bestellen, zodat Nina hem terechtwees: 'En mij vergeet je!'

Even later zette de dienster de glazen op tafel. Filip zei: 'Op jouw gezondheid, Oswald.'

Iedereen herhaalde Filips woorden. Oswald dronk gulzig. Om niet onder te doen. Het glas beefde in zijn hand. Nog enkele slokken en het was leeg. Ook de glazen van de anderen waren bijna leeg. En daarna? vroeg hij zich af. Zouden ze vertrekken als ze hun glas hadden uitgedronken? Filip zat met Luc en Marc verwikkeld in een discussie over de maatschappelijke rol van de kunstenaar. Zonder hem kon hij onmogelijk weggaan. God, wat een slechte speler was hij! Niet eens in staat om zijn gedachten bij hun gesprek te houden, om iets zinvols in het midden te brengen. Meer en meer kreeg hij het gevoel dat hij zich eigenlijk niet hoefde te mengen in het gesprek, dat zijn rol er slechts in bestond naast Nina te zitten en net zoals zij te zwijgen en te luisteren. Doch hij kon niet luisteren, en iets in hem zei dat ook zij niet luisterde. Onwillekeurig drukte hij zijn dij tegen de hare. Ze trok ze niet terug. Hij verroerde zich niet. Het was alsof zijn lichaam zich van het hare weigerde los te maken, alsof het ernaar hunkerde zich te koesteren in een onbekende warmte. Hij wierp een schuinse, vluchtige blik op Nina. Ving een glimp op van haar buik met beringde navel. Zijn lid verstijfde. Iets drukte op zijn dij. Gleed in de richting van het lid. Stopte vlak voor het kruis. Bleef daar liggen en gleed dan langzaam terug. De hand van Nina was het. De kop van de slang Ouroboros die spiedend haar omgeving verkende, en hem bedwelmde. Hij sloot de ogen, bereid zich over te leveren. Maar eensklaps was er geen hand meer. En haar dij had zich van de zijne losgemaakt.

'Hé, ben je in slaap gevallen?' riep iemand. De stem van Filip. Oswald schrok op. Sperde de ogen open. Zijn arm stootte tegen zijn glas. Het viel aan scherven. Hij bukte zich om ze op te rapen. Zijn hoofd draaide. Een misselijk gevoel dreigde hem te overmeesteren. Hij graaide in de scherven.

'Laat dat,' zei Nina. 'Je gaat je nog kwetsen. Kijk, daar heb je het al!'

Bloed sijpelde langs zijn vingers. Moeizaam kwam hij overeind en ging op de hoek van de bank zitten, de rug naar haar gekeerd. Het bloed druppelde op zijn broek. Onder zijn schedel bonkte en dreunde het. 'Sorry,' hoorde hij zichzelf zeggen. 'Ik deed het niet opzettelijk.'

'Natuurlijk niet, kerel,' stelde Filip hem gerust. Oswald wreef met zijn gekwetste linkerhand over zijn voorhoofd, terwijl hij met zijn rechter op het tafelblad steunde.

'Maar je bloedt erg,' zei Luc.

En Nina: 'Laat me je hand zien, Oswald.' Hij draaide zich om en toonde de palm.

'Een snee,' zei ze. 'Misschien zal er moeten worden genaaid. Heb je een zakdoek? Nee, wacht. Ik heb er een die nog schoon is.' Ze haalde hem uit haar tas en wikkelde hem rond zijn hand. 'Doet het pijn?' Hij schudde het hoofd. Weldra was bijna de hele zakdoek doordrenkt van het bloed. De waard kwam met een verbandkistje. 'Ik verzorg je wel,' zei Nina bezorgd. Ze ontsmette de wonde. 'We zullen er een dokter moeten bijhalen, vrees ik. De snee is te diep. Hoe kon je in godsnaam zo onhandig zijn!'

'Ik wist niet dat mijn zusje ook nog talent heeft voor verpleging,' fluisterde Luc tegen Filip. 'Ze weet verdraaid goed hoe je een verband moet aanleggen.'

Marc mompelde: 'Ik kan er niet tegen,' en ging aan de tapkast staan.

Een cafébezoeker die het voorval van nabij had gevolgd, stelde voor Oswald met zijn auto naar de dokter van wacht te voeren.

'Kom,' zei Nina tegen Oswald, 'we gaan eerst met lekker fris water het bloed van je gezicht wissen.'

'Bloed? Dáár ook al?' vroeg Oswald verbaasd.

'Je had maar van je gezicht moeten blijven, sukkel! Je komt net van het slagveld! Gelukkig leef je nog.' Ze lachte.

Hij volgde haar naar de toiletten. 'Kijk eens in de spiegel,' zei ze, 'mooi, hé!'

Hij schaamde zich. Liet toe dat ze met een vochtig gemaakte papieren handdoek zijn wangen en voorhoofd schoonwreef.

'Voel je je beter, Oswald?' Ze gooide het bevuilde stuk papier in de afvalbak.

'Ik ben niet ziek!' Hij keek naar haar blote buik.

'Nee, maar in je hoofd hebben zich vreemde gedachten genesteld, muizenissen heten ze. Het krioelt er van muisjes met spitse oren en scherpe tandjes. Ze zoeken een uitweg, maar vinden er geen. En ze beginnen te knagen. Doet het geen pijn, Oswald?' Haar hand plukte een stukje papier weg dat aan zijn wang was blijven kleven. Even streelde ze zijn hals. Hij huiverde. 'Ik voel wat je denkt,' zei ze. 'Met de vingertoppen... Je zou met mij de nacht willen doorbrengen, maar je kan niet. Er is Filip, en je moet dringend naar de dokter! Jammer dat ik zelf die wonde niet kan dichtnaaien. Ik zou je arme, gekwetste hand willen kussen, maar dan zou ik bloed proeven, Oswald. Gelukkig heb je nog een gezonde hand.' Ze greep ze vast en kuste ze met vochtige lippen.

'Laat me, alsjeblief...' smeekte Oswald, doch het klonk helemaal niet overtuigend. Ze overrompelde hem. Hij wist niet wat te doen. Hij leunde tegen de muur. Achter Nina bevond zich de deur. Als hij naar buiten wilde, moest hij haar opzij duwen. Je durft niet, las hij in haar ogen, die moed heb je niet... of toch? 'Nina,' stamelde hij, 'bedankt voor je hulp, was ik maar niet zo onvoorzichtig geweest...' Hij haalde diep adem en rook de geur van urine. Bijna kokhalsde hij.

'Dan stonden we nu niet in de toiletten,' schertste ze. 'Is het dat wat je bedoelt?'

'Ik ben niet gewend om te drinken. Het spijt me dat ik domme dingen heb gedaan.'

'Je hoeft absoluut geen spijt te hebben, Oswald. Ik ben blij dat ik met jou heb kunnen kennismaken. We zullen elkaar zeker nog weerzien. Waar woon je? Hier in Gent?'

'Ja, in de Jordaensstraat.' Hij zei haar het huisnummer. Achteloos.

'Niet zo ver van waar ik woon,' fluisterde ze glimlachend. 'Kom, nu moeten we gaan.'

Bij nacht en ontij was Oswald terug op zijn studio. Filip had hem vergezeld toen hij naar de dokter werd gevoerd, en bleef bij hem slapen op het vloerkleed naast zijn bed, gewikkeld in een deken en onder het hoofd een kussen.

'Vannacht ben ik je trouwe oppasser,' grinnikte hij met een dronkemanslachje. 'Als er iets is… als er iets is… nu ja, je weet me liggen!'

5

Na Ingrids onverwachte onthulling bleef Franz rondlopen met het benauwend gevoel dat ze hem had opgelegd een gordiaanse knoop te ontwarren. Eindeloos ingewikkeld zag zijn leven er plots uit. Hij kon noch wilde Ada in vertrouwen nemen. En zijn zoon mocht niet weten dat hij Ingrid had ontmoet. Was ik maar geen uitgever geworden, dacht hij, dan had ze mij haar script niet gestuurd, dan was het misschien ook nooit bij haar opgekomen om dat verhaal te schrijven. Maar zonder het verhaal zou ik van mijn zoon het beeld hebben – het valse beeld – van de stille, ijverige jongen met de schitterende toekomst, van de voorbeeldige student die geen problemen kent en onvermoeibaar graaft in de geschiedenis. Om wat op het spoor te komen? Wat is het dat hem in het verleden zo obsedeert? We moeten erover praten, ik moet zijn echte beeld ontdekken.

Franz zat in zijn bureau aan zijn schrijftafel. Voor hem lag een stapeltje kritieken op recentelijk verschenen boeken. Hij begon ze te lezen. Na enkele minuten stopte hij ermee. Elke nieuwe informatie over literatuur werd hem opeens te veel. Het script van Ingrid had zijn behoefte aan ander literair werk in de kiem gesmoord. Eventjes kwam Franz in de verleiding om het uit de lade te nemen. Hij durfde niet. Nu hij wist wie Hella en Hugo waren, schroomde hij zich weer te verdiepen in het verhaal van hun relatie. Het was niet langer fictie maar werkelijkheid. Elk woord zou hem pijn doen, achter elk woord loerde onheil. Gisteravond had hij vergeefs bij Oswald aangebeld, in zijn hand een grote, bruine envelop waarin het script stak. Een jobsbode had hij zich gevoeld. Maar toen hij naar huis terugreed, was in de plaats van dat gevoel een zekere opluchting gekomen. Alsof hij respijt had gekregen om te overwegen wat hij tegen zijn zoon zou zeggen.

Het was tien uur 's morgens. In de namiddag moest Franz naar een uitgever in Antwerpen. Hij weifelde om te gaan. Zijn hoofd zat vol naargeestige hersenspinsels. Als ik het script niet kan uitgeven, wat heeft Omega dan nog te betekenen? zo vroeg hij zich af. Natuurlijk ben ik nog altijd handelaar in boeken, de man met een geheugen vol titels en namen van auteurs dankzij wie ik tenslotte mijn brood verdien, maar – zijn gezicht versomberde: iets zorgwekkends bracht een schok in hem teweeg – mag ik geld verdienen aan het verhaal van Ingrid? Mag ik er een verkoopproduct van maken? Het leven van mijn zoon uitstallen voor iedereen onder het mom van literatuur? Daarvan moet Ingrid zich toch ook bewust zijn. Ah, waarom word ik juist nu gedwongen mijn vaderrol op te nemen? Ik ben niet vrij, ik kan niet meer dromen van een jonge schrijfster die de naam Omega bekend zal maken.

Van lieverlede kreeg hij de indruk dat hij door de literatuur zelf in de maling werd genomen, de literatuur in de gedaante van Ingrid: een triestige grap, een sinister drama waarin hij tot het bittere eind zou moeten meespelen!

Franz veerde op. Begon te ijsberen. Plots greep hij naar zijn agenda die op zijn bureau lag. Hij zocht het telefoonnummer van de uitgever in Antwerpen en belde hem dat hij vandaag jammer genoeg niet kon komen. 'Autopech,' zei hij. 'Ik bel later wel terug voor een nieuwe afspraak.' Hij legde de hoorn neer. 'Later,' mompelde hij. 'Waarom heb ik 'later' gezegd? Waarom afspraken voor onbepaalde tijd uitstellen?'

Weer ijsberen. Ten slotte stilhouden voor het venster, de rug gekeerd naar het bureau vol boeken, tijdschriften, kranten... Dat allemaal de rug toekeren en naar Oswald gaan...

'Waar rijden we naartoe, papa?'

'Naar Tintagel, jongen. Dat was vroeger een kasteel vlak aan zee.'

'Ik zou graag eens in een echt kasteel slapen.'

'En dan dromen dat een prinses je 's morgens wakker komt kussen! Jammer dat Tintagel niet meer bestaat.'

'Waarom rijden we er dan naartoe, papa – als het niet meer bestaat?'

'Je kan nog de resten van de muren en de toren zien: een ruïne boven op de rotsen, en diep onder je de zee. Het is een prachtige plek!'

'Wie heeft er gewoond?'

'Dat weet ik niet, jongen. Maar een middeleeuwse schrijver heeft ooit gedroomd dat koning Arthur er geboren werd. Die koning was een machtig en moedig man die zijn volk beschermde tegen roofzuchtige vijanden. Maar omdat hij niet trouw bleef aan het geloof van zijn volk, keerde zijn zoon zich tegen hem. Ze stierven beiden op het slagveld. Bijna duizend vijfhonderd jaar geleden is dat allemaal gebeurd.'

'Ik wil die verhalen lezen, papa!'

Ja, zei Franz bij zichzelf, ik heb ze voor jou gekocht, Oswald. We zouden naar Tintagel kunnen terugkeren, jongen – en ik zou luisteren naar wat je me over die duistere tijden te vertellen hebt. Je zou mijn gids zijn en we zouden over het smalle pad langs de klippen lopen... iets dat we toen niet gedaan hebben – 'omdat het te gevaarlijk was,' zei mama. Maar jij wilde wel. Je rukte aan mijn hand om me mee te krijgen, om te zien hoe hoog we boven de zee stonden. En je riep: 'Ik ben niet bang papa! Jij toch ook niet!'

'Nee,' fluisterde hij, 'daar ben ik helemaal niet bang van, ik zou je wel stevig hebben vastgehouden.'

Franz liet zijn blik dwalen door de straat beneden hem. Dat deed hij wel eens meer. Hij hield ervan een poos door het venster van het bureau naar onder te staren, hopend dat de straat een geheim verborg dat zich eensklaps aan hem zou openbaren. Doch er gebeurde nooit iets, althans niets bijzonders: een gevel werd opgekalefaterd, het trottoir kreeg nieuwe plaveien, er verschenen bloembakken en parkeermeters. Elk jaar veranderde er wel iets aan het uitzicht der dingen. Maar het wonder bleef uit, zodat hij op den duur van de buitenwereld niets meer ging verwachten. Op zijn manier beleefde Franz de waarheid dat alle belangrijke dingen in het leven zich binnenskamers afspelen, in alle stilte en achter gesloten deuren. Misschien, zo dacht hij, is er een tijd geweest dat het niet zo was, dat de deuren openstonden, omdat er niets te verbergen viel... een tijd toen het nog kon dat waarheid gemeenschappelijk werd beleefd en door tallozen gedragen. Zijn geheime waarheid lag nu hier in een lade die op slot ging. Ach, het script... Als hij straks de deur achter zich dichttrok en de trap afging, zou hij het weer moeten achterlaten met de vrees dat het de volgende dagen verdwenen kon zijn, of dat er brand zou uitbreken. Ja, hij was angstiger geworden de laatste dagen. Plots viel het hem op dat de straat toch niet meer was zoals voorheen. Er moest het script zijn om tot die zonderlinge vaststelling te komen. Het maakte hem ervan bewust dat hij vroeger te weinig oog had voor veranderingen, dat hij zich vergist had wanneer hij meende telkens weer door dezelfde straat te lopen, naar hetzelfde bureau. Er schoten hem woorden te binnen... ondubbelzinnige, eeuwenoude woorden van een Griekse filosoof, die hij ooit ergens gelezen had – het deed er niet toe in welk boek. 'Niemand daalt tweemaal af naar dezelfde rivier,' zei de filosoof. En mijn straat, mijmerde Franz, zal straks – net als de rivier – anders zijn... en naar Oswald moet ik gaan langs een andere weg, als een andere vader. Niets zou hij nog lezen voor hij met zijn zoon had gesproken!

Kijk, riep zijn hart de voorbijgangers in de straat toe, hier staat Franz die weer vader is geworden! Maar ze haastten zich verder, of hielden stil voor een uitstalraam. Wie keek er nu omhoog om te zien of iemand voor een venster had postgevat? Tenzij hem het nare gevoel bekroop bespied te worden, of tenzij het venster boven hem werd opengerukt en iemand in een vlaag van zinsverbijstering ermee dreigde te springen... Was dat tweede scenario niet grondig uitgewerkt in een boek? Meteen herinnerde hij zich de titel: *Het leven een bries*. Alleen wist hij niet meer of de triestige held die zich op een vensterbank hoog boven de grond had neergezet zoals je gaat zitten op een bank in het park om uit te rusten, inderdaad sprong. Franz opende het venster. Koude lucht stroomde naar binnen. 'Die verrekte literatuur,' mompelde hij. 'Ze wil me maar niet loslaten, een bloedzuigster is ze. Hoe moet ik ermee verder leven? Nog niet zo lang geleden...' Hij onderbrak zichzelf.

Een man die hem bekend voorkwam, stak de straat over en ging zijn boekhandel binnen. Het was de man met wie hij voor enkele dagen 's avonds laat had kennisgemaakt op de brug over de rivier, waarin hij het kreng van een hond had zien drijven. Zonder verder na te denken sloot hij het raam en liep naar beneden.

'Blij je te zien,' zei hij.

En de ander met een brede glimlach: 'Vlugger dan ik dacht!'

Ze drukten elkaar de hand.

'Zeg maar Franz,' zei hij.

En de ander: 'Ik ben Steven. Kom jij ook wat rondneuzen?'

'Helemaal niet. Ik werk hier. Maar vandaag heb ik er geen zin in. Heb jij altijd zin om te gaan werken?' De vraag ontsnapte hem, terwijl in zijn geheugen kwam dat de vrouw van Steven zwaar ziek in de kliniek lag. 'Sorry,' zei hij, 'neem me niet kwalijk.'

'Je hoeft je niet te verontschuldigen,' schoot Steven hem te hulp. 'En hier is dus je werkdomein: een hele onderneming! Maar het is in ieder geval een interessant beroep je te kunnen bezighouden met de verspreiding van boeken.'

'Ja, boeken verkopen is mijn job, als ik me zo mag uitdrukken. Maar ik ben ook uitgever.' Franz sprak op een luchtige toon. 'Heb je tijd om iets te drinken?'

'Op woensdag werk ik niet, zodus...'

Franz ging hem voor naar zijn bureau met het gevoel iemand terug te zien die hem altijd heel genegen is geweest, doch met wie hij door onverklaarbare omstandigheden nooit vriendschap heeft kunnen aanknopen. Nadat hij koffie had gezet en tegenover Steven was gaan zitten, zei hij: 'Toen we elkaar op de brug zagen, had ik de indruk je al eens eerder ontmoet te hebben.'

'Ik heb aan je zoon les gegeven, Franz. We hebben elkaar ooit gezien op een oudervergadering. Daar op de brug herinnerde ik me meteen wie je was.'

'Wat! Waarom heb je dat toén niet gezegd?'

'Het was, denk ik, niet het gepaste moment om je daaraan te herinneren...'

'Nee – zeker niet. Je hebt gelijk!'

Er viel een korte stilte. Dan zei Steven: 'Oswald is bijna afgestudeerd. Een schitterend student, heb ik vernomen, een zoon om trots op te zijn! Alleen jammer dat hij met het college geen contact meer onderhoudt. Ik weet nog goed hoe iedereen naar hem luisterde wanneer hij tijdens een klasgesprek het woord nam. Men wist dat hij iets te zeggen had. – Een stil water was hij, maar met een diepe grond. Ik hield van hem. Hopelijk krijg ik nog zo'n leerling.'

'Welk vak geef je?'

'Godsdienst, Franz. Niet echt het vak waaraan veel belang wordt gehecht, maar ik vind het wel belangrijk de leerlingen te confronteren met de levensweg en de woorden van Jezus. Ik verwacht dat ze nadenken over de boodschap die hij brengt... Maar ik hoef je nu niet te vervelen met mijn kijk op het vak godsdienst. Overigens, ik hou niet van dat woordje 'vak'...'

'Nee – nee! Je verveelt me niet. Integendeel!'

'Wel, wat ik nog wilde zeggen... Ik verwacht ook dat de leerlingen hun mening over de leer van de kerk verantwoorden op een ernstige, eerlijke manier. In al mijn lessen staat het evangelie centraal, Franz : het blijft de leidraad. De meesten onder mijn leerlingen zullen het immers later nooit meer lezen.'

'Dat heb ik sinds mijn collegetijd ook niet meer gedaan,' zei Franz. 'Wat zijn bijvoorbeeld woorden van Jezus waarover je het met de leerlingen hebt?'

Steven dacht even na en antwoordde een beetje terughoudend, maar niettemin op een toon waarin doorschemerde dat hij blij was iets heuglijks te kunnen meedelen: 'Jezus zei eens tot de joden die in hem geloofden: Zo gij in mijn woord volhardt, zijt gij waarlijk mijn leerlingen, dan zult gij de waarheid kennen en de waarheid zal u bevrijden. Dáárover heb ik het onlangs met de laatstejaars gehad; het zijn woorden uit het Johannesevangelie.'

'En Oswald?' vroeg Franz voorzichtig. 'Denk je dat hij volhardt in die woorden?'

'Ik heb vertrouwen.'

'Vertrouwen... Ja, ik acht hem in staat om heel gelovig te zijn ondanks het feit dat hij niet praktiseert. Hij heeft belangstelling voor religie, meer dan ik trouwens, veel meer ook dan mijn vrouw. Van wie hij dat heeft, is me een raadsel. Ik wil je niet kwetsen, Steven, ik heb absoluut niets tegen de godsdienst, anders zouden we hem niet naar het college gestuurd hebben... maar we zijn niet kerkelijk, gedoopt maar niet kerkelijk. Ik heb horen zeggen dat sommige ex-katholieken het zo ver drijven dat ze hun naam uit het doopregister laten schrappen. Zover ga ik niet! Overigens, we hebben Oswald laten dopen. En hij moet nu zelf maar beslissen of hij in de kerk zal blijven of niet. Geloof me, ik heb de volste waardering voor je werk. Het moet een hele opdracht zijn om de interesse van jonge mensen te wekken voor zoiets als godsdienst! Je hebt gelijk dat je er geen vak van wilt maken.'

'Nee, zeker niet in de enge betekenis van het woord! Ik hoop alleen dat het evangelie voor veel jongeren een bron van inspiratie blijft – of wordt. Het loont de moeite me daarvoor in te zetten.'

'Ik zou het moeten herlezen, Steven. Ik weet er nauwelijks iets van.' Het gezicht van Franz vertrok tot een pijnlijke glimlach. 'Jarenlang hebben zoveel andere boeken me beziggehouden dat je zowaar gaat vergeten dat er nog een Heilige Schrift bestaat.'

'O, het is niet mijn bedoeling een pleidooi voor de Schrift te houden,' zei Steven.

'Ze heeft dat niet nodig. Haar boodschap verdwijnt niet uit het geheugen der mensheid. We zullen ze blijven vernemen, generatie na generatie, en in de grond snakken we er ook naar. We kunnen niet anders! Al wordt de spot gedreven met de man die de boodschap heeft gebracht, of wordt in twijfel getrokken of hij wel heeft geleefd – steeds zullen er ontelbare mensen zijn die zijn woorden in de praktijk willen omzetten. Weet je, ik denk dat er nog velen zijn als Nikodemus, een overste van de joden. Hij kwam in het geheim bij Jezus. In de nacht, schrijft Johannes. Vermoedelijk was hij werkelijk bereid in hem te geloven. Hij had immers een stap gezet, al gebeurde het stiekem, en al was hij in de eerste plaats eropuit om te weten te komen of Jezus inderdaad door God gezonden is.'

'Hij wilde de waarheid kennen,' zei Franz met weer dat pijnlijke glimlachje van enkele ogenblikken geleden. 'Hij hunkerde naar zekerheid. Ik zie hem al het huis uit sluipen, met kloppend hart om zich heen kijkend, denkend aan wat hij zal zeggen, nieuwsgierig naar wat hij zal vernemen. O, Nikodemus verlangde zo naar de bevrijdende waarheid, maar hij was bang dat men hem zou betrappen op een ontmoeting met Jezus. Dus zocht hij hem 's nachts op. Voor hem liet hij zijn slaap... hij wilde niet gezien worden! Ja, waarheid maakt soms bang, of men heeft soms zijn twijfels. En toch verlangt men – nee, wordt men ertoe gedreven ze te leren kennen!' Die laatste paar zinnen had Franz traag en bedachtzaam uitgesproken, alsof hij een conclusie formuleerde: een strikt persoonlijk besluit van bedenkingen die bij hem waren opgekomen in de loop van het gesprek. 'Nog een kop koffie?' vroeg hij toen hij merkte dat Steven de zijne had leeggedronken. Hij hoopte dat zijn gast nog een tijdje zou blijven om met hem over Oswald te praten en – hij durfde het bijna niet te denken – over het script. Dat was – moest hij zichzelf toegeven – de verborgen reden waarom hij Steven naar zijn bureau had geloodst, net of hij van hem redding verwachtte!

'Nee dank je,' antwoordde Steven. 'Het was erg vriendelijk van je om mij uit te nodigen. Nu heb ik ook eens in een uitgeversbureau gezeten.'

'Dit is maar een klein uitgeverijtje, hoor!'

'Hoe heet het?'

'Omega... gespecialiseerd in literatuur, althans dat is de bedoeling. We zijn nog niet zo lang bezig; het is voorlopig een experiment om beloftevolle debutanten een kans te geven. Een risico natuurlijk, maar we zien wel.'

'En heb je voor het ogenblik een interessant debuut?'

'Ja, wacht even!' Franz veerde op. Liep naar zijn bureau en bleef daar enkele seconden roerloos staan, terwijl hem door het hoofd flitste: 'Ja ik geef het hem, als ik het nu niet geef, dan misschien nooit meer!' Resoluut trok hij de lade open en haalde er het script uit. 'Hier heb ik geen al te lijvige roman,' zei hij. 'Als je tijd hebt.. Doe me een plezier en lees hem.'

Steven keek hem verbaasd aan. 'Ik veronderstel dat je wil weten wat ik ervan denk.'

'Inderdaad. Soms is het niet gemakkelijk om beslissingen te treffen. Maar – hij legde het script op zijn bureau en schudde nadenkend met zijn hoofd – ik... nee, ik mag het je niet vragen, het kan niet dat ik je met zoiets durf lastig te vallen, nu juist... terwijl je vrouw je nodig heeft.' Terstond echter gingen zijn gedachten opnieuw uit naar Oswald. Ik geef iets intiems prijs, besefte hij, ik heb er niets op tegen dat een ander binnendringt in de intieme wereld van mijn zoon zonder dat die ervan op de hoogte is, ik ben er zelfs op uit te weten hoe een ander over hem oordeelt, alhoewel... een vreemde is Steven nu ook weer niet, en ik hoef hem niet te zeggen wie Hugo en Hella zijn.

'Ik maak wel tijd vrij, Franz. Wees gerust, je valt me niet lastig. Ik stel het op prijs dat je me in vertrouwen neemt. Waarover gaat die roman?'

'Dat zal je wel vlug ontdekken,' antwoordde hij met gemengde gevoelens. Hij nam het script en ging weer zitten. 'Wat voor een uitgever ben ik!' riep hij spottend uit. 'Ik moet een beroep doen op andermans mening, dat moet wel vreemd overkomen, om niet te zeggen bedenkelijk.' Hij sloeg met de vlakke hand op het script, dat op zijn knieën lag. 'Het is de eerste keer dat ik twijfel, Steven.' Zijn gezicht werd heel bleek. God, ik haat die dubbelzinnigheid, zei hij bij zichzelf, maar er zit niets anders op dan te doen alsof. Ik kan niet meer terug. Hij onderdrukte een toenemende ergernis. 'Die verdomde twijfel mag niet te lang duren,' zuchtte hij zonder zijn gast aan te kijken. Dan richtte hij zich weer direct tot hem: 'Hier, ik overhandig je het boek der onzekerheden. Hopelijk kost het je niet te veel hoofdbrekens om er een mening over te geven. Spreek vrijuit, je bewijst er me echt een dienst mee!'

'Van mijn mening hangt toch geen publicatie af?' vroeg Steven, terwijl hij het script aannam. 'Het lijkt wel of we hier zitten als juryleden, die moeten antwoorden op een cruciale vraag.' Hij fronste de wenkbrauwen. 'Je legt het lot van die debutant toch niet in mijn handen,' drong hij aan.

'Het lot? We zullen het er later over hebben. Ook mijn lot is mee in het spel!'

'Je overdrijft. Ik heb de indruk dat je je beroep zo ernstig neemt dat je er geen plezier meer aan beleeft. En dan steekt de twijfel dikwijls haar kop op. A propos, wat ik je nog wil vragen: Heb jij nu nog een exemplaar van de tekst?'

'Nee, maar ik zal hem meteen kopiëren.' Franz verdween in het belendende vertrek en kwam na een twintigtal minuten terug. 'Hier,' zei hij, 'jouw exemplaar. Laat het niemand lezen, ik ben alleen geïnteresseerd in jouw persoonlijke bevindingen. Ik zou vooral willen weten wat je denkt over de inhoud.'

'Ik zal mijn mening zo goed mogelijk verantwoorden,' gaf Steven glimlachend te kennen.

'Dank je,' zei Franz peinzend (blijkbaar drong het niet tot hem door waarop de ander zinspeelde), 'het is voor mij een hele opluchting, dat je bereid bent me te helpen (hij borg zijn script weer weg in de lade), ik heb vertrouwen in jou, en – dit mag ook gezegd zijn: ik ben blij dat Oswald van jou les heeft mogen krijgen!'

Steven stond op en keek hem doordringend aan. 'Dat stemt me

gelukkig. Maak je geen zorgen. Je krijgt spoedig een antwoord, je kan op mij rekenen!'

Ze gingen weer naar beneden. 'Kies maar een boek dat je graag zou kopen,' zei Franz, toen ze in de winkel kwamen. 'Dat is het minste wat ik je kan geven, gun me dat plezier. Ik verwittig de verkoopster. Tot binnenkort.'

Terug in zijn bureau telefoneerde hij Ada dat hij geen tijd had om te komen lunchen. Hij zou vlug iets gaan eten in een snackbar en dan direct doorrijden naar Antwerpen.

'Kom je niet te laat naar huis?' vroeg ze.

'Ik zal mijn best doen,' antwoordde hij. 'Het hangt niet alleen van mij af. In ieder geval, ik bel je wel op voor ik terugkeer.'

'Doe dat,' zei ze.

Wat later nam Franz de snelweg richting Gent. Waarheen? hamerde het in zijn hoofd. Waarheen? De leugen, hoe klein ook, knaagde aan zijn hart. Natuurlijk zou hij niet naar Antwerpen rijden: die afspraak had hij immers afgezegd. Maar waarheen dan? 'Wohin? O Bächlein, sprich, wohin?' begon in de verte een stem plots te zingen. Franz neuriede mee. Hij kende het lied uit Schuberts *Die schöne Müllerin*, de liederencyclus die hij in zijn jeugd zo dikwijls had beluisterd tezamen met zijn vader. Nu kwam er vanuit dat verre verleden gezang aangewaaid: donkere melodieën gedragen door een mysterieus verlangen. Maar de leugen hield niet op met knagen, terwijl de stem verder zong: 'Dein ist mein Herz, und soll es ewig bleiben… dein ist mein Herz!' Toen hij Gent naderde, vertraagde hij onwillekeurig. Nee, zei Franz bij zichzelf, ik neem de afrit niet, ik zal de bevindingen van Steven afwachten en pas daarna naar Oswald gaan, dat zal dan hoogstwaarschijnlijk volgende week gebeuren, vervolgens breng ik bij Ingrid verslag uit: zij rekent immers op een antwoord. Maar is het werkelijk zo dat er iets zorgwekkends met Oswald aan de hand is? Misschien is het allemaal inbeelding van haar, pure fictie, en heeft ze de feiten opgeschroefd om een interessant verhaal te kunnen schrijven: de psychologe vond het om literaire redenen nodig van Oswald een raadsel te maken... O, als dat heus de waarheid is... en als Oswald nu eens zijn relatie met haar heeft stopgezet, gewoon omdat het niet klikt tussen hen beiden of omdat zij hem te zeer aan zich wil binden, dan verandert alles! Ja, sommige vrouwen blijven zich hardnekkig vastklampen aan de man aan wie ze eenmaal hun liefde hebben verklaard, alsof er geen andere weg kan worden ingeslagen. Ze willen hem niet loslaten en overrompelen hem met verstikkende blijken van tomeloze bezitsdrang die ze dan liefde noemen. Misschien had Oswald iets dergelijks ervaren en deinsde hij ervoor terug haar te blijven ontmoeten. 'Allemaal veronderstellingen,' besloot Franz hardop. 'Straks maak ik van Ingrid nog een leugenaarster die me om duistere redenen of uit louter plezier voor de gek houdt.' Hij drukte het gaspedaal dieper in. De wagen schoot vooruit. Eensklaps wist hij naar wie hij had kunnen rijden. Het zou een verrassing geweest zijn. En ze hadden samen een uitstapje kunnen maken. Vader en zoon tezamen op uitstap naar het dorp waar ze jarenlang hadden gewoond en moeder was gestorven. Hij had het de oude man vorige zondag nog beloofd, terwijl Ada erbij was. Jammer dat hij niet eerder op die idee was gekomen, dan had hij tegen Ada niet hoeven te liegen dat hij naar Antwerpen ging... Welke andere plaats kan ik nu opzoeken? vroeg hij zich af. Brugge of de zee? Hij koos voor de zee. Voor Cadzand.

Toen Oswald nog een kleuter was, hadden ze er een huisje gehuurd in juli: veertien dagen een onbeschrijflijk prachtige zomer: wandelen, zwemmen, languit liggen in de zon naast zijn jonge vrouw.

Cadzand. Om de zee te zien moest hij eerst een brede, hoge zanddijk op. In plaats van de steile trappen nam hij een langzaam stijgend geasfalteerd pad. En dan zag hij als in een droom het verlaten strand, de krijsende meeuwen, in de verte een vrachtschip. Hoog boven hem dreven witgrijze wolken, richting land. Hij bleef staan en tuurde ernaar. Dacht aan een gedicht dat eindigde met het vers: ik drijf als een wolk de hemel weet waar... Dacht aan een ander gedicht over een jongen die met zijn vader in de heide ligt en hem wijst wat hij in de wolken ziet. Prangende herinneringen ontwaakten. Franz probeerde ze te verjagen. Vergeefs. Zijn ogen begonnen te tranen. Hij haalde diep adem om de onverhoede, vreemde ontroering meester te worden. En de wolken bleven maar komen van achter de mistige horizon, ze kwamen uit de richting van het land waar ze lang geleden enkele vakanties hadden doorgebracht, waar hij toen gans alleen in het Welshe hoogland was gaan zwerven... daar de hemel had willen omhelzen en bijna in snikken was uitgebarsten, omdat hij het niet had gekund en zich heel even ontzettend nietig en verloren had gevoeld in het weidse landschap...

Terwijl hij naar het landschap tuurde, hoorde hij plots de stem van Ada. Ze vroeg: 'Blijf je lang weg?'

'Tot wanneer ik het graf van koning Arthur heb gevonden,' antwoordde hij, 'ergens in de Preseli-heuvels.' Hij lachte en trok zijn hoge schoenen aan.

'Dan zal ik lang op jou mogen wachten, Franz!'

'Je weet toch dat ik graag op zoek ga naar iets dat enkel in de verbeelding bestaat.'

Hij kwam terug in de late middag. Het was drukkend warm. In een ijlblauwe lucht triomfeerde de zon. Overal heerste rust en stilte. Hun vakantiehuisje lag midden in het groen. Naast een helder ruisende beek. In de voortuin stond een oude es. Aan een lage tak hing een schommel. Hij liep het pad op dat naar achter leidde, naar een grasveld dat zich uitstrekte tot aan de beek. En net toen hij wilde roepen dat hij er was, zag hij haar liggen – half in de schaduw van een bloeiende heester. Verrast hield hij halt. Ze droeg een bikini. De kleine Oswald lag tussen haar opgetrokken knieën met zijn hoofd in haar schoot. Haar rechterhand rustte op zijn schoudertje. Ze bewogen niet. Blijkbaar waren ze ingesluimerd en hadden ze hem niet horen aankomen. Een poos bleef hij naar hen staan kijken, hoewel hij bevangen werd door het onaangename gevoel ongewild getuige te zijn van een intiem tafereel. Nee, wat hij zag, vertederde hem niet. Wel raakte hij er zozeer door ontstemd dat hij zich nauwelijks in bedwang kon houden om niet naar hen toe te gaan en de kleine Oswald die zijn hoofd tegen Ada's buik had gevlijd, niet terstond wakker te schudden. Waarom zat de jongen niet op de schommel? Waarom speelde hij niet in het kristalheldere, ondiepe water van de beek? Zijn hart klopte in de keel. Opeens verdroeg hij het tafereel niet. Hij wendde zijn blik af en liep uitermate geërgerd naar binnen. Hij gooide zijn rugzak in een hoek en leste zijn dorst met een glas bier. Zijn ergernis week voor een mengeling van argwaan en nieuwsgierigheid. Toen hoorde hij Oswald gillen. Geschrokken liep hij weer de tuin in. Ze zaten rechtop. Ada bekeek onderzoekend de rechterhand van de jongen.

'Wat is er?' schreeuwde hij.

'Franz, ben je hier?' riep ze terug. 'Ik denk dat hij gestoken is door een wesp. Kijk, zijn hand begint al op te zwellen.'

'Doe er wat azijn op,' zei hij, 'dat deed mijn moeder ook.'

'Nee, we gaan onmiddellijk naar de dokter,' besloot ze kordaat. 'Vraag aan de buurman waar hij woont. Ik ga me aankleden.' Ze nam een snikkende Oswald bij de hand.

'Je hebt gelijk,' zei hij. 'We kunnen niet voorzichtig genoeg zijn.'

Hoe levendig stond het tafereel Franz weer voor de geest, alsof het zich pas had afgespeeld! Zo is het, peinsde hij geëmotioneerd, Oswald heeft zich altijd sterk aangetrokken gevoeld door zijn moeder. Eigenlijk had ik me meer met hem moeten bezig houden, zeker toen hij ouder werd. Ik dacht, nee, ik was ervan overtuigd dat zijn studies alles voor hem betekenden, maar dat is niet waar, misschien heeft hij er een hekel aan gekregen en zijn er andere dingen voor hem belangrijker geworden.

Franz wandelde verder over de zanddijk. Voelde zich plots weerloos; de speelbal van overzeese herinneringen. De wind blies door zijn jas heen. Toch stapte hij voort terwijl het beeld van het intieme tafereel hem voor de geest bleef zweven en hij de indruk kreeg te worden uitgedaagd om zich op weg te begeven naar een onbekende verte waarvan geen terugkeer mogelijk is.

Hij daalde de dijk af. Liep langs de vloedlijn. Onder zijn voeten knarsten schelpen. Hij raapte er enkele op en stak ze in zijn zak. Dan liep hij weer verder, traag en met gebogen hoofd, net of hij naar iets zeldzaams zocht dat de zee had achtergelaten. Ada had dikwijls schelpen geraapt, tezamen met Oswald. Ze leerde hem de mooiste vinden. Eens vond ze een kinkhoorn die ze tegen het oor van Oswald hield. En de jongen riep: 'Mama, ik hoor de zee!' Zou ze nog weten dat hij haar toen Conchita noemde? Dat hij Oswald vertelde over een godin die staande in een reuzenschelp naar de kust werd gedreven door de adem van de windgoden? Hij vertelde dat er bloemen uit de grond begonnen te schieten overal waar ze haar voeten had neergezet nadat ze aan land was gegaan. 'Mama is ook een godin,' had de kleine Oswald gezegd. En Ada had in zijn oor gefluisterd: 'Je brengt zijn hoofd nog op hol, Franz.' Hij wist niet of ze het meende. Lieve Ada, konden we alles opnieuw beleven en de schelp vinden met de kostbare parel, op de stranden van overzee.

Franz hief het hoofd op. Bleef andermaal staan en keek naar de horizon. Misschien heb ik inderdaad zijn hoofd op hol gebracht, zei hij bij zichzelf. Ik had zijn aandacht moeten vestigen op de concrete werkelijkheid, op wat er verkeerd loopt in de maatschappij, in de wereld. Ik weet niet eens wat hij denkt over onze huidige samenleving, welke problemen hem na aan het hart liggen, wat hij veranderd wil zien. Als hij werkelijk gelovig is, dan moet hij dat toch ook laten blijken! O, wat een verstandige, schimmige zoon heb ik! Een zoon die zich afzondert en zwijgt. Alsof ik voor hem weinig of niets meer te betekenen heb. God nee, ik mag hem niet verliezen. En mocht ik hem verliezen, dan zal hij me altijd als een ongrijpbare schim blijven achtervolgen. Franz schrok. Hoe kon zulke gedachte in hem opkomen? Alleen wanneer je geen vertrouwen had, was zoiets mogelijk. Hij keerde op zijn stappen terug, de handen diep in de zakken van zijn jas. Hij voelde de schelpen, betastte ze en fluisterde: 'Conchita, laat me dromen dat je bestaat, dat ik je nog eens zal ontmoeten op dit strand, aan de vloedlijn...'

Toen Franz op de parking kwam, overviel hem een ongewone angst. Natuurlijk had die alles te maken met de toestand van onzekerheid waarin hij zich bevond. Doch waarvoor juist moest hij bang zijn? Hij wilde vergeten wat hem zopas had beziggehouden.

Langzaam ging hij op zijn wagen af, niet goed wetend waarheen hij nu moest rijden.

Niet naar huis, dacht hij, het is te vroeg, Ada verwacht me nog niet. Het leek of zijn benen weerspannig werden en de tegenovergestelde richting wilden uitgaan. Koppig herhaalde hij bij zichzelf: het is te vroeg, ze verwacht me niet. Meteen echter besefte hij dat hij weer bezig was een toevlucht te nemen tot leugens. Huiverend ging Franz in zijn wagen zitten. Dan begon hij te peinzen over zijn uitstap. Een drietal uren geleden was hij blindelings weggereden uit Aalst zonder te weten waarheen, blindelings ook had hij tenslotte gekozen voor Cadzand. 'Fout,' zei hij ineens hardop. 'Waar haal ik het vandaan? Ik heb niet gekozen: ik werd gewoon ertoe gedreven om terug te keren naar de plek waar ik met Ada en mijn zoontje gelukkige vakantiedagen heb doorgebracht... en dáár moest ik, terwijl ik naar de wolken en de horizon keek, denken aan wat er zich later – niet zoveel later – overzee heeft afgespeeld. Waarom toch ben ik teruggekeerd? Ik kan de gordiaanse knoop niet ontwarren.'

Opnieuw kwam hem het intieme tafereel voor de geest. Het was uitgesloten dat hij aan Ada zou vertellen wat hij zich van overzee had herinnerd. Nooit had hij er met haar over gesproken: hij had het tafereel zonder meer uit zijn gedachten verbannen.

Begon hij er nu over dan zou ze zich wellicht afvragen waarom... Zwijgen dus om haar niet te verontrusten en geen leugens te hoeven verzinnen. Angstvallig vroeg hij zich af welke taferelen zich in zijn geheugen nog konden schuilhouden. Onzin, probeerde Franz zich gerust te stellen. Hij stak het sleuteltje in het contact, maar startte de motor niet, als was het geschikte moment om te vertrekken nog niet aangebroken. Gespannen en om de mond een strakke, pijnlijke trek staarde hij voor zich uit.

'Rij weg,' beval een stem. Doch hij bleef zitten, roerloos, niet eens bij machte om het sleuteltje om te draaien. Hij zag Oswald en twee gestalten die hem wenkten. Het waren Ada en Ingrid. De jongen wist blijkbaar niet naar wie hij moest gaan en wachtte in tweestrijd af. 'Nee,' stamelde Franz, 'nee, dat kan niet!' Toen richtte Oswald een verwijtende blik op hem. Een vaag schuldgevoel maakte zich van Franz meester. 'Zeg me wat ik verkeerd heb gedaan,' smeekte hij zacht. 'Vergeef me als ik te veel aan mezelf heb gedacht. Ik wil je helpen, jongen.' Hij sloot de ogen, beschaamd dat hij tegen een schim had zitten praten. Ja, hij moest weg, ergens tot rust komen voor hij thuiskwam. Hij wreef over zijn klamme voorhoofd, deed de ogen weer open en zette de autoradio aan. Een presentator zei: 'En zo zijn we beland bij de musicus van de week: John Eliot Gardiner.' Franz startte. Hij had besloten naar zijn vader te rijden. Net voor het begon te schemeren, was hij in het rusthuis.

De oude man zat in zijn armstoel bij het venster dat uitzag op een plein, bestemd als parking, en een kerk met spitse toren. Veel beweging bood de kamer, die hij spottend zijn cel noemde, niet. Doch oude mensen hebben weinig ruimte nodig: ze zitten maar, kijken naar de televisie of door het raam, en wachten. Toen Franz het kamertje binnenging, kreeg hij plots medelijden met zijn vader, die zo graag in zijn eigen huis was gebleven en het verschrikkelijk vond dat hij afhankelijk was geworden van de hulp van anderen. Hij gaf hem een kus en nam plaats tegenover hem.

'Ik heb je zien aankomen,' zei de oude man. 'Ik keek toevallig naar buiten en daar verscheen je wagen. Ja-ja, mijn ogen zijn nog goed, daarover hebben we niet te klagen. Mijn moeder was al blind toen ze zo oud was als ik nù. Ze had graag dat ik haar voorlas uit de boeken van Claes en Timmermans, ze luisterde ook graag naar de schoolradio. Je bent nooit te oud om te leren, zei ze. Toen ze bijna niet meer hoorde, hield ik haar hand vast. Lichter dan een pluimpje was haar hand en zo kil dat ik geen warmte genoeg had om ze te verwarmen. Dat vond ik vreselijk, jongen: voelen hoe kil het lichaam van je moeder is geworden en weten dat je die kilte nooit zult kunnen verdrijven. Ze is langzaam uitgedroogd. Op het einde waren haar vingers dunne, dorre takjes. Ik had altijd gehoopt dat ze zou sterven, terwijl ik haar hand vasthield. Dat is niet gebeurd.'

Ook hij zit met een schuldgevoel, dacht Franz. Nooit heeft hij met mij over de dood van zijn moeder gesproken, en nu moet hij ineens kwijt wat hem jarenlang op het hart heeft gelegen. Hij zei: 'Ze was een heel lieve vrouw.'

Ze zwegen een poos. De oude man stopte een pijp. Franz haalde uit de koelkast een biertje. 'Voor jou ook?' vroeg hij.

'Schenk me maar een uit, jongen. Nu je hier bent, heb ik er zin in... Weet je wat? Je moest maar eens meer op bezoek komen, dan kunnen we samen een lekker glas drinken. Alleen is dat niet zo gezellig.'

'Dat zullen we doen.'

'Ik kijk ernaar uit.'

'Binnenkort rijden we nog eens naar je geboortestreek.'

'Werkelijk?'

'Het moet natuurlijk mooi weer zijn.'

'Alle weer is goed voor mij. Het landschap blijft altijd even mooi. Oswald zou misschien mee kunnen gaan. Het is lang geleden dat ik hem gezien heb.'

'Hij heeft het erg druk. Maar ik zal het hem vragen.' Franz ontweek zijn zacht polsende blik.

'En hoe staat het met je uitgeverij? Je hebt er me zondag niets over verteld.'

'We zullen wel zien... Er komt heel wat bij kijken. We moeten geduld hebben.'

'Ik wens uit de grond van mijn hart dat het een bloeiende zaak wordt. Je weet dat ik steeds bereid ben om bij te springen als het nodig is. Alles wat ik heb, gaat toch naar jou.'

'Je hebt het geld nodig voor het rusthuis... en dan heb je nog maar een kleine kamer...'

'Ik heb niet veel ruimte meer nodig, jongen. Ik loop al zo moeilijk. Straks kan ik niet zonder twee stokken. Hoe luidt het raadsel ook weer dat de sfinx aan Oedipus opgaf voor die Thebe binnenging?' De oude man monkelde, legde zijn pijp in de asbak en deed of hij naar een antwoord zocht. Franz zweeg. Hij wist dat als zijn vader op die manier een vraag stelde, hij zelf niet hoefde te antwoorden. Dat spelletje zou hem anders geamuseerd hebben, nu niet: hij was niet in de stemming en zei ietwat kregelig: 'Je weet het wel, vertel het maar.'

'O ja? Ik mag toch even nadenken. Je hersenen zullen later ook trager werken, jongen. Nu het raadsel me weer te binnen schiet, vraag ik me af of ik het antwoord zou gevonden hebben was ik in de plaats van Oedipus geweest. Ik zal eens vragen aan de bejaardenhelpster of zij weet welk wezen 's morgens op vier, 's middags op twee en 's avonds op drie voeten loopt.' Hij lachte stilletjes voor zich uit. Werd plotseling ernstig en zei: 'Wat heeft Oedipus zich niet op de hals gehaald, toen hij raadde dat het de mens is die in de morgen van zijn leven op handen en voeten kruipt, daarna met opgeheven hoofd rechtop loopt en in de avond van zijn leven een stok nodig heeft als derde been. Maar had hij het niet geraden, dan werd hij gedood door de sfinx. Ja, hij moest het raadsel ontsluieren, de stad Thebe van het sfinxmonster bevrijden... Maar wat is daar allemaal niet aan voorafgegaan? Welke gevolgen heeft dat niet gehad?'

'Ik ken die tragische geschiedenis wel, hoor!' onderbrak Franz hem ongeduldig. Zijn vader ging echter – nu hij eenmaal aan het vertellen was geslagen – koppig door. Er klonk iets onheilspellends in zijn stem, iets dat zweemde naar dramatiek. 'En de sfinx die woedend was dat Oedipus de oplossing had gevonden, stortte zich van de rots naar beneden. Triomfantelijk ging onze held de stad in en werd er de gemaal van koningin Jocaste, zijn moeder – zoals hij later zal vernemen. De gebeurtenissen die door het orakel werden voorspeld, kon hij niet ontlopen. Het was zijn lot dat hij, zonder het te weten, zijn vader zou doden, zijn moeder zou huwen en...'

'Hou er maar mee op,' onderbrak Franz hem andermaal. 'Ik zie dat je het verhaal niet vergeten bent!' Hij voelde zich ongemakkelijk worden, wierp een blik door het venster en wilde iets zeggen, doch raakte verstrikt in zijn gedachten.

Zijn vader zei: 'Ik train mijn geheugen, jongen. Elke dag opnieuw probeer ik me verhalen te herinneren die ik vroeger heb gelezen. En nu je hier bent, vind ik het een uitstekende gelegenheid om eens te testen of ik het *Oedipus*-verhaal goed heb onthouden. Je mag me gerust verbeteren, hoor!'

'Ik heb je toch gezegd dat je de geschiedenis kent!' Het klonk kortaf.

De oude man leek zich niet te storen aan de vrij bitsige toon en zei: 'Ja, het zou erg zijn wanneer mijn geheugen het liet afweten... Zo'n overbekend verhaal!' Hij maakte zijn pijp schoon en stopte glimlachend een verse.

Schijnbaar aandachtig keek Franz toe. Het speet hem dat hij zo onvriendelijk was geweest. Op een welwillende toon dit keer vroeg hij: 'Weet je nog dat je me toen ik klein was, sprookjes van Andersen voorlas?'

'Natuurlijk. Ken je nog dat van de *Reiskameraad*?'

'Vaag... Ik herinner me enkel dat de arme Johannes na de dood van zijn vader de wijde wereld in trok en met de hulp van zijn reisgezel erin slaagde om met een prinses te trouwen.'

'Dat is inderdaad het gelukkige einde. Maar hij heeft eerst drie keer een raadsel moeten oplossen. Was hem dat niet gelukt, dan zou de prinses hem ter dood hebben laten brengen. Ze was zo wreed, omdat een boosaardige trol haar had betoverd.'

'Ik zal het eens moeten herlezen.'

De oude man streek een lucifer aan, hield het dansende vlammetje boven de pijpenkop, trok en blies enkele rookwolkjes uit. 'De magische wolkjes waarnaar je als kleuter zo dikwijls had gegrepen met beide handjes, terwijl je op mijn knieën zat. En je werd kwaad toen je zag dat je ze niet kon vasthouden,' vertelde vader vroeger herhaaldelijk. Onwillekeurig moest Franz glimlachen om het jongetje dat hij was geweest: het jongetje dat opkeek naar zijn vader, de onderwijzer die ontzettend veel wist en in hem de liefde voor boeken had gewekt. Een poos staarde hij in gepeins verzonken naar zijn nog halfvolle glas bier; verdroogd schuim kleefde aan de rand. Plots merkte hij dat een beenderige, bruingevlekte, trage hand naar het andere glas op het tafeltje reikte en het lichtjes bevend hief. Tersluiks keek hij toe hoe zijn vader het aan de dunne lippen bracht en spaarzaam dronk met neergeslagen ogen. Het deed hem denken aan het misritueel: de priester die de kelk heft en het scheutje wijn vermengd met enkele druppels water drinkt, het bloed van Christus, de drank – weer moest hij glimlachen – die geen sporen naliet, want de priester wreef de kelk schoon met een hagelwit doekje. Vreemd hoe het ritueel in zijn geheugen was geprent en hoe springlevend het werd, terwijl hij bij zijn oude, gelovige vader zat. Het leek wel of hij op golven van herinneringen naar hem was gevaren om te landen in een verleden waaraan hij al jaren niet had gedacht. En de oude man wachtte op zijn komst om verhalen te kunnen vertellen... Dat plezier moest hij hem gunnen. Hij had geen enkele reden om zich daaraan te ergeren. En waaraan zou hij later Oswald kunnen herinneren? Franz durfde er niet aan te denken, en liet zijn blik rusten op de bijbel die op de vensterbank lag: een oude uitgave met gebroken rug. De oude man kuchte en zei: 'Ik ken nog een raadsel, jongen (hij nam zijn pijp uit de mond), een dat geen enkele sterveling kan oplossen. Ik heb er vroeger nooit bij stilgestaan, maar onlangs toen ik weer eens in het evangelie – in dat van Johannes – zat te lezen, stootte ik op het hoofdstuk waarin de evangelist verhaalt dat Jezus, toen de farizeeën een overspelige vrouw bij hem brachten, iets met de vinger op de grond schreef. Hij die nooit een letter op papier heeft gezet, heeft iets op de grond geschreven, jongen – in het zand… En ik vroeg me af wat dat zou kunnen zijn geweest.'

'Daar zou ik mijn hoofd niet over breken, papa,' zei Franz. Dat is slechts een bijkomstigheid, een detail.'

'Nee, Franz – nee! Elk woord dat in het evangelie staat, is belangrijk. Anders stond het er niet. Het zijn woorden die door God zelf gewild zijn. En als ik iets niet begrijp, dan moet ik dat aanvaarden.'

'En toch vraag je je af wat Jezus op de grond heeft geschreven!'

'Dat is het hem juist! Waarom deed hij dat? Tot twee keer toe heeft hij iets met de vinger neergeschreven. Dat is geen detail meer. Johannes kon niet anders dan het vermelden, het werd hem ingegeven. Nu goed, we zullen het raadsel wel nooit kunnen oplossen, maar dat neemt niet weg dat we die enkele woorden graag zouden kennen… Zo zijn we tenslotte: kleine, nieuwsgierige mensen!'

'Laat Jezus zijn geheim bewaren,' zei Franz eerder korzelig. 'Geheimen heeft iedereen. Overigens zijn we niet allemaal raadsels? Niemand is een open boek.' Hij dronk zijn glas leeg. Stak het licht aan. Wat zeg ik toch… meen ik werkelijk wat ik heb gezegd? flitste het door zijn hoofd.

Zijn vader zei: 'Ik dacht dat ik je kende, jongen.' Er klonk teleurstelling in zijn stem. 'Ja, je bent natuurlijk veranderd.' Hij pauzeerde even. 'Niemand,' vervolgde hij dan – traag en nadrukkelijk, 'niemand blijft door alle jaren heen altijd volstrekt dezelfde, hoewel…' Weer liet hij een korte stilte, daarna ging hij verder met nog meer stelligheid alsof hij nu echt overtuigd was van wat hij te zeggen had: 'hoewel we op een bepaald ogenblik, vroeg of laat, het verlangen zullen voelen om naar het verleden terug te keren, en te ontdekken wat niet verloren had mogen gaan. We zullen verlangen om onszelf terug te vinden – of tenminste iets ervan.' Hij zweeg een poos. Toen hij voort begon te spreken, klonk zijn stem ongewoon zacht: 'Ik heb het je nooit kwalijk genomen dat kerk en godsdienst je niet meer aanspreken, maar ik hoop dat het evangelie je niet onverschillig laat, dat je het zult herontdekken.

Twijfel, stel vragen… maar verloochen het niet! Nee, je hoeft me niets te beloven, dat vraag ik je niet. Ik zou het erg vinden, als je een belofte deed om mij te ontzien. Ik weet, jongen, dat in het evangelie de woorden staan die iedereen houvast en troost kunnen bieden in moeilijke omstandigheden. Het zijn de woorden die nooit zullen verouderen, nooit aan geloofwaardigheid zullen inboeten: zo sterk is de geheime kracht van Christus' woorden. Die kracht heb ik de laatste tijd heel diep mogen voelen, en ik hoop dat ook jij hetzelfde mag ervaren. Heb ik je al gezegd dat een paar weken geleden een vrouwtje werd binnengebracht dat bijna niet meer kan zien? Ze ziet alleen nog schaduwen.'

'Ja,' antwoordde Franz.

'En dat haar kleinzoon niet is teruggekeerd van een reis naar Brazilië?'

Hij knikte bevestigend.

'Wel, ze heeft me gevraagd om af en toe iets voor te lezen uit het evangelie. En dat doe ik nu, het is net of ik bij mijn oude moeder zit. Ze luistert graag naar de verhalen over de wonderen van Jezus, en naar de parabels. Gisteren heb ik haar de parabel van de verloren zoon voorgelezen. En na de woorden: 'Laat ons vrolijk zijn, want mijn zoon hier was dood en is levend geworden, hij was verloren en is teruggevonden…' begon ze stilletjes te wenen. Ze zei: 'Ik weet niet of ik nog de stem van Geert zal horen, maar ik blijf hopen, ik blijf vertrouwen hebben.' De oude man stak weer zijn pijp aan, die intussen was uitgedoofd.

'Kan je nog van die mooie, ronde kringetjes blazen?' vroeg Franz.

'We zullen proberen, jongen.' Hij rondde de lippen en blies. Een kroon van lichtgrijze rook zweefde tussen hen beiden en loste dan op. Hun blikken ontmoetten elkaar. Vluchtig. Het gezicht van de oude man kreeg ineens zo'n triestige uitdrukking dat Franz de ogen afwendde. Met een krop in de keel zei hij: 'Ik dank je voor wat je me gezegd hebt.'

'We hebben in de laatste jaren zo weinig echt met elkaar gesproken…'

'Dat zal veranderen.'

'Ja...'

'Weet je nog dat we vroeger samen muziek beluisterden? Dankzij jou ontdekte ik hoe groot de verborgen macht van kunstenaars is... "Wohin? O Bächlein, sprich, wohin?" Herinner je je nog dat lied?'

'Schubert is dat: het tweede lied uit *Die schöne Müllerin*. Ik heb de plaat zo dikwijls opgezet dat ze ten slotte niet meer te beluisteren viel. Ik heb ze moeten weggooien, vol krassen zat ze.'

'Vandaag schoten die woorden me te binnen en toen dacht ik: 'Waar zou ik naartoe kunnen rijden?'

'Het doet me plezier dat je speciaal aan mij hebt gedacht.' Er brak een glimlach door de droevige gezichtsuitdrukking van de oude man. 'En je hebt het al zo druk! Had je me iets te zeggen, jongen? Ik ben de hele tijd aan het woord geweest, maar dat komt omdat ik hier meestal alleen op mijn kamertje zit. Had je me iets te zeggen?'

'Niet bepaald. Dat lied spookte me door het hoofd en het bracht me op het idee om eens onverwachts op bezoek te komen. Meer niet.'

'Je had me kunnen vragen waarom je gekomen bent. Ik zou het nooit geraden hebben.'

'Het zou een onoplosbaar raadsel geweest zijn, of je zou gedachten moeten kunnen lezen,' zei Franz.

'Vreemd, omdat je denkt aan een lied, kom je naar mij.' Het klonk weemoedig. 'Het beekje heeft je naar je oude vader geleid, en niet naar de schöne Müllerin, niet naar Ada.' Blijkbaar probeerde hij zich te verplaatsen in de gedachtewereld van zijn zoon.

'Deze keer niet,' zei Franz. 'Maar ik denk dat het stilaan tijd wordt om te gaan.'

'Als je vindt dat je moet gaan... ik wil je niet ophouden.'

Franz aarzelde. Plots verwachtte hij dat zijn vader zou aandringen om toch nog wat langer te blijven. Het gebeurde niet. Alsof hij thans alleen gelaten wilde worden. De triestheid was nog niet van zijn gezicht geweken. Misschien wil hij niet dat ook in een droefgeestige stemming terechtkom, zei Franz bij zichzelf. Maar vanwaar zijn triestheid? Hij klampt zich vast aan het evangelie en desondanks is die triestheid sterker dan de hoopvolle woorden die hij leest... Hoe moeilijk is het weg te gaan terwijl ik weet dat er iets is dat hem ongelukkig maakt, iets waarover hij stellig zal zitten piekeren zodra ik vertrokken ben. Het beeld van de piekerende oude man die aan zijn lot wordt overgelaten en troost in gewijde teksten zoekt, stond hem zo schrijnend voor de geest dat hij zich schuldig begon te voelen. In een poging om het beeld uit zijn hoofd te verdrijven, zei hij, een blik werpend op zijn horloge: 'Het is bijna zes uur. Ik blijf nog tot ze je avondeten brengen. We kunnen intussen naar het nieuws op de televisie luisteren.'

'Je laat Ada toch niet op je wachten?'

'Ik heb haar gezegd dat ik later zou komen.'

'Weet ze dat je hier bent?'

'Nee. Eigenlijk had ik een afspraak. Maar die is niet kunnen doorgaan, en ik ben dus naar jou gekomen.'

'Nadat je aan dat lied van Schubert moest denken...'

'Zo is het.'

De oude man fronste de wenkbrauwen. Hij vindt het weer vreemd, dacht Franz. Misschien gelooft hij me niet eens. Ik zou hem alles kunnen vertellen, doch wat zou hij ervan begrijpen? En ik kan hem niet droeviger maken dan dat hij nu al is. Het spreekt – alles welbeschouwd – voor zich, dat ik de oorzaak ben van die verdomde droefheid! Had ik hem gezegd dat het evangelie me nog steeds aanspreekt, dan zou ik hem hoogstwaarschijnlijk een beetje gelukkig hebben gemaakt, maar ik ben kortaf geweest. Bovendien heb ik laten uitschijnen dat ik met een geheim rondloop... Hij zette de televisie aan, schoof zijn stoel naast die van zijn vader, die zijn pijp in de asbak legde en de handen vouwde. Toen de oude man met de duimen begon te draaien, wist Franz dat hij weldra zou insluimeren. 'Doe maar gerust een dutje,' zei hij, 'ik maak je wel wakker wanneer ik vertrek.'

6

Steven had meteen begrepen dat het script voor Franz uitzonderlijk belangrijk was, maar dat een literair oordeel hem niet zou baten. Hij was gevraagd het verhaal te lezen om er nadien vrijuit iets bijzonders over te zeggen, iets dat de kern raakte, wellicht betrekking had op de bedoeling en de motieven van de auteur. En dan zou Franz geholpen zijn, dan zou hij hem een dienst hebben bewezen! Een eigenaardige dienst vond Steven, niettemin wilde hij helpen. Het lag in zijn natuur te luisteren naar anderen en zonder zich op te dringen steun te bieden, wanneer er een reden voor bestond. Nee, hij vergiste zich niet: de vader van Oswald had hem echt nodig. Die conclusie drong zich aan hem op, terwijl hij zich na zijn bezoek aan Franz naar het ziekenhuis haastte. En in zijn geest zag hij hem weer staan op de brug: een late, eenzame wandelaar met het ellendige gezicht van iemand die zich niet lekker voelt.

Gedurende een hele namiddag zat Steven aan het ziekbed van zijn vrouw.

'Ik berokken je slechts last,' zei ze met een zwakke stem. 'Veel geluk heb je met mij niet gehad. Eerst geen kinderen kunnen krijgen en nu die slopende kwaal...'

Zijn blik haakte zich vast in de hare. 'Ik kan je niet missen,' fluisterde hij. 'Alleen al het feit dat ik hier bij jou ben, dat we elkaar zien en met elkaar kunnen praten maakt me gelukkig. En zodra je weer thuis bent, is het feest!'

'Feest? Nee, dat hoeft niet. Het wordt nooit meer zoals vroeger.'

'We zullen ervoor zorgen dat we nog gelukkiger zijn. Ik hou van je, meer en meer...' Hij nam haar hand. Streelde ze.

'Hoe kan je houden van een verminkte vrouw, die misschien niet meer zo lang te leven heeft. Ik weet dat ik je hiermee pijn doe, maar ik moest het je zeggen, Steven. Vergeef me.'

'Ik hoef je niet te vergeven, want je hebt niets verkeerds gezegd. Ik geef toe dat het me pijn doet. Het zou een leugen zijn als ik dat niet toegaf. En toch ben ik gelukkig. Zou het niet erg zijn, als dat niet zo was? Je zou het niet kunnen verdragen, het vreselijk vinden – en er voortdurend over zitten tobben dat je mij ongelukkig hebt gemaakt, ten onrechte natuurlijk... Je houdt immers van mij, je hebt je helemaal aan mij gegeven!'

'Helemaal,' beaamde ze op zachte, weemoedige toon. 'Alhoewel ik het gevoel heb dat helemaal nog niet genoeg is. Was ik er maar zeker van dat ik definitief zal genezen. Kan je met mijn onzekerheid leven, Steven?'

'Ja,' antwoordde hij, 'daar mag je nooit aan twijfelen.' Onwillekeurig moest hij denken aan het script dat Franz 'het boek der onzekerheden' had genoemd. Het stak in zijn tas, die hij naast zijn stoel had neergezet. Hij stond op het punt aan zijn vrouw te zeggen met wie hij had kennisgemaakt, doch hij merkte dat ze de ogen sloot en hij zweeg. Toen ze sliep, liet hij haar hand los. Een tijdje bleef hij in gepeins verzonken voor zich uit kijken. Dan haalde hij uit de tas het script dat tot zijn verbazing geen titel droeg; zelfs de naam van de auteur ontbrak. Om zich een idee te vormen van de inhoud las hij lukraak enkele passages. In het laatste hoofdstuk stootte hij op de woorden die Franz zozeer hadden getroffen: 'Je mag niet van me houden,' zei Hugo wanhopig, 'je mag niet!' Die wanhoop greep Steven in de ziel. Vanwaar die redeloze afwijzing, vroeg hij zich af, terwijl uit andere fragmenten duidelijk blijkt dat Hugo ontzettend veel van Hella houdt en naar liefde verlangt. Terstond begon hij zich te verdiepen in het eerste hoofdstuk. Volkomen in beslag genomen door zijn lectuur, zag Steven niet eens dat zijn vrouw intussen weer wakker was geworden en stil naar hem lag te staren. Ze hoestte even. Hij schrok op.

'Wat ben je aan het lezen?' vroeg ze.

'Een roman.'

'Maar het is geen boek.'

'Nee, hij is nog niet gedrukt.'

'Heb jij soms die roman geschreven?'

Hij lachte. 'Nee, ik heb hem gekregen.' Hij vertelde haar over zijn ontmoeting met Franz.

'En je hoopt dat je hem kan helpen?' Ze zuchtte. 'Jij bent toch ook altijd bereid om iemands zorgen te verlichten. En is het mooi?'

'Het is goed geschreven, een sterke tekst. Je voelt je er onmiddellijk in opgenomen, maar...' Steven brak zijn zin af. Hij had Franz beloofd dat alleen hij het script zou lezen, wat uiteraard ook inhield dat hij aan niemand zou verklappen waarover het ging.

'Je wilde iets zeggen,' zei ze.

'Niets bijzonders.' Hij stak het script weer in zijn tas.

'Je mag gerust blijven lezen. Het stoort me niet.'

'Ik hou ermee op nu. Als ik thuis ben, lees ik wel verder.'

Ze zweeg. Hij peinsde aan de voorbije, zorgeloze jaren met zijn vrouw. Na een tijdje echter gingen zijn gedachten onweerstaanbaar uit naar het laatste hoofdstuk van het script. Hoe kan je in godsnaam de liefde afwijzen van iemand van wie je zielsveel houdt? zei hij bij zichzelf. Hoe is zoiets mogelijk? Net of die Hugo uit is op zelfvernietiging... Gelukkig komt het niet zo ver. Die Hugo leeft nog! Maar wat beeld ik me allemaal in? Wat trekt me toch aan! Tenslotte is het slechts een verhaal.

'Waaraan denk je?' hoorde hij zijn vrouw plots vragen.

'Aan jou... aan vroeger toen we elkaar leerden kennen en ik voor het eerst zei dat ik van je hield. Weet je wat, we brengen de kerstdagen door in de bergen, daar zal het zeker een witte kerst zijn, en de berglucht zal je goed doen. Vind je het geen leuk idee? Ik zal er met de dokter over praten.'

'Een witte kerst...' droomde ze. 'Van de sneeuw zijn we in ieder geval zeker.'

'Er is zoveel waarvan we zeker zijn.' Het klonk als een terechtwijzing.

'O, nu heb ik echt iets verkeerds gezegd,' grapte ze. 'Ik zal het moeten afleren. Voortaan zal ik proberen alleen nog de juiste woorden te vinden...' Opeens werd ze ernstig. 'Kom,' zei ze, 'kom hier naast mij op het bed zitten, ik moet je wat zeggen.' Ze vlijde zich tegen hem aan. 'Luister,' vervolgde ze aarzelend, 'ik heb er lang over nagedacht, het is geen gemakkelijke beslissing geweest, maar het staat nu vast voor mij, ik kan er niet op terugkomen, het is een beslissing die ik volstrekt alleen moet nemen: je staat alleen tegenover jezelf en je vraagt: Waarom wil je dat? Wil je dat werkelijk?' Fluisterend ging ze verder: 'Als het zover komt dat het niet lang meer zal duren, dan zal ik afscheid nemen. Je mag me niet zien aftakelen, Steven – niet tot het bittere einde... Ik zal weggaan wanneer de definitieve aftakeling begint... Beloof me dat je me dan niet zult dwingen te blijven.'

Hij zweeg.

'Beloof het me,' drong ze aan.

Een schaduw gleed over zijn gezicht. Ze poogde zich op te richten, misschien om in zijn ogen te lezen wat hij dacht. Maar hij hield haar zachtjes tegen. Streelde de magere ronding van haar schouders en zei: 'Nee, blijf rustig liggen. Het is beter zo.'

'Je stem beeft. Je bent bang, Steven.'

'Ja,' gaf hij toe. 'Ik wil je niet verliezen.'

'En toch zal je me moeten laten gaan.'

'Alleen – alleen als het ogenblik is aangebroken.'

'Wat bedoel je?'

'Lieverd, we zullen nog lange tijd samen zijn. De dokters doen hun uiterste best, we moeten vertrouwen hebben.' Hij hoorde zichzelf spreken, zwak en zonder veel overtuiging. Waren dat zijn woorden? Zo doodgewoon, zo onpersoonlijk, versleten tot op de draad. Voor het eerst voelde Steven zich ontzettend hulpeloos. Nee, hij wilde liever niet over de dood praten nu, maar haar dood was plots onbegrijpelijk dichtbij: het leek of ze zich tussen hen beiden had genesteld en haar in het oor fluisterde wat ze moest zeggen.

Ze zei: 'Nu je mijn besluit kent, weet ik heel zeker dat ik niet bang zal zijn wanneer het zover is. Het is twijfel die je bang maakt. Twijfel je, Steven?'

'Ja.'

'Dan kan je me ook niets beloven. Als je bang bent, mag je me niets beloven. Toch is het beter dat je nu al weet wat ik beslist heb. Ik zal er met de dokter over spreken.' Nadrukkelijk voegde ze eraan toe: 'Het is mijn beslissing.'

'De jouwe... Ik begrijp het.'

'Je wil me niet verliezen, zei je. Hoe verkeerd van jou zoiets te zeggen!'

'Als je bang bent, zeg je gemakkelijk onredelijke dingen, maar het is moeilijk te aanvaarden dat het zover zou kunnen komen. Ik heb nooit gedacht dat je zo'n beslissing zou kunnen nemen. Je leeft, ik hou van het leven... En binnenkort reizen we naar de bergen!'

'Dat is dan jouw beslissing geweest,' plaagde ze.

'We zullen gaan, je zult zien... Maar dat besluit van jou, zal dat wel moeten worden uitgevoerd?'

'Ik weet dat je ertegen bent,' zei ze. 'Misschien denk je dat ik niet de moed heb om de aftakeling tot het bittere einde te doorstaan. Wil je zo'n moedige vrouw, Steven? Een vrouw die de herinnering achterlaat aan een zinloos lijden? Die herinnering wil ik je besparen, dan zal je ook minder verdriet hebben.'

'Zou je werkelijk gelukkiger zijn, als je er zeker van was dat ik achter je besluit sta? En samen met jou het ogenblik van je dood kies?'

'Ik kies dat, lieveling.'

'O, die vrijheid!' zei hij met een schampere ondertoon.

'Wil je me dan toch zien aftakelen tot de dood zich over mij ontfermt? Wat ik nu meemaak, is slechts een begin.'

'Zeg dat niet! Je spreekt alsof je al veroordeeld bent.'

'Ik koester geen illusies, Steven. Het heeft geen zin me aan het leven vast te klampen. En als ik veroordeeld ben, waarom zou ik dan nog enkele maanden of nog minder moeten blijven leven? Waarom? Is lijden dan zo zinvol? Zal het ons dichter bij elkaar brengen?'

'Ik zal het helpen dragen.'

'Misschien zal je opstandig worden en niets liever willen dan dat er zo vlug mogelijk een einde aan dat lijden komt. Je zult God smeken om er een einde aan te stellen of hem verwensen als hij dat niet doet. Nee, ik verzeker je dat je niet zult hoeven te smeken.'

'Ik kan niet opstandig worden,' zei hij. 'Er zal nooit een reden zijn om het te worden.'

'Ik geloof je.' Ze drukte zijn hand. 'Ik ben moe, Steven. Ik zou willen slapen. Je mag gerust naar huis gaan.'

'Ik blijf nog een tijd.' Hij schikte de kussens, ging weer in de armstoel zitten en luisterde met gemengde gevoelens naar de ademhaling van zijn vrouw. Uiteindelijk sluimerde ook hij in. Kort voor het avondeten schoot hij wakker. Ze sliep nog. Zijn blik gleed over haar tere, broze lichaam dat roerloos op de rug lag, de armen rustend op het witte laken. Hij keek naar het bleke, vermagerde gezicht met de harde trekken, naar het dunne grijzende haar dat ooit glanzend blond was en golvend neerhing tot op de schouders, en durfde eensklaps niet te denken aan wat het nachtkleed verborg. Herinneringen vochten met het gezicht dat hij thans zag en waarvan hij de blik niet kon afwenden. In een opwelling van medeleven kuste hij zacht haar voorhoofd. Ze zuchtte, opende de ogen.

'Ben je er nog?' fluisterde ze. 'Vandaag mag je niet te lang blijven. Je ziet er moe uit. Heb je nog zitten lezen?'

'Ik heb een beetje geslapen.'

'Ga deze avond niet te laat naar bed.'

'Dat kan ik echt niet beloven.'

'O, ik begrijp het. Je wil die roman vandaag nog gelezen hebben. Is je mening werkelijk zo belangrijk voor je vriend?'

'Ik vrees van wel...'

Ze fronste de wenkbrauwen. Steven staarde een poos naar de vloer. Dan zei hij bijna smekend: 'Denk nooit dat ik je minder zal liefhebben dan vroeger, dat het niet mogelijk is nog meer dan vroeger van je te houden... Zeg me dat je zoiets nooit zult denken... Zeg me dat we elkaar hartstochtelijk zullen blijven liefhebben – wat er ook moge gebeuren!'

'Ik hoef het je niet te zeggen, Steven.'

'Je hebt gelijk. Ik had het je niet mogen vragen.'

Ze zwegen. Glimlachten elkaar toe alsof ze geen moeilijk gesprek hadden gevoerd.

Steven was inderdaad van plan om nog dezelfde avond klaar te komen met de lectuur van het script. Aanvankelijk moest hij zich inspannen om zijn aandacht op de tekst te concentreren en niet te denken aan wat zijn vrouw hem had gezegd. Doch naargelang hij verder las, nam de drang toe om te achterhalen waarom Hugo niet wilde dat Hella van hem hield – en van haar wegging alsof hij voor altijd wilde verdwijnen. De wanhopige afscheidswoorden daagden Steven uit. Was hij er niet toevallig op gestoten in het laatste hoofdstuk, terwijl hij bij zijn slapende vrouw het script doorbladerde, zijn lectuur zou anders zijn: minder oplettend voor elk detail en voor wat mogelijk tussen de regels verborgen ligt. Ja, dat laatste hoofdstuk bleef de hele tijd door zijn lectuur bepalen.

Uiteindelijk begreep Steven wat Franz had bezield om hem het script te geven. Hugo, de stille ietwat wereldvreemde jongen die met zoveel liefde sprak over Parcifal, zou wel eens niemand minder dan Oswald kunnen zijn. Toen hij bij een van zijn ontmoetingen met Hella zei dat niets hem meer na aan het hart lag dan de waarheid, herkende Steven meteen de stem van zijn oud-leerling die zich tijdens een discussie plots had opgeworpen als een vurige verdediger van de waarheid die Christus voorhield. Maar is het ook zo, vroeg hij zich af, dat

Oswald zich net als Hugo niet thuis kan voelen in deze tijd, dat hij de oprechte liefde van een eerlijk en verstandig meisje niet kan aanvaarden hoezeer hij ook van haar houdt? Hij herlas en overpeinsde het laatste hoofdstuk. Hij wilde dat die wanhopige woorden slechts fictie waren, dat Hugo niet Oswald was, maar een jongen die leefde in de verbeelding van een auteur. En wie het verhaal geschreven had, kon alleen een zogenaamde Hella zijn, een meisje dat bereid was zich helemaal aan Oswald te geven. En dié liefde mocht niet beantwoord worden! Oswald kon noch mocht haar liefhebben, al was ook hij bereid zich te geven, haar in zijn armen te sluiten en nooit meer los te laten. Iets in hem hield hem tegen, verbood hem haar liefde te beantwoorden. Had Hella geweten wat het was, dan zou ze ertegen hebben gevochten om hem ervan te bevrijden, hem te redden uit zijn innerlijke chaos. Ze luisterde naar hem, trachtte te begrijpen waarom hij een hartstochtelijke bewondering koesterde voor Parcifal alsof hij ernaar verlangde ook buitengewone daden te stellen, een overdreven bewondering, vond Hella, waarachter, begreep ze mettertijd, dat duistere onbekende iets schuilging. Zolang Oswald met haar niet dáárover kon spreken, zolang hij haar niet de kans gaf om hem ervan te verlossen, zou hij zich nooit kunnen geven.

Tot deze vaststelling kwam ten slotte Steven: wat hij gelezen had was het verhaal van een liefde die niet kon openbloeien; en het meisje van wie Hugo afscheid had genomen, was met het script naar Franz gegaan. Ach Oswald, zei hij bij zichzelf, ben je werkelijk die ongelukkige Hugo? Heb ik het recht om je zomaar met hem te vereenzelvigen? Je zou binnenkort naar de zondagsmis komen, wanneer ik op het orgel een fuga van Bach speel.

Hij stak het script weer in de envelop. Morgen zou hij Franz opbellen en hem uitnodigen.

Ze maakten een afspraak voor vrijdagavond: de avond dat Oswald was uitgegaan met Filip.

Omdat hij zo snel mogelijk bij Steven wilde zijn, nam Franz de wagen. Terwijl hij over de Denderbrug reed, kwam hem hun laatavondlijke ontmoeting van een week geleden voor de geest. Hij herinnerde zich meteen wat Steven over de ziekte van zijn vrouw had gezegd. 'It could be worse,' waren zijn woorden geweest: een simpel zinnetje dat de pijn moest verzachten en troost bieden in hachelijke omstandigheden. Hij herhaalde het stilletjes voor zich uit, alsof het een magische formule was waarmee de moeilijkheden die boven zijn hoofd hingen, konden worden bezworen. Wat later belde hij aan. Het vertrek waar hij werd binnengeleid, was een sober ingerichte studeerkamer; er stonden een bureau, daarachter een oude boekenkast met planken die doorbogen onder het gewicht van lijvige boekdelen en opeengestapelde paperbacks, verder nog bij het venster twee lichte armstoelen en een laag tafeltje. Aan de muur tegenover het bureau prijkte een icoon. 'Christus Pantocrator, een reproductie meegebracht van een reis naar Kreta,' zei Steven toen Franz ze van dichtbij bekeek.

'Prachtig,' mompelde Franz. En nadat ze in de armstoelen waren gaan zitten, zei hij: 'Ik moet je bekennen dat ik me beroerd voel, en beschaamd... Eigenlijk heb ik je dat script gegeven in een moment van zwakte, zonder goed te beseffen dat je wel andere zorgen hebt.'

'Ik denk niet dat het zwakte was. Je was bezorgd voor je zoon en dat heeft niets met zwakte te maken, Franz. Zullen we wat drinken? Iets fris, een glas wijn, of iets warms?'

'Dank je. Liever niets.' Hun blikken ontmoetten elkaar. 'Je weet het dus, je hebt het ontdekt...'

'Niet alles, heel weinig zelfs. De waarheid blijft een mysterie. Juist hij die zo van waarheid houdt, lijkt er wel door afgeschrikt! Hij kan aan Hella niet zeggen wat hem kwelt.'

'Het meisje dat hij heeft leren kennen, heet Ingrid, Steven. Had zij haar verhaal aan een andere uitgever gestuurd, dan werd het zeker uitgegeven, en dan zaten we hier nu niet bij elkaar.'

'Je geeft het niet uit?'

'Mag ik dat wel? Onder voorwendsel dat het schitterend geschreven is? Het gaat om Oswald, niet meer om literatuur! Ingrid heeft me duidelijk willen maken dat Oswald niet aan zijn lot mag worden overgelaten. Hij heeft hulp nodig, Steven – en ze meent dat ik die als vader zal kunnen bieden, ze verwacht terecht dat ik mijn verantwoordelijkheid op mij zal nemen, omdat het om iets gaat waar zij geen vat op heeft, iets dat mijn zoon bedreigt. En misschien is dat iets ook een bedreiging voor mij – en mijn vrouw... Ik weet niet wat er zal gebeuren als ik hem niet kan helpen. Ik weet het echt niet, Steven! Haar verhaal is jammer genoeg niet verzonnen. En nu weet je dat ik erbij betrokken ben, maar dát had ik niet onmiddellijk door, jij wel. Wat een blinde vader ben ik! Ze heeft me zelf moeten zeggen wie Hugo is. Nee, ik ken mijn zoon niet. Voor mij volstond het dat hij intelligent is, dat hij droomt van een carrière en ambitie heeft. Maar met haar verhaal is alles anders geworden: het keert zich tegen mij. Ik had het zo graag gepubliceerd, ik wilde dat het een Omega-boek werd en dat andere uitgeverijen me zouden benijden.'

'Ga je haar het script teruggeven?'

'Oswald zou het eerst nog moeten lezen.'

'En daarna?'

'Ik weet het niet. Daar wil ik nu niet aan denken. Het is vreselijk dat ik mijn bloedeigen zoon zijn eigen geschiedenis moet laten lezen, een geschiedenis waar ik schuld aan heb. Er is me zoveel ontgaan, jarenlang! En plots haalt een meisje mijn ziel overhoop. Was Oswald maar bij haar gebleven!'

'Dan was er dat verhaal niet geweest.'

'Uiteraard niet. Dat heb ik ook al gedacht,' zei Franz met een schamper lachje.

'Dan had ik een rustig leven gesleten. Het meisje zou een lieftallige schoondochter geworden zijn, van wie ik ontzettend veel zou hebben gehouden.' Weer ontsnapte hem hetzelfde lachje. 'En dan – God weet welke heerlijke dingen we dán hadden kunnen beleven! Nu is het een marteling. Dat script is een jobstijding. Wat kan ik Oswald zeggen? Jongen, ik heb hier een mooi verhaal meegebracht, dát moet je eens lezen! Hij zou vragen: Wie heeft het geschreven? En ik zou een naam moeten verzinnen. Want Ingrid wil niet dat hij weet wie de auteur is. Maar mag ik hem in de val lokken, en nadien vragen: Wel, wat denk je ervan? Natuurlijk, en dat is denk ik het meest waarschijnlijke, kan hij ook zeggen: Ik heb absoluut geen tijd om het te lezen... Zo zie je met wat voor problemen een jonge, eigenzinnige schrijfster een onervaren uitgever kan opzadelen.'

'Ze had haar verhaal toch aan hem persoonlijk kunnen opsturen?'

'Hij zou me nooit hebben geantwoord, zei ze. – Maar zal Oswald wel voor mij zijn ziel blootleggen, als hij het gelezen heeft? Ik kan hem niet dwingen. Het doet pijn te beseffen dat mijn zoon een raadsel is, Steven. En ik ben niet sterk in het oplossen van raadsels. We zullen zwijgend tegenover elkaar zitten, en ik zal naar woorden zoeken in de hoop dat het verlossende woord zal vallen.'

'Misschien is het beter dat hij het script helemaal niet leest.'

Franz schudde van nee. 'Ik heb haar beloofd dat ik het hem zal geven. Ze wil hem eraan herinneren dat ze nog altijd op hem wacht en niet kan vergeten dat ze samen gelukkig zijn geweest. Aan de andere kant is er zoveel meer!' Op een toon die om bevestiging vroeg, herhaalde hij: 'Je begrijpt dat er zoveel meer is...'

'Ja,' antwoordde Steven, 'daarvan ben ik ook overtuigd.' Vervolgens deelde hij Franz mee welke overpeinzingen hij bij zijn lectuur had gemaakt. 'Ze zou willen,' besloot hij, 'dat Oswald inziet hoezeer hij haar nodig heeft om de andere in hem die hem zulke wanhopige woorden heeft doen uitspreken, te kunnen overwinnen: een andere die in hem de kop heeft opgestoken en hem kwelt met iets dat hij hoe dan ook geheim wil houden.'

'Ik ben bang dat hij een verkeerde weg inslaat,' fluisterde Franz.

'Er is ook nog de Oswald die Parcifal wil evenaren,' opperde Steven.

‘Een magere troost. En wat moet ik me daarbij voorstellen?’

‘Ik veronderstel dat wie nog gevoelig kan zijn voor een eeuwenoud graalverhaal, tenslotte ook iemand is die van waarheid houdt. En hoe kun je van de waarheid houden zonder ernaar te streven, zonder ernaar te leven? Wellicht wil hij op eigen kracht het gevecht met die andere in hem aangaan.’

‘Die andere... Wie is dat? Heb je enig vermoeden?’

‘Nauwelijks.’ Steven keek peinzend voor zich uit. ‘Wel denk ik dat die eropuit zou kunnen zijn om hem te brengen tot vernietiging van al het schone in hem.’

‘Besef je wat je daar zegt!’ riep Franz uit. ‘Hoe kan je zoiets zeggen!’ Hij veerde op. Ging voor het venster staan. Nam dan weer plaats in zijn armstoel en vervolgde op rustigere toon: ‘Neem me niet kwalijk... Het is mijn enige kind, ik wil hem niet verliezen. Als Oswald niet met mij spreekt, verlies ik hem. Misschien heb ik hem al verloren.’

‘Ik heb vertrouwen.’

‘Dat heb je me al gezegd. Je hebt hem gekend als een aandachtige leerling die (zijn stem beefde) gevoelig is voor alles wat religie betreft. Ja, dáárom heb je vertrouwen! Je zou geen godsdienstleraar zijn als je het niet had.’

‘Ik kan je geen ongelijk geven, maar ook een godsdienstleraar kan soms twijfelen, als hij zich machteloos voelt.’

‘Zo voel ik me nu, Steven. En jij geeft toe dat je soms ook dat akelige gevoel hebt! Ik begrijp het. Je maakt je zorgen over je vrouw. Hoe gaat het met haar?’

‘Ze heeft kanker, we wachten af. Maandag komt ze naar huis.’

Franz verbleekte. ‘En toch kan je nog naar mij luisteren,’ stamelde hij, ‘terwijl je vrouw zo ziek is. Nee, ik mag je niet langer lastigvallen.’

‘Ik ben blij dat ik het verhaal heb gelezen en met jou over Oswald kan spreken.’

‘Je kent hem blijkbaar beter dan ik. Wat ben ik met mijn herinneringen! Het is zo moeilijk het verleden te begrijpen, en verklaringen te vinden.'

'En je vrouw... Wat zegt zij?'

'Ze is niet op de hoogte. Ik heb haar het verhaal niet laten lezen.'

'Je wil haar niet verontrusten.'

'Zo kan je het stellen.' Franz voelde zich ongemakkelijk worden. Plots dacht hij eraan dat hij uit was geweest op een liefdesavontuur met Ingrid: hij zou met haar naar het Zwarte Woud zijn gereden en er een kamer hebben gehuurd waar ze had kunnen werken aan een volgende roman. Zulke dwaze, heimelijke verwachtingen had hij gekoesterd! 'Ik heb Ada inderdaad niet ongerust willen maken,' hoorde hij zichzelf zeggen. 'Zij is al zo ontzettend bezorgd voor... voor het geluk van Oswald.'

'Het zal niet gemakkelijk zijn om het voor haar verborgen te houden. Misschien heeft ze al iets aangevoeld.'

Franz zweeg. Het gesprek ging een richting uit die hij niet wenste.

'Ik wou dat ik een zoon had als Oswald,' zei Steven nog.

'Een zoon die niet gelukkig is, die – zoals je beweert – in staat is om al het schone in hem te vernietigen... of moet ik zeggen: kan toelaten dat het wordt vernietigd! Dat moet ten slotte leiden tot zijn ondergang, Steven.'

'Nee, Franz! Oswald is in de eerste plaats een zoon die bereid is zich volkomen over te geven aan Christus en zijn leer. Ik herinner me nog goed dat hij de enige was in zijn klas die sterk werd aangetrokken door het evangelie en dat tijdens de klasgesprekken ook duidelijk toonde. Ooit zei hij dat je met Jezus geen compromissen sluit. En hij vond het maar triestig dat de rijke jongeling die wilde weten wat hij moest doen om het eeuwige leven te verkrijgen, niet inging op Jezus' aansporing om zijn bezittingen aan de armen te schenken! Zo heb ik je zoon gekend, Franz. Geloof me, hij is een uitzonderlijke jongen die openstaat voor waarheid en schoonheid. Juist omdat hij zo ontvankelijk is voor echte waarden, is het pijnlijk uit zijn mond te moeten horen dat je van hem niet mag houden. Ik kan me nauwelijks voorstellen dat hij nu niet zit met schuldgevoelens. Had hij van Ingrid niet gehouden, dan zou het voor haar minder erg geweest zijn, dan...'

'Dan was er,' onderbrak Franz hem heftig, 'geen verhaal geweest, dan zou ik haar nooit ontmoet hebben: wéér dezelfde conclusies! Waarom toch heeft Oswald haar ooit verteld dat ik het in mijn hoofd heb gehaald om uitgever te worden?' Zijn hart kromp samen. 'Nu heeft ze een boek geschreven dat niet zal worden uitgegeven, een boek voor ingewijden... En ik moest er een titel voor vinden, ze beweerde dat ze er geen vond.' Hij haalde de schouders op. 'Ik dacht dat *De brug* een geschikte titel zou zijn, ze ging ermee akkoord. Maar wat maakt het thans uit? Ik vind die titel zelfs banaal nu, een ordinaire leugen! Had ik geweten dat literatuur me zoveel ellende zou berokkenen...'

'Maak er geen verloren zaak van, Franz.'

'Dat wil ik ook niet. Maar de laatste dagen zijn voor mij haast een nachtmerrie geweest. Weet je dat ik soms het gevoel heb mezelf in de weg te staan en geen vader te mogen zijn, gewoon omdat (hij dempte zijn stem, het was hem duidelijk aan te zien dat hij ergens beschaamd over werd) gewoon omdat ik het niet waard ben. Ik besef dat dit even hard klinkt als de afscheidswoorden van Hugo. Opnieuw zie ik hem in de avond wegvluchten langs het water, terwijl Hella hem vanop de brug met pijn in het hart nakijkt. Ze had er nog even aan gedacht hem te volgen, maar ze liet hem gaan: einde van het waar gebeurde verhaal, en begin van het mijne, dat anders verloopt dan ik had gehoopt!'

Steven keek hem verwonderd aan.

'Ingrid heeft mijn hoofd op hol gebracht,' vervolgde Franz, 'zonder er zich bewust van te zijn. Ik droomde van een hechte relatie die meer zou zijn dan louter zakelijk, zelfs meer dan vriendschappelijk... Alsof ik de plaats kon innemen van die ongelukkige Hugo! Maar aan de andere kant gaf ik me er rekenschap van dat het schandelijk en laag zou zijn mijn vrouw te verlaten. Ik hou nog van haar, ondanks het feit dat ons huwelijk is vastgeroest in gewoonten. Ingrid zou die gewoonten doorbreken... Ach, mijn gedroomde schrijfster! Nooit zal ik haar verhaal kunnen uitgeven. Begrijp je wat dat voor mij betekent, Steven? Jammer, de waarheid mag het licht niet zien, vanaf nu moet ze een geheim blijven van ons beiden. Oswald zou moeten weten dat ik ooit gespeeld heb met de gedachte een avontuur met Ingrid te beginnen! Hij zou moeten weten dat net hij de spelbreker is!' Traag en nadrukkelijk voegde hij er nog aan toe: 'Heb je daarstraks niet gezegd dat het misschien beter is dat Oswald het script niet leest?'

'Ja... Ik denk dat haar verhaal een gesprek tussen jou en je zoon zou kunnen bemoeilijken. Natuurlijk heb ik begrip voor de bedoelingen van Ingrid. Ze doet al het mogelijke om de band met hem te bewaren, ze kan hem niet aan zijn lot overlaten. Maar je zou haar kunnen zeggen dat je hebt nagedacht en het niet opportuun vindt om het verhaal aan Oswald te geven.'

'Niet opportuun, dát is het! Zo voel ik het ook. Ik hoop dat we het bij het rechte eind hebben.' Franz staarde enkele ogenblikken gespannen voor zich uit. 'Je hebt gelijk: het is niet opportuun,' herhaalde hij alsof hij zich ervan probeerde te overtuigen dat het een juist besluit was. 'Je hebt me een goede raad gegeven, Steven. Ik heb geen verhaal nodig om met mijn zoon te spreken. Ik zal haar uitleggen waarom. En ik hoef er ook niet voor te zorgen dat hij naar haar terugkeert. Ik vergeet het verhaal en ga naar mijn zoon!' Hij wierp een blik op zijn horloge. 'Halfnegen,' mompelde hij. 'Ik moet gaan, binnen een halfuurtje ben ik bij hem.' Hij stond op. 'In wat voor een geschiedenis heb ik je toch betrokken, Steven!' Zijn gezicht versomberde. Plots sloeg hij een luchtigere toon aan, doch die luchtigheid klonk wat geforceerd: 'A propos, die kopie van het script mag je houden, misschien wil je het verhaal ooit herlezen...'

Steven aarzelde. 'Ik denk dat het beter is dat je ze meeneemt,' opperde hij. 'Ze is van jou.'

Franz schudde het hoofd. 'Ze blijft hier,' zei hij categoriek. 'Doe ermee wat je wil. Bewaar ze of vernietig ze.'

Schoorvoetend gaf Steven toe. Er lag iets in de blik van Franz dat hem verontrustte. Iets van hopeloze verlorenheid, en onoverkomelijke teleurstelling.

Toen Franz andermaal vaststelde dat Oswald niet thuis was, besloot hij te wachten tot hij zou komen opdagen. Doch na meer dan een uur gaf hij er de brui aan. Ontstemd nam hij zijn gsm om aan zijn zoon het bericht te sturen dat hij voor de deur stond. Gelijk echter bekroop hem de onprettige gewaarwording dat deze nu een eigen leven leidde waarmee hij ternauwernood nog iets te maken had. Franz stak zijn gsm weer op zak en reed naar huis.

Ada lag al in bed. Zij werd niet wakker toen hij naast haar ging liggen: gewoontegetrouw eerst op zijn rug, vooraleer definitief in te slapen op zijn zij. Hij sloot de ogen. Spontaan gingen zijn gedachten uit naar Steven en zijn zwaar zieke vrouw. En hij vroeg zich af hoe zijn leven er zou uitzien als Ada iets overkwam, of als ze er niet meer zou zijn. Vanzelfsprekend zou hij haar missen, maar mettertijd zou hij wennen aan het gemis. Miste zijn vader moeder? De oude man sprak nooit over haar, alsof de herinnering aan meer dan vijftig jaar huwelijk uit zijn geheugen was gewist en haar dood hem had teruggevoerd naar zijn jonge jaren, naar zijn moeder van wie hij zo moeilijk afscheid had kunnen nemen. Plots moest Franz denken dat ook hij, sinds ze was gestorven, nog nooit tegen zijn vader over haar had gesproken, behalve op de dag van de begrafenis. – Vreemd... zolang vader nog leefde, leek het of ze niet echt gestorven was, of ze nog in hem voortleefde. Zo mild kon de dood zijn! O, wanneer ze vannacht bij hen kwam, zich tussen hen beiden neervlijde en hun hartslag stillegde, zouden ze ontwaken in een andere wereld? En als die wereld bestond, wat moest hij zich daarbij voorstellen? Steven geloofde rotsvast in een hiernamaals, maar was dat geloof niet eerder een hoop, een verwachting dat er iets moest bestaan waarnaar iedereen zal terugkeren?

Hij hoorde Ada diep zuchten en enkele onverstaanbare woorden mompelen. Dan voelde hij dat ze naar hem opschoof. Roerloos wachtte hij af. Als ze werkelijk wakker werd en hem iets zei, zou hij doen alsof hij sliep. Opnieuw bewoog ze. Haar rug raakte zijn arm. Zo bleef hij liggen. Niet zo lang geleden zou hij zich hebben omgedraaid en op zijn zij gaan liggen zijn om zijn rug zacht tegen de hare te drukken. Hij kwam in de verleiding om het ook nu te doen. Doch toen hij op het punt stond die hem o zo vertrouwde beweging uit te voeren, besloot hij zonder van houding te veranderen voorzichtig op te schuiven naar de rand van het bed.

Zodra er weer voldoende vrije ruimte tussen hen was, maakte zich een ongewone opluchting van Franz meester. Hij had niet toegegeven aan de verleiding van oude gewoonten; een volgende stap zou zijn dat hij in een ander bed ging slapen, in een andere kamer. Het leek hem ineens een stap te ver. Ada lag naast hem: weerloos, onwetend van wat er in hem omging. En toch – als hij die stap nu toch eens zette... alleen om haar te laten aanvoelen dat er iets grondig was veranderd in zijn leven, dat hij niet langer kon leven zoals de voorbije jaren. Natuurlijk was ze zich de laatste dagen ook over hém zorgen beginnen te maken. 'Wat scheelt je?' had ze gevraagd, toen hij woensdagavond thuiskwam. 'Ik ben bij vader langs geweest.' Zij: 'Alles is toch goed met hem?' Hij: 'Jawel. Maar het was een beetje triestig hem herinneringen te horen ophalen aan zijn stervende moeder.' Zij: 'Zijn moeder? Niet de jouwe?' Hij: 'Aan het einde van ons leven denken we allemaal wel eens terug aan de moederschoot...' Ze had gezwegen, om haar mond een mysterieuze, weemoedige glimlach. Ook zij leek veranderd. Misschien omdat *hij* anders was geworden, misschien ook omdat hij zich in Cadzand dingen had herinnerd waaraan hij jarenlang niet had gedacht – of wellicht niet had durven denken. Oswald en Ada, wat hielden ze voor hem verborgen? Hij koesterde veronderstellingen, vragen: Zou Ada echt meer van haar zoon houden dan van mij? En Oswald, wat betekent Ada voor Oswald, wat beteken ik voor hem? Franz probeerde tot rust te komen. – O, lieve dood, zei hij bij zichzelf, neem ons mee, laat ons opnieuw geboren worden en zorg ervoor dat we geen geheimen meer te verbergen hebben voor elkaar; jij hebt de sleutel van alle raadsels in handen – alleen met jou kom ik tot de waarheid!

Plots hoorde hij Ada weer iets mompelen. Hij luisterde gespannen. Ze draaide zich om. Naar hem toe.

'Franz,' fluisterde ze.

Had hij haar wakker gemaakt? Wist ze dat hij niet sliep? Hij zweeg. Voelde na een tijdje haar hand op zijn arm, vast en warm.

'Ik weet dat je niet slaapt,' zei ze. 'Je ligt op je rug, en op je rug slaap je nooit.'

Franz realiseerde zich dat hij niet kon blijven zwijgen. 'Waarom zeg je dat?' vroeg hij met een stem vol ingehouden emoties.

'Laat het zo...' Ze liet zijn arm los. 'Ik wil slapen, Franz.'

'Ja,' prevelde hij, 'slaap maar.'

Toen hij er zeker van was dat ze werkelijk sliep, stond hij op. In de keuken ontkurkte hij een fles wijn en vulde een glas boordevol. In één teug dronk hij het uit. Een poos rustte zijn blik op het houten blok met de messen, zes in totaal, waarvan hij er een week geleden een had genomen in een aandrift: om de tafel te beschadigen, het onverdraaglijk hagelwitte tafelblad. Hij onderdrukte de aandrift om het vlijmscherpe mes dit keer diep in het smetteloos witte blad te planten, zodat er voortaan meer te zien zou zijn dan een minuscuul zwart puntje, en ging verder drinken in de salon. Hij dronk tot de fles leeg was. Strekte zich daarna uit op de sofa en gleed weg in een onvaste slaap.

Hij schoot wakker toen hij de stem van Ada hoorde.

'Franz,' zei ze geschrokken, 'wat scheelt je toch?' Ze stond voor hem in haar dunne nachtkleed.

'Niets,' mompelde hij. 'Maak je niet ongerust. Helemaal niets! Ik had alleen zin in een glas wijn.'

'Dat zie ik!'

'Heb je er wat op tegen?' Moeizaam kwam hij overeind.

Ze haalde de schouders op. Begon de rolluiken op te halen. 'Een grijze dag,' zei ze.

'Normaal voor de tijd van het jaar.' Hij probeerde een glimlach. 'Ik ga me wassen.'

'Doe dat. Intussen zorg ik voor het ontbijt.'

Aan tafel wisselden ze nauwelijks enkele woorden. Tussen hen beiden hing een geladen stilte. Nadat ze hadden ontbeten, trok Ada zich terug in haar werkkamer. Franz maakte een lange wandeling. In de vroege namiddag reed hij naar zijn boekhandel. Voor de zoveelste keer haalde hij het script uit de lade en legde het op zijn bureau. Een tijdje zat hij in gepeins verzonken. Flarden van het gesprek met Steven schoten hem te binnen. 'Ingrid, mijn gedroomde schrijfster,' herhaalde hij zacht voor zich uit, 'nooit zal ik je verhaal kunnen uitgeven!' Vervolgens voegde hij er hardop heel vastberaden aan toe: 'Oswald zal het niet lezen, zelfs al heb ik het je beloofd. Nee, niemand mag het nog lezen!'

Franz huiverde. Hoe moet dit aflopen? vroeg hij zich af. Wat kan ik tegen Oswald zeggen? Is het niet beter eerst met Ada te praten, voorzichtig te weten trachten te komen of ze wat voor mij verborgen houdt?

Hij stond op. Begon te ijsberen. Van het venster naar de deur – voorbij zijn bureau, en dan terug naar het venster. Nu eens wilde hij dadelijk naar Oswald rijden, dan weer vond hij het verstandiger naar huis terug te keren. 'En Ingrid,' zei een stem in hem, 'verwacht een antwoord.' Maar hoefde hij haar wel te zeggen – te verklappen eigenlijk – wat er in zijn zoon omging, gesteld dat die een open gesprek met hem wilde voeren? Overigens, wat als Oswald niets zei? Zijn knagende onzekerheid nam toe. – 'O, dat reddende, troostvolle vertrouwen!' Hij zuchtte. 'Als je het nodig hebt, laat het je in de steek.' Een poosje stopte hij met ijsberen en keek door het venster naar de straat. Daarna herbegon hij.

'Vertrouw op God,' zou zijn diepgelovige vader zeggen, gewoon omdat hij de overtuiging was toegedaan dat de mens te zwak is om op eigen kracht het leven aan te kunnen. Maar híj had geen nood aan een God! Zelfs mocht Christus God zijn en voor hem verschijnen, voor hem de woorden herhalen die hij tot Thomas gesproken heeft: 'Kom, leg uw vinger in mijn wonden, wees niet ongelovig maar gelovig,' (ha, hoe gemakkelijk kon hij zich opeens die woorden herinneren alsof hij ze pas had gelezen!) dan nog zou hij hem niets vragen, niets afsmeken. Hij zou trachten zijn zoon te helpen, helemaal alleen en met wankelend vertrouwen.

'Help hem, Franz,' hoorde hij Ingrid weer aandringen op een toon waaruit duidelijk bleek dat ze eerder wilde zeggen: 'Red hem, o red hem eer het te laat is!' Doch blijkbaar wist ze zelf niet waarvan hij gered moest worden. En hij? Blind was hij geweest, opgeslorpt door zijn werk en zijn dwaze droom om uitgever te worden, en misschien zelf ooit een boek te schrijven. Hoe zeer had hij ervan gehouden de boeken te lezen en te herlezen die zo diep op het gemoed inwerkten dat je je meteen in staat voelde een ongewone daad te stellen.

'Blind ben ik geweest!' riep hij uit met trillende stem. 'Maar dankzij Ingrid ben ik gaan zien!'

Franz bleef staan voor zijn bureau. Moeder en zoon, flitste het door zijn hoofd. Oswald die van Ada niet kan scheiden, Ada is zijn énige geliefde! En zij? Hoé houdt ze van Oswald? Is hij meer dan haar zoon? Franz duizelde. Met beide handen zocht hij steun op de rand van het bureau. Het drong tot hem door dat die fatale waarheid steeds in hem had gesluimerd en door zijn lectuur van het script wakker was geworden. 'Oswald,' kreunde hij, 'je bent mijn zoon, je blijft het...'

Hij ging zitten. Doorbladerde het script, traag en bedachtzaam. Vervolgens nam hij enkele bladzijden, scheurde ze in kleine stukken, verscheurde opnieuw een aantal bladzijden en zo telkens weer tot er van het script niets meer overbleef dan een hoop versnipperd papier. Plots werd zijn gezicht heel bleek. Hij stopte de snippers in een plastic zak, verliet de boekhandel en liep naar zijn auto, de zak in de hand alsof hij zonet boodschappen had gedaan.

7

Met het gevoel dat hem voor de laatste keer werd gegund om met zijn zoon te spreken, reed Franz de stad uit. Nu moet het gebeuren – nu moet het gesprek plaatsvinden, zei hij bij zichzelf zonder zich te kunnen inbeelden hoe hij kon doordringen tot de kern van de zaak. En toen hij bij Oswald aanbelde, had hij er nog altijd geen idee van hoe hij dat gesprek moest voeren. Er verliepen een drietal minuten. Een eeuwigheid voor Franz. Dan ging de deur ineens open. Zijn zoon stond voor hem zoals hij hem nooit eerder had gezien: grauw, moe en op zijn gezicht een uitdrukking die duidelijk verried dat hij zijn vader niet verwachtte.

Uiteraard kwam Franz zeer ongelegen. Oswald had na zijn nachtelijke cafébezoek slecht geslapen en verkeerde in een sombere stemming. Maar bovenal schaamde hij zich over de snijwonde die hij aan zijn hand had opgelopen, toen hij de scherven van zijn op de grond gevallen bierglas wilde oprapen. Die vervloekte hand stak nu in het verband, hij wist er plots geen blijf mee.

Geschrokken keek Franz hem een ogenblik aan. 'Jongen toch,' bracht hij tenslotte uit, 'wat is er gebeurd?'

'Niets ergs. Ik heb gistermorgen een fles fruitsap laten vallen en me gekwetst aan een stuk glas.'

'Ja, dat kan gebeuren. Wees in het vervolg wat voorzichtiger.'

Ze gingen naar boven. Het bed was nog niet opgemaakt en in de eethoek stonden de vuile koppen en borden nog op tafel. Franz stoorde zich niet aan die wanorde, wel hinderde het hem dat er niets op het bureau lag. Hij wendde zijn blik af van het kale blad, kuchte even en vroeg: 'Gedaan met werken vandaag?'

'Gedaan? Nee, ik moet nog beginnen. Ik ben laat opgestaan, en heb bezoek gehad van een vriend. Hij is nog niet lang geleden vertrokken.'

Oswald schrok van zijn eigen woorden. Het was de tweede keer dat hij zo gemakkelijk de waarheid geweld aandeed. In verlegenheid gebracht door zijn leugens, vroeg hij: 'Moest je in Gent zijn dat je even langskomt?'

'Ja, ik had een afspraak met een uitgever.' Franz zette zich neer in de fauteuil.

'Wil je een kop koffie, papa? Er is nog in de thermos. Deze middag gezet.'

'Graag. Ik zal mezelf wel uitschenken.'

'Nee, blijf gerust zitten. *Ik* schenk uit.' Oswald ging naar de eethoek. 'Ik heb nog anderhalve hand,' grapte hij met een bittere ondertoon. Daarmee red ik het wel.' En terwijl hij de kopjes liet vollopen: 'Hoe staat het met Omega, papa?'

'O, veel werk, jongen.'

'Dat geloof ik! Je hebt je wat op de hals gehaald!' Oswald zette de kopjes op het bureau. Zwarte koffie zoals ze graag hadden. Een beetje onwennig zaten ze tegenover elkaar.

Franz nam een slok. 'Even lekker als die van mama,' merkte hij goedkeurend op. En nu terzake, zei hij bij zichzelf. Als je nu niet spreekt... Hij wreef over zijn voorhoofd.

'Heb je nog iets moois gelezen, papa?'

'Iets moois? Nee, niets bijzonders.'

'Als je iets bijzonders hebt, dan wil ik het wel lezen.'

'Werkelijk?' Franz deed of hij nadacht. 'Nee, ik geloof niet dat er iets is dat je kan interesseren.' Hij zweeg. Verdomd jammer, ging het door hem heen, had ik het script niet stukgescheurd, dan had ik het hem nu kunnen geven! Zijn blik viel op de reproductie van de gekroonde madonna, die boven het voeteneinde van het bed hing en waarvan Oswald ontzettend veel was gaan houden. 'Heb jij die madonna opgehangen?' vroeg hij.

Oswald schudde het hoofd. 'Dat heeft de huisbazin gedaan, voor ik naar hier verhuisde. Een heel lieve, oude vrouw... Ze was blij dat ik de madonna liet hangen.'

'Zo. Je houdt van die... van die afbeelding...'

'Ja.'

'Ik kan me niet herinneren dat ik ze hier ooit heb gezien.'

'Je bent hier ook bijna nooit geweest! Hooguit een paar keren, geloof ik. En je had niet veel tijd om te blijven.'

'Je hebt gelijk, Oswald. Ik had wel eens meer op bezoek mogen komen, dan zou ik onthouden hebben dat je die afbeelding hebt hangen. De Maria van het Lam Gods! Het is lang geleden dat ik het schilderij gezien heb, zeker meer dan dertig jaar. Sindsdien ben ik niet meer terug geweest. Ik zou nog eens moeten teruggaan. Toen ik het voor het eerst zag, dacht ik: Dat is de hemel op aarde! Er zullen wel velen zijn die dat denken. Weet je wat? We zouden eens samen kunnen gaan kijken, met mama. Ik denk niet dat zij het schilderij al gezien heeft. We zijn zo vaak naar de opera geweest, maar vergaten de kathedraal te bezoeken. O ja, ik vond het erg aardig... erg lief van je dat je met mama naar Don Giovanni bent gaan luisteren. Spijtig dat ik er niet bij kon zijn.' Hij zuchtte. 'Maar het heeft me plezier gedaan dat je van de opera genoten hebt. Herinner je je nog het onweerstaanbaar mooie duet gezongen door Zerlina en Don Giovanni? Lá ci darem la mano...'

'Vaag. Wie was weer die Zerlina?'

'Een onschuldig volksmeisje dat bijna niet kon weerstaan aan Don Giovanni's verleidingskunsten! Herinner je je haar echt niet meer?' Franz kreeg het gevoel dat hij zich in een doodlopend straatje aan het praten was. 'Je weet toch dat ik van de opera een opname hebt: een van mijn eerste platen. Toen je nog een kind was, heb ik er dikwijls naar geluisterd. Met mama. Dat ben je toch niet vergeten?'

'Nee. Ik vond het vreselijk, al die stemmen door elkaar, soms heel kwade stemmen, precies of er ruzie werd gemaakt. Ik begreep er niets van.'

'Natuurlijk niet. Maar ik kon je toen niet uitleggen hoe de vork in de steel zat, over wat voor iemand de opera ging.'

'Mama vertelde me dat het een schurk was die meisjes lastig viel, en dat zo iemand maar beter niet bestond.'

'Heeft ze je dat écht gezegd?'

'Ik had het haar gevraagd. Ik wilde weten wie die man met de vreemd klinkende naam was. Sindsdien kon ik ook niet begrijpen dat jullie zo graag naar die muziek luisterden.'

'En het is later nooit in jou opgekomen om die plaat op te zetten. Je hield er niet van.'

'Nee.'

'Nu wel. De muziek van Don Giovanni heeft je ten slotte ingepalmd... Je bent ook zoveel ouder!'

'Het is een prachtige opera.'

'Mama had je niet mogen zeggen dat Don Giovanni een schurk is.'

'Waarom niet? Ze had toch gewoon de waarheid gezegd! Wat moest ze anders vertellen?'

'Goed, goed,' reageerde Franz ontstemd. 'Je wilde een antwoord toen, en ze heeft het je gegeven.'

'Wat zou jij hebben geantwoord, papa?'

'Dat Don Giovanni nooit... nooit echt van iemand heeft kunnen houden, en in de grond een erg eenzaam mens moet zijn geweest.'

'Zoiets zou ik niet hebben begrepen.'

'Je hebt andermaal gelijk, Oswald. En dan zou je wellicht hebben gevraagd waarom hij van niemand kon houden. Maar nu begrijp je het natuurlijk,' zei Franz zonder zijn zoon te durven aankijken. 'Ja jongen, die liefde...' Er viel een onbehaaglijke stilte. 'De liefde...' herhaalde hij. Verder kwam hij niet.

'Wat wil je zeggen?' vroeg Oswald.

'Niets belangrijks. Ik word oud. En dan denk je wel eens terug aan vroeger, aan de tijd dat je verliefd werd. Een meisje kon toen zo mooi zijn dat je haar niet durfde benaderen. Als ze je een blik gunde, ging de hemel open en werd je sprakeloos van geluk. Je luisterde naar haar stem die mooier klonk dan de stemmen die je tot dan toe gehoord had. En wanneer ze je naam uitsprak, was het alsof JIJ de uitverkorene was.'

'Dat is een verliefdheid die niet bestaat, papa – tenzij in de literatuur!'

'Wacht tot je verliefd bent, Oswald. Vraag maar eens aan mama hoe heerlijk het is verliefd te zijn. De hele wereld wordt anders.'

'Ben jij nog altijd verliefd?'

'Ik hou van mama. Ik zou het verschrikkelijk vinden als haar iets overkwam. En ik hou ook van jou...' 'Nu moet je zeggen,' maande een stem in hem aan, 'dat mama zich zorgen maakt... dat je gekomen bent om er met hem over te praten.'

'Wat zou mama kunnen overkomen?'

'O niets. Daar hoef je niet bang voor te zijn.' Onwillekeurig gingen de gedachten van Franz uit naar de zieke vrouw van Steven. 'Ik heb onlangs je oud-leraar godsdienst ontmoet,' vervolgde hij. 'Een erg aardige man die je niet is vergeten. Zijn vrouw ligt in de kliniek, ze heeft kanker, misschien geneest ze wel nooit.' Zijn stem stokte. 'Maar hij blijft hopen op een goede afloop, hij heeft een bewonderenswaardig vertrouwen.' Franz haalde diep adem om een onverhoeds opkomende beklemming meester te worden. Maar de benauwdheid verdween niet. Koude zweetdruppeltjes parelden op zijn voorhoofd, sijpelden langs zijn oogleden, neusvleugels en slapen naar beneden, overstroomden zijn gezicht. Het leek of hij weende. Doch hij veegde de druppels niet weg, kon zijn hand niet opheffen en staarde hulpeloos naar zijn zoon, terwijl hij zijn vader, die hem bij zijn laatste bezoek met raadsels had overvallen, weer hoorde zeggen: 'Ik dacht dat ik je kende, jongen...'

Oswald vroeg: 'Voel je je niet goed, papa?'

'Nee,' mompelde Franz moeizaam. 'Misschien is het beter dat ik een tijdje ga liggen.'

'Zal ik wat frisse lucht binnenlaten?'

'Ja, doe dat.'

Oswald trok het venster open en maakte vervolgens het bed op. Het verwarde hem zijn vader zo onbeholpen, zo hulpeloos te zien. Bovendien kon hij zich niet van de indruk ontdoen dat die ergens op aanstuurde, maar het om een of andere duistere reden niet kon of durfde onder woorden brengen. Medelijden welde in hem op. 'Papa,' fluisterde hij toen die was gaan liggen, 'wat scheelt je?'

'Niets jongen, niets. Ik ben alleen vreselijk moe.' Franz sloot de ogen. Om zijn bleke lippen verscheen een krampachtig glimlachje, een grimas bijna.

Oswald keek weg. Hij rilde. Geruisloos deed hij het venster weer dicht en ging zitten. Geleidelijk drong het tot hem door dat zijn vader naar Gent was gekomen om hém te zien, niemand anders dan hém, en niet een uitgever! Er was zonder twijfel iets dat hem op het hart lag. O, hij hoefde het niet te zeggen! Misschien was het zelfs niet goed dat het werd uitgesproken, noch voor hen beiden noch voor mama... Maar hoe kon hij weggaan van huis, als hij niet eens wist met welk ondraaglijk geheim vader rondliep? Mocht hij zo wreed zijn dat hij hem de gelegenheid ontnam om te zeggen wat hem kwelde? *Nu* was het de gelegenheid! Hij zou ze hem niet ontnemen. En vader gaf ook hem die gelegenheid. Het leek wel of ze veroordeeld waren aan elkaar hun geheim te verraden.

Het duurde een tijd eer Franz weer de ogen opende. Hij had niet geslapen. Slechts gesluimerd in de hoop dat zijn geest tot rust zou komen en hem de juiste woorden te binnen zouden schieten waarmee hij zich tot zijn zoon kon richten, doch ze waren weggebleven. Niettemin dacht hij: Ze bestaan, ze houden zich alleen verscholen in mijn onderbewustzijn, achter verre herinneringen... Mogelijk zullen ze tevoorschijn komen, wanneer ik me zoveel zal hebben herinnerd dat ze zich niet meer kunnen verbergen. Maar toen hij de laatste verre herinnering naar boven had gehaald, verscheen voor zijn geest het beeld van Oswald met de gekwetste hand, een schokkend beeld dat enkel kon verdwijnen wanneer hij beschikte over de zo noodzakelijke juiste woorden.

'Gaat het al beter?' hoorde hij Oswald plots vragen.

Franz zweeg, draaide zijn hoofd in de richting van zijn zoon en keek hem recht in de ogen. Hij meende erin te lezen: Vertel nu maar wat je op het hart ligt, je hoeft geen verstoppertje meer te spelen. Alsof het moment was aangebroken om tot bekentenissen over te gaan, ging Franz op de rand van het bed zitten.

'Het gaat inderdaad al veel beter,' loog hij. 'Zeg aan mama niet wat me is overkomen, ze zou zich te zeer ongerust maken. Als je wilt, kan je straks mee naar huis rijden.'

'Dit weekend blijf ik hier, papa.'

'Ik begrijp het! Mama mag niet weten dat je je gekwetst hebt. Zo hebben we haar allebei iets te verzwijgen.' Onwillekeurig had hij een ironische toon aangeslagen.

'Waarom zou ze het niet mogen weten?' sneerde Oswald.

'Dat was slechts als grapje bedoeld, jongen. – Natuurlijk is het normaal dat je tenslotte liever hier bent dan thuis, alleen op je kamer. Hier zijn je vrienden, heb je meer mogelijkheden om je te ontspannen. Ja, eigenlijk zou ik het erg vinden als je geen vrienden had. We zijn niet geboren om alleen te blijven. Er komt een dag dat... dat we iemand nodig hebben om door het leven te gaan, iemand met wie we gelukkig kunnen zijn: diep gelukkig! Ik heb ooit iemand gekend die het tegenovergestelde beweerde.'

Het hart van Franz begon sneller te kloppen. Kleine zweetdruppeltjes sijpelden opnieuw langs zijn voorhoofd. Dit keer nam hij zijn zakdoek en wiste ze weg met een vluchtig handgebaar. 'Het tegenovergestelde,' herhaalde hij zo zacht voor zich uit dat het leek of hij het woord nauwelijks durfde uit te spreken. Het was plots in zijn geest opgedoken, en nu moest hij ermee verder.

'En?' vroeg Oswald.

'Wel, die man was van zijn vrouw weggegaan, omdat ze – vertelde hij me – zich niet gelukkig bij hem voelde. Ze had het hem nooit gezegd, maar hij merkte het aan haar blik, waarin teleurstelling stond te lezen, soms zelfs een verwijt of argwaan. En wanneer hij haar dan voorzichtig de vraag stelde of er iets was, gaf ze hem slechts een ontwijkend antwoord. Ze begonnen naast elkaar te leven, hadden elkaar uiteindelijk niets meer te zeggen, zodat hij op een dag besloot om weg te gaan. Nu leeft hij helemaal alleen, overtuigd dat liefde niet meer is dan een vergeefse poging om de eenzaamheid te ontvluchten.' Franz veegde andermaal het zweet van zijn voorhoofd. Wat kan ik nog verzinnen? dacht hij. Maar heb ik wel iets verzonnen? Heb ik niet gewoon een denkbeeld uitgesproken dat ergens diep in mij heeft postgevat?

'Het kan zijn dat die man van zijn vrouw is weggegaan, omdat hij haar niet langer ongelukkig wilde maken,' voerde Oswald aan.

Franz keek verrast op. 'Dan heeft hij voor haar al die tijd iets verborgen gehouden, en heeft zij het aangevoeld... en gehoopt, heimelijk gehoopt dat hij het zou zeggen. Beeld je eens in dat ik of jij wat zouden te verbergen hebben voor mama, beeld je dat eens in, Oswald!' De woorden stokten hem in de keel. Franz besefte dat hij meegesleept door de veronderstelling van zijn zoon te ver was gegaan en wilde het over een andere boeg gooien. Een happy ending, zei hij bij zichzelf, bestaat er zoiets als een happy ending... voor dit gesprek, voor het verhaal van Ingrid?

'Wat zou mama niet mogen weten, papa? Als ze iets niet mag weten, dan moet het wel erg zijn, iets dat haar echt pijn zou doen..' Oswald sloeg de ogen neer en dacht met een benauwende droefheid: Je doet pijn voor je het beseft, hoe kan je dat vermijden, hoe kan je de waarheid zeggen zonder pijn te doen?

'Je houdt veel van je mama,' zei Franz plots, 'heel veel zelfs...'

'Ik zou niet willen dat ze ongelukkig is.'

'Dat spreekt. Maar ze is zo bekommerd om jou. Soms denk ik dat ze niets liever heeft dan dat je thuis bent.'

'Ben je gekomen om me dat te zeggen, papa?' Het klonk uitdagend.

'Er is geen enkele reden om bezorgd te zijn, tenzij... tenzij ik jullie heb teleurgesteld.'

'Absoluut niet! We zijn trots op je, jongen. We zijn er zeker van dat je een schitterende toekomst tegemoet gaat, we kijken ernaar uit.'

'Trots! Schitterend!' onderbrak Oswald hem schouderophalend. 'Moet ik schitteren opdat jullie trots zouden kunnen zijn?'

Franz staarde zijn zoon sprakeloos aan. 'Dat had je niet mogen zeggen,' fluisterde hij met een krop in zijn keel. 'Waarom zeg je zoiets?'

'Ik heb je niet willen kwetsen, papa.'

'Nee, dat ligt niet in je aard, of je moet veranderd zijn.'

'Ik ben niet veranderd, geloof me! Ik kan niet veranderen, zelfs al zou ik het willen en al het mogelijke doen om toch maar anders te worden.'

'Iemand kwetsen ligt zeker niet in je aard,' herhaalde Franz met nadruk. Hij stond op, ging voor het venster staan en zei aarzelend: 'Het wordt wellicht tijd om naar huis terug te keren.'

'Ga nu niet weg, papa!'

'Goed, ik zal nog wat blijven.' Hij tuurde naar buiten met een zoekende blik.

'Het regent,' mompelde hij. 'Je zou het niet zeggen, maar het regent. Toen ik naar hier reed, scheen de zon nog tussen de wolken. Is er nog koffie, Oswald?' En terwijl zijn zoon uitschonk: 'Soms denk ik terug aan onze eerste reizen. Die staan me de laatste tijd het scherpst voor de geest. Ik zou opnieuw een lange tocht willen maken in het Lake District, of in het heuvelland van Wales...' Hij ging weer zitten op de rand van het bed. Oswald gaf hem zijn kopje. Franz dronk het langzaam uit, slokje na slokje. Intussen overwoog hij hun moeizame gesprek met de onverwachte wendingen en gedachtesprongen. Nu niet zwak worden... je bent zijn vader, probeerde hij zichzelf gerust te stellen. Hij heeft je nodig. Zijn hart kromp samen. 'Je evenaart je moeder in het koffiezetten,' zei hij.

'Dat heb je al gezegd, papa.'

'O ja? Die herinneringen spelen me soms parten. Dan vergeet je wel eens wat je zopas hebt gezegd.'

'Niet in het verleden leven, papa.'

'Je hebt gelijk. Daar moeten we voor oppassen! Maar – hij begon bedachtzamer te spreken – loop jij niet het meeste gevaar? Je hebt je ondergedompeld in de lectuur over ridders en hun idealen.' Met een weifelend glimlachje om de mond voegde hij eraan toe: 'Straks word je nog een Don Quichote.'

'Je zegt het!' riep Oswald uit. 'Ja, je zegt het! Je ziet in mij de ridder van de droevige figuur. Ha, nu leer ik mezelf kennen: een ridder die op een kreupel paard Parcifal achternarijdt. Een hopeloze achtervolging! Is het dat wat je bedoelt, papa? Onlangs heb ik het boekje gelezen dat je me maanden geleden cadeau hebt gedaan. Daaruit geef ik je nu iets cadeau, papa: een nobele wijsheid. Ze luidt als volgt: 'Niemand wordt ridder geboren, ridderschap wordt verdiend. En om het te verdienen moet je je in dienst stellen van de medemens, papa, moet je jezelf voorbijstreven! Ja, noem mij gerust een Don Quichote... Maar zelfs dat ben ik niet. Dat is een te grote eer, voorbehouden aan degenen die iets groots, iets onverwezenlijkbaars najagen en er niet voor terugschrikken de nederlaag te lijden.' Hij stak zijn omzwachtelde hand uit. 'Kijk, ik heb me niet gistermorgen gekwetst, maar vannacht. Toen ik met vrienden op café zat, stootte ik mijn glas bier van tafel. Ik wilde de scherven oprapen en liep een snijwonde op, een lelijke jaap. Zo onhandig was ik. Ik had nochtans niet te veel gedronken, maar – hij trotseerde de ontstelde blik van zijn vader – er zat een meisje naast mij, een heel mooi meisje dat me uitdaagde. Nadien was ze erg lief. Ze stelpte het bloed met haar zakdoek. Zij en een vriend hebben me daarna vergezeld naar de dokter. Die heeft de snee dichtgenaaid. Mijn vriend is hier blijven slapen en heeft 's middags koffie gezet. Dat is de ware toedracht.'

'Je hoeft je niet te verantwoorden,' fluisterde Franz met haperende stem. 'Ik heb zeker niet de bedoeling gehad...'

'Ik heb lak aan leugens,' onderbrak Oswald hem. 'Ik geef toe dat ik daarstraks de waarheid geweld heb aangedaan, omdat ik niet graag had dat je wist wat er juist is gebeurd. Belachelijk natuurlijk. Waarom zou je zo'n voorvalletje van niemendal niet mogen weten! Je ziet dus dat ik nog geen Don Quichote ben. Want die loog niet, die kon niet liegen. En jij papa… Had je werkelijk een afspraak met een uitgever? Of wilde je weten hoe je zoon het maakt, nu hij bijna is afgestudeerd? Gewoon weten hoe ik het maak? Het is nog maar pas een week geleden dat we elkaar hebben gezien. Toen – hij dempte zijn stem – heb ik ook gelogen. Je kwam me opzoeken op mijn kamer thuis om te vragen of ik zin had om met jullie te gaan eten in een gezellig restaurant. Ik zei dat ik geen tijd had. En ik toonde je het boek waarin ik zat te lezen: *De held met de duizend gezichten*, geschreven door Joseph Campbell. Weerom een leugen… Ik hád tijd. Ik hoefde dat boek helemaal niet die avond uit te hebben. Ik merkte dat je me niet geloofde, en toch zei je dat je me begreep. Maar begreep je me toen wel, papa? En wat later vroeg je me of ik het geheim van de graal al had doorgrond. Je zult wel opnieuw zeggen dat je het goed bedoelde. En dat geloof ik ook. Je zit vol goede bedoelingen, iets dat we met elkaar gemeen hebben… Neem me niet kwalijk, papa. Ik wil je geen pijn doen.'

'Nee, dat willen we elkaar zeker niet aandoen. Maar sinds je met mama naar Don Giovanni bent gaan luisteren, is er zoveel veranderd… Kom je nog graag naar huis, Oswald?'

'Waarom vraag je dat? Ik ben graag thuis geweest.'

'Je komt niet meer graag…'

'Zeg dat niet, papa! Maar' – Oswald aarzelde even, 'je kan niet eeuwig thuis blijven, zei mama me onlangs.'

'Heeft ze dat echt gezegd?'

'Geloof je me niet?'

'Jawel. Maar ik heb de laatste tijd de indruk dat er iets op je hart ligt, en dat je daarom liever alleen bent, alleen hier in Gent.'

'Je hebt goed geraden. Ik ben liever alleen nu. Dat mag toch? Wil jij soms ook niet…'

'Dan ben ik ongelegen gekomen,' onderbrak Franz zijn zoon. 'Zoiets doet...' Hij maakte zijn zin niet af en vervolgde na een korte stilte: 'Je kan altijd op mij rekenen; we hebben elkaar nodig, jongen... maar ik wil je nergens toe dwingen. Als je echt liever hebt dat ik wegga...'

'Waarom zou je moeten weggaan, papa?' zei Oswald zacht. 'Dat wil ik niet. Je bent hier, je hebt me nodig.'

'Ja.' Franz keek zijn zoon aan met een indringende, haast koortsige blik. 'Maar haal je geen gekke dingen in het hoofd, laat alsjeblief gekke uitspraken als... als die over Don Quichote. Ik zie dat je moe bent, ik ben ook moe. Er is zoveel veranderd sinds Don Giovanni...' Plots werd hij er zich van bewust dat hij zichzelf begon te herhalen. Hij zweeg.

'Papa,' zei Oswald met enige stemverheffing, 'antwoord eens eerlijk... Kon je toen echt niet naar de opera gaan? Het was je lievelingsopera. Kon je echt niet op tijd zijn?'

De vragen overrompelden Franz. 'Nee, onmogelijk,' zei hij haastig. 'Ik had een afspraak met een schrijfster, een onvoorziene afspraak.'

'Maar je zei tegen mama dat je bij de drukker zat.'

'Eerst bij de schrijfster en daarna bij de drukker.'

'Wat is de titel van haar boek?'

'*De brug.* – Het is een liefdesverhaal. Maar meer dan waarschijnlijk zullen we het niet uitgeven.'

'Waarom niet? Is het niet goed genoeg?'

'Toch wel. Maar de schrijfster is opeens bang geworden en onzeker.'

'Bang waarvoor?'

Franz dacht: Hoe ontsnap ik aan de leugen? Hij zei: 'Ze vreest dat degene over wie ze geschreven heeft, er aanstoot aan zal nemen. Ze vraagt bedenktijd.'

'Mag ik het eens lezen, papa?'

'Natuurlijk. Jammer dat ik het script nu niet bij me heb. Had ik het geweten...'

'Volgend weekend kom ik naar huis.'

'Ik hoop dat ik het dan nog heb. Het zou goed kunnen zijn dat ze het terugvraagt.'

'Vreemd. Ze schrijft een mooi boek, en opeens is ze bang om het uit te geven. Hoe heet ze?'

'Ursula Vere,' mompelde hij na een poosje. 'Een debutante.'

'Heeft haar boek soms te maken met de man over wie je me daarnet verteld hebt?'

'O nee! Helemaal niet.'

'Hoe loopt het af?'

'Dat ga ik je nu niet vertellen, Oswald.'

'Uiteraard niet. Anders is de spanning eraf. Ik hoop dat de schrijfster haar script niet terugvraagt voor ik het gelezen heb.'

'Ik hoop het.'

Op het moment dat Franz eraan dacht om afscheid te nemen, ging zijn gsm. Het was Ada. Ze wilde weten wanneer hij naar huis kwam, en of hij plannen had voor de avond, anders zou ze naar haar vriendin gaan. 'Ik heb geen plannen,' antwoordde hij, 'ik zit nu bij Oswald... ja, alles goed... we eten samen... ik zal niet te laat zijn... zal ik zeker doen... tot straks.' 'Je hebt de groeten van mama,' zei hij tegen Oswald. 'Ze zal woensdag bij jou langskomen.'

'Misschien kan je haar dan het script meegeven?'

'Ben je zo uit op een liefdesverhaal?'

'Ik wil Ursula Vere leren kennen.'

'Goed. Ik zal ervoor zorgen. Het wordt nu stilaan tijd dat ik naar mama ga, Oswald.' Franz stond op. 'We mogen je dus volgend weekend verwachten...'

'Ja, dan speelt mijn oud-leraar godsdienst tijdens de zondagsmis Bach op het orgel. Ik heb hem beloofd te komen luisteren.'

'Wanneer heb je hem gezien?' vroeg Franz verbaasd.

'Vorige zondag. Toen ik in de voormiddag ging wandelen, liep ik even de collegekerk binnen. En daar heb ik hem ontmoet.'

'Ik wil hem ook wel horen spelen. We kunnen samen gaan.' Voorzichtig nam Franz de omzwachtelde hand van zijn zoon en streelde ze. 'Tot dan, jongen,' zei hij.

'Tot dan, papa.'

Ursula Vere. Gedurende enkele ogenblikken probeerde Oswald zich een beeld te vormen van de schrijfster. Doch er kwam geen beeld. Alleen een sterk vermoeden dat de mooi klinkende naam niet de echte was. Te mooi, dacht hij, te verzonnen.

Hij schoof de overgordijnen dicht, ging op de rand van het bed zitten waar zijn vader gezeten had en keek naar het lege blad van zijn bureau. De leegte palmde hem in, joeg een rilling door zijn lichaam. Er was zoveel gezegd en toch niets. Zelfs het strelende handgebaar van zijn vader had hij slechts gevoeld als een schamele, half mislukte poging om liefde te bevestigen, vertrouwen te wekken. Een loden moeheid drukte op hem. Hij strekte zich uit op het bed, ving voor hij de ogen sloot nog net een glimp op van de gekroonde madonna. Terwijl hij weggleed in een diepe slaap, droomde hij dat ze ophield met lezen in het grote boek en hem vanop haar troon glimlachend naderbij wenkte.

Ursula Vere. Franz had het moeilijk om de naam uit zijn gedachten te weren. Zal de waarheid ooit aan het licht komen? vroeg hij zich af. Hoe zal Oswald dan reageren? God, ik had hem niet de illusie mogen geven dat ik hem het script zou bezorgen! Maar wat had ik dan wel moeten zeggen?

Hij bevond zich op de snelweg en reed achter een wagen met Britse nummerplaat. Plots herinnerde hij zich dat hij tegen zijn zoon gezegd had: 'Ik zou opnieuw een tocht willen maken in het heuvelland van Wales.' Waarom ben ik aansluitend niet beginnen te spreken over onze vakanties? verweet hij zichzelf. Quasi terloops had ik kunnen zeggen: 'Weet je nog dat je gestoken werd door een wesp? Je lag toen met mama te slapen in de tuin...' Jammer, ik heb de kans laten voorbijgaan.

Hij nam zich voor aan Ada te vragen of ze het zich herinnerde.

Maar tegelijk overviel hem de angst dat hij bij haar iets wakker zou roepen dat ze altijd had onderdrukt. Hij dacht: Misschien heeft ze zich een orde opgelegd als verweer tegen iets waarmee ze niet in het reine kan komen. Veronderstellingen hielden hem een tijdlang in hun greep, terwijl hij koppig de trage Britse wagen volgde, die op het eerste baanvak bleef. Ten slotte kwam hij tot het besluit dat de jarenlange gewoonten en vanzelfsprekendheden in hun huwelijksleven in feite ook op haar geen vat hadden gekregen, ondanks het feit dat ze er niet van afweek. Het monterde hem echter niet op.

De avond begon te vallen toen Franz de snelweg verliet. Hij reed Aalst in richting centrum en parkeerde niet ver van de rivier, dicht bij de Sint-Annabrug. Het was zijn bedoeling gedurende hooguit een halfuurtje afleiding te zoeken in het café dat hij soms bezocht om een praatje te slaan met kennissen. Maar toen hij op de markt met het standbeeld van Dirk Martens kwam, schoot hem te binnen dat in zijn auto nog de zak met het stukgescheurde script lag. In het water, flitste hem door het hoofd. Franz keerde op zijn stappen terug. Aan de Sint-Annabrug sloeg hij het zwak verlichte pad in dat langs de rivier liep naar de jachthaven. Hij voelde zich gerustgesteld dat hij de enige was die van het pad gebruikmaakte. Een verlaten, oude woonschuit trok zijn aandacht. Hij bleef staan. Merkte dat er een loopbruggetje lag. Om erbij te geraken moest je eerst enkele houten trappen afdalen die in de steile oever, een verwilderde strook grond, waren aangebracht. De boot leek hem een geschikte plaats om ongestoord te doen wat hij van plan was. Onder een treurwilg bij de Sint-Annabrug stond wel een vuilnisbak, maar daarin wilde hij de zak snippers niet kwijt. Per slot van rekening vormden al die stukjes papier het verhaal van zijn zoon, en dat kon hij toch niet als afval dumpen! In het water dus. Voorzichtig stapte Franz over het wankele, met mos begroeide bruggetje zonder leuning en bereikte tenslotte het kleine achterplecht. Een poos keek hij nieuwsgierig om zich heen. Daarna probeerde hij het deurtje te openen dat toegang verschafte tot de binnenruimte, maar het was op slot. In de schemerige verte stegen toverachtige, rozige dampwolken op uit de schoorstenen van de zetmeelfabriek. Ze dreven niet verder, doch losten zich op in de kille avondlucht. Franz huiverde, wendde zijn blik af, nam uit de pastic zak een handvol snippers en strooide ze uit over het trage water. Hij wachtte een tijdje. Vervolgens liet hij weer een handvol neerdwarrelen. Met toenemende pijn herhaalde hij dezelfde handeling tot de zak leeg was. Het leek op een afscheidsritueel, een langzaam en moeilijk afscheid van wat je niet langer kan bewaren als herinnering. Franz besefte dat het stukscheuren van het script een zinloze daad was geweest, een vruchteloze poging om zich te ontdoen van een drukkende last. Het feit dat Steven nog een kopie bezat, gaf hem overigens het gevoel dat het ritueel slechts een schijnvertoning was. Zou ik het script wel hebben vernietigd, als ik er geen kopie van genomen had? vroeg hij zich af. 'Neen' zei een stem in hem, 'dat zou je zeker niet gedaan hebben, omwille van Ingrid zou je het niet hebben gedurfd, als ze je het script terugvraagt – dat op zijn beurt natuurlijk ook niet het oorspronkelijke was – heb je nog altijd de kopie van Steven, neen het is niet gemakkelijk een tekst van de aardbodem te doen verdwijnen, en er is bovendien nog het geheugen, dát heeft je tot nu toe echt niet in de steek gelaten, nee, het script staat in je geheugen gegrift, je zult ermee moeten leren leven, het komt alleen aan Ingrid toe het te vernietigen, je bent je boekje te buiten gegaan, Franz, je hebt toneel staan spelen, verlaat het schip, denk na over wat je gaat zeggen als je Ingrid terugziet.' 'Valt er nog na te denken,' mompelde hij schouderophalend. Zijn blik gleed over het donkere water, alsof hij de rivier afspeurde. En hij stelde vast hoe moeilijk het voor hem geworden was om gewoon maar te kijken naar de dingen, naar zijn omgeving, naar de mensen die er zich in bewegen, zonder verwachtingen te koesteren. Heerlijk moest het zijn gedachteloos in iets te kunnen opgaan. Zichzelf kunnen vergeten, ervaren wat het betekent niets meer te moeten verlangen – was dat niet het opperste geluk? Alsof het hem werd gevraagd, noemde hij fluisterend op wat hij in het halfduister kon onderscheiden. Eerst de dingen vlakbij, en het waren er zoveel dat hij ermee ophield. Hij keek in de verte en herbegon: 'Brug, jachten aan de linkeroever...' Vervolgens een beetje tegen zijn zin, maar vlugger, net of hem nog nauwelijks tijd werd gegund: 'Huizen, auto's, bomen, gebouwen aan de overkant en verder rozige dampwolken...' Hij zweeg, hoorde plots de stem van daareven zeggen: 'Je vergeet veel, je kijkt over de dingen heen om zo snel mogelijk tot in de wolken te geraken. Ook juist iets voor Oswald, denk je niet? Oswald je rivaal, Oswald die je dromen moet verwezenlijken... Verlaat dit schip, Franz, je hebt het verkeerde gekozen, het is niet geschikt om er de rivier mee af te varen, het ligt hier weg te rotten, maar jij vond het hier natuurlijk een uitgelezen plek om je ongezien van die hoop stukgescheurd papier te ontdoen, het is een plek waarnaar je niet meer kan terugkeren.' 'Je hebt gelijk,' onderbrak Franz de stem. 'Ik schaam me vreselijk.' Hij wreef over zijn voorhoofd. Alleen nog dit, voegde hij er bij zichzelf aan toe, neem me niet kwalijk... ik ben zo moe, ik ben bang dat overal waar ik kom de werkelijkheid uit elkaar zal vallen en dat ik niet meer in staat zal zijn de stukken in elkaar te passen, ja ik moet hier weg, ik begin te zeer van die schuit te houden (onwillekeurig lachte hij), het zou anders mooi wonen zijn hier: ik ben te lang honkvast geweest... Hij keek nog eens om zich heen, werd ineens gewaar dat er een koude wind opstak en zette behoedzaam voet op het bruggetje. Vlak voor de oever beving hem het beangstigende gevoel dat hij zich boven een gapende afgrond bevond. Hij duizelde. Vergeefs probeerde hij het evenwicht te bewaren op de smalle, glibberige planken. De afgrond zoog hem naar zich toe. Hij viel zijwaarts, een arm in de lucht – heel even ermee zwaaiend alsof hij afscheid nam. Een doffe plons en hij dook onder. Kwam meteen weer naar boven. Proestend. Een armlengte van hem lag de schuit. Een zwarte, dreigende romp. Hij tastte ernaar. Wanhopig. Zijn hand schuurde langs iets scherps. Opnieuw zonk hij naar beneden. Hij proefde water dat smaakte naar teer en verrotting. Zijn voeten raakten de bodem. Hij stootte zich af. Ploeterde naar de oever. Hapte naar lucht en sperde de ogen wijd open. Binnen handbereik hing een tak boven het water. Hij hees zich op het droge. Toen hij zo goed en zo kwaad als het ging zijn jasje uitwrong, merkte hij dat zijn rechterhand bloedde. Hij wikkelde er een zakdoek rond en nadat hij met wat gras de modder van zijn schoenen had gewreven, keerde hij rillend van de kou terug naar zijn auto. Enkele voorbijgangers keken hem hoofdschuddend of nieuwsgierig na. Stellig hielden ze hem voor een dronken dakloze. Alleen een oudere vrouw vroeg medelijdend wat er hem scheelde en of ze hem kon helpen.

'Nee dank je,' antwoordde Franz. 'Het zou ook te lang duren eer ik je alles heb uitgelegd... een mensenleven lang zou het duren, misschien zelfs nog langer. Maar het is vriendelijk dat je het mij vraagt.'

'Waar ga je naartoe?'

'Naar mijn wagen. En dan naar huis.'

'Wil je dat ik een eindje meeloop?'

'Als je dat graag doet...'

'Je bent in het water gevallen,' zei de vrouw zacht na een korte stilte.

'Ja, ik verloor mijn evenwicht.'

'Dat is erg.'

'Inderdaad. Meer heb ik niet te zeggen.'

'Je hoeft ook niet. Is het nog ver?'

'Nee, we zijn er bijna.' En toen ze voor zijn wagen stonden, grapte hij: 'Nu kan je gerust zijn. Er zal mij niets meer overkomen.' Hij tastte in zijn broekzak. De autosleutel zat er nog. En opgelucht herinnerde hij zich dat zijn gsm en agenda in de auto lagen. Alleen zijn portefeuille vond hij niet. 'Ik moet terug,' zei hij gejaagd. 'Ik heb mijn portefeuille verloren, ik moet hem vinden.'

'Wat! Je kan toch niet zo doornat terugkeren!'

'Laat me maar.'

'Je zal ziek vallen. Misschien ben je het al. Je staat te beven als een riet.'

'Laat me,' drong hij aan.

'Heb je soms iets in je auto liggen, een lange jas of een deken? Het zou goed zijn als je iets om je heen kon slaan.'

'Ja,' mompelde hij, 'een geluk dat je me eraan herinnert.' Hij haalde uit de koffer een autodeken en hing ze om zijn schouders.

'Ik ga mee,' zei de vrouw resoluut.

Zwijgend liepen ze naast elkaar.

'Hier is het dus gebeurd,' zei ze toen Franz voor de boot bleef staan. Hij kreeg het gevoel dat ze hem had geleid naar de plaats van de misdaad. 'En waar denk je hem verloren te hebben?' vroeg ze. 'Als hij in het water ligt, ben je hem natuurlijk kwijt.' Ze zochten in het verwilderde gras, maar... vonden hem niet. 'Je moet zo vlug mogelijk naar huis nu,' zei ze. 'Kom, we hebben lang genoeg gezocht.'

Hij gehoorzaamde. Het ontroerde Franz dat iemand zich zomaar over hem ontfermde, zonder nieuwsgierige vragen te stellen. 'Het is niet vanzelfsprekend dat je met mij bent meegegaan,' zei hij, 'je kent me niet eens.' Opeens werd hij er zich van bewust dat ze in feite heel vertrouwelijk met elkaar omgingen. Ze gaf hem de behaaglijke gewaarwording dat ze hem begreep, dat hij bij haar onbevangen zou kunnen praten over de meest pijnlijke en intieme dingen.

'Je bent niet iemand om bang van te zijn,' zei ze. Het leek haast of ze zich vrolijk maakte over zijn opmerking. 'Je hebt zeker niets ergs gedaan. Zo zie je er niet uit.'

'Ik wilde... ik wilde...' Franz stond op het punt zijn gemoed uit te storten, maar ze onderbrak hem.

'Je wilde een kijkje nemen op die boot, zoals een kwajongen!' Ze lachte.

'Ja, ik hou van boten. Het meest van oude boten die hun tijd hebben gehad.' Weer moest ze lachen. Haar stem klonk wonderlijk jong.

'En je bent van het loopbruggetje in het water getuimeld. Bijna was je verdwenen tussen wal en schip,' zei ze nadenkend.

'Zo is het.' Hij vond er een vreemd plezier in te kunnen beamen wat ze zei. Hij hoopte dat ze nog dingen zou zeggen die hij kon beamen, hij hoopte dat ze al spelende zou ontdekken en uitspreken wat er in hem omging, zodat hij slechts ja hoefde te knikken. Maar ze had er de tijd niet meer voor. Bijna waren ze bij zijn wagen.

Eensklaps hoorde hij haar zeggen: 'Ik meen te weten waar ik je al eerder heb gezien. In de boekenwinkel moet het zijn geweest.'

'Dat heb je goed geraden. Ik ben boekhandelaar, de enige hier in de stad. En jij?'

'Moeder van drie kinderen, die allemaal het huis uit zijn: allemaal getrouwd en gelukkig.'

'Ik heb een zoon die bijna is afgestudeerd. Hij gaat op in zijn studies.'

'Een hele geruststelling.'

'Ja...'

'En nu naar huis!' zei ze quasi vermanend. Ze glimlachte hem bemoedigend toe. 'Misschien zie ik je nog eens terug in de boekenwinkel?'

'Als je langskomt, vraag je maar naar mij.' En omdat hij zijn naam niet over de lippen kreeg, zei hij: 'Naar de uitgever van de Omegaboeken.' Peinzend voegde hij eraan toe: 'Dan wil ik graag van jou vernemen waarin het geheim van het geluk bestaat.' Hij had zin om haar te zoenen, om zich te koesteren in de warmte van haar gezicht – in de warmte en vriendelijkheid die hem uit elke porie, elke rimpel tegenstraalden. Hij hield zich in. 'Tot ziens,' zei hij.

'Tot ziens, drenkeling!' Ze stak de straat over.

Franz dacht: Hoe dwaas mijn vuile en koude gezicht tegen het hare te willen drukken! Hoe dwaas te verlangen dat ze me kust als een moeder die blij is dat haar kind niet is verdronken! Hij staarde haar nog een poos na vooraleer in zijn auto te stappen. Maar ze draaide zich niet om.

Toen hij thuiskwam, liep hij met een haastige, luide groet onmiddellijk de trap op naar de badkamer, zodat Ada niet de kans kreeg te zien hoe hij eruit zag. Hij hoorde haar de keuken uitkomen. 'Ik ga me eerst verfrissen!' riep hij van op de overloop. 'Binnen twintig minuten is het eten klaar!' riep ze terug. Gelukkig bleef ze beneden.

Hij nam een douche, trok droge kleren aan en kleefde een pleister op de snijwonde die hij aan zijn hand had opgelopen. Dan droeg hij zijn natte plunje snel en in alle stilte naar de waskelder. 'Stiekemerd,' mompelde hij. En toen hij de vuile kleren in de wasmand had gegooid, besefte hij plots dat Ada ze waarschijnlijk deze avond al zou zien liggen – of ten laatste morgen. Hij duizelde even. Binnen enkele ogenblikken zou hij voor haar staan. Franz ging de keldertrap op met het prangende gevoel dat hem zou worden gevraagd om verantwoording af te leggen en dat hij een antwoord gereed moest hebben. Zijn zenuwen stonden tot het uiterste gespannen. Ik mag niet zwak zijn, hamerde het in zijn hoofd, niet benauwd als op de kamer van Oswald, Ada is mijn vrouw, nee ik mag niet zwak zijn. Maar hij kon niet verhinderen dat er ineens hevige rillingen door zijn lichaam liepen. Hij wachtte een minuut in de hal en ging daarna de keuken binnen.

'Ha, je bent er,' zei ze zonder hem aan te kijken. Ze zette het eten op tafel. Het viel hem op hoe verzorgd haar vingernagels waren: smetteloze maantjes, mooie lichtjes ovaal geknipte randen en als afwerking een doorschijnend laagje glanzende vernislak.

'Zal ik je bedienen?' vroeg ze gewoontegetrouw.

'Doe maar,' antwoordde hij.

Ze schepte soep in zijn bord. 'En met Oswald gaat alles goed?'

'Ja.' Hij wilde nog zeggen: 'Je hebt het me al gevraagd, toen je me opbelde.' Doch hij bedwong zich.

'Franz, ik heb me bedacht. Ik ga niet naar mijn vriendin. Ik heb haar teruggebeld.'

'Dat had je niet hoeven te doen! Voor mij hoef je niet thuis te blijven.' Hij dacht aan zijn vuile plunje.

'Ben je soms liever alleen?'

'Nee, maar ik ben verschrikkelijk moe. Trouwens, ik voel me ook niet lekker.'

'Je moet je meer ontzien, Franz. Je bent bezig roofbouw te plegen op je gezondheid, en dat is...'

'Niets nieuws,' onderbrak hij haar. 'Je hebt het me al gezegd.'

'Je hebt je hand gekwetst,' zei ze.

'Gewoon een snee van een glasscherf, Ada.'

Ze stelde geen vragen. Hij lepelde verder. Met tegenzin.

'Zijn er problemen met de uitgeverij?'

De vraag verraste hem. Een mengeling van bitterheid en moedeloosheid maakte zich van hem meester.

'Misschien hou ik ermee op, en word ik weer een doodgewone boekhandelaar.'

'Kom, laat je niet gaan! Als er problemen zijn, dan wil ik je wel helpen.'

Hij legde zijn lepel neer. 'Wat voor problemen zouden er kunnen zijn?' liet hij zich ontvallen. Het klonk uitdagend.

'Zeker geen futiliteiten, Franz. Anders zou je zo niet reageren!' antwoordde ze kordaat.

'Als ze opgelost zijn, vertel ik je alles,' zei hij spottend.

'Dus, je hebt me niets te vertellen nu...'

Zeg het haar, smeekte een stem in hem, dezelfde stem die hij gehoord had op de boot. Vertel haar alles voor het te laat is! 'Nee Ada,' fluisterde hij. 'Nu niet. Laat me in godsnaam!'

'Goed. Later dan.'

Ze aten verder in een geladen stilte. Ineens stond hij op. 'Ik ga rusten, Ada. Ik moet echt een tijdje gaan liggen.'

'Je hebt inderdaad rust nodig, Franz. Dat zie je zo.'

Wantrouwig vroeg hij zich af of ze het meende. Hij kon niets opmaken uit de toon waarop ze zijn woorden beaamde. Ze waren voor elkaar een raadsel geworden. En dat was zijn schuld. 'Het spijt me,' verontschuldigde hij zich aarzelend en met matte stem. 'Ik heb je avond niet willen vergallen.'

'Nee. Ik weet het. Ga gerust slapen.'

Franz verliet de keuken. Met knikkende knieën.

Hij heeft me nodig, zei Ada bij zichzelf terwijl ze traag verder at. Maar hij zal het me niet zeggen. Ik moet geduld hebben en zo weinig mogelijk vragen stellen. God, als hij eens wist hoezeer ik van hem hou, en van Oswald! Haar hart begon sneller te kloppen. Ze stopte met eten en verzonk in gepeins, het hoofd tussen beide handen. Zou Franz iets meer weten over het meisje dat Ingrid heette? Sinds ze de naam toevallig in Oswalds agenda had gelezen, was hij in haar hoofd blijven hangen als een donkere schaduw. En dat Oswald haar zijn ring had willen schenken, toen ze donderdag even bij hem op bezoek was, bleef haar bevreemden. Een zoon die zijn moeder een ring schenkt... Ze wilde in dat gebaar enkel een spontane, liefdevolle attentie zien. Haar hart echter zei dat het oneindig veel meer betekende. De reden, moest ze bij zichzelf erkennen, waarom ze nadien tegen Franz met geen woord van de ring had gerept. 'Wanneer de problemen opgelost zijn, vertel ik alles...' had hij daarstraks gezegd. Al zo lang leefden ze samen, gelukkig en zonder noemenswaardige spanningen, en onverhoeds doken er problemen op: de donkere wolken in hun huwelijksleven. Vanwaar kwamen ze? Ada verweet zichzelf dat ze de wolken niet had zien aankomen. In al haar bezorgdheid was ze blind geweest. Blind ook in mijn liefde? vroeg ze zich af. Was ik blind toen ik dinsdagavond hartstochtelijk naar hem verlangde? Onherkenbaar was hij toen. Net als nu. Maar op een andere manier. Ze had die avond te maken gehad met een vreemde die plots zin kreeg om zich te bevredigen met om het even welke vrouw. De chaos had haar overvallen. En zij had geen verzet geboden.

'Geen verzet,' herhaalde ze fluisterend. Meteen werd ze zich er pijnlijk van bewust dat ze alleen aan tafel zat, overgeleverd aan een vloedgolf van verontrustende gedachten, terwijl Franz boven lag te slapen. Ze verdroeg niet dat ze niet mocht weten wat er mis was met hem. Het moest iets heel ernstigs zijn. O, dat verzwijgen! Bijna speet het haar toch niet naar haar vriendin te zijn gegaan. Ze keek naar de fles wijn, die ontkurkt op tafel stond. Hij had zelfs geen glas gedronken. Ik zal dan maar zonder hem een glas drinken, poogde ze zichzelf te troosten. Ze schonk zich een half glas uit, leegde het langzaam, maar de wijn beviel haar niet. En de keuken was ineens leeg en koud: een doodse ruimte. Ada's blik gleed langs de witte muur tegenover haar en hechtte zich vast aan de foto van Oswald te paard, de foto die bij Franz een week geleden zoveel emoties wakker had geroepen. Ze dacht: 'Lieve Oswald, ik hoop dat je gelukkig bent... dat je nooit bang zult moeten zijn van donkere wolken.' Gelijk echter gaf ze er zich rekenschap van dat ze hem ondanks al haar bezorgdheid nooit voor een ongeluk zou kunnen behoeden. De hoop die ze koesterde, was doordrongen van angst en onzekerheid. Ze schrok. Ja, er was ook iets met Oswald aan de hand. Vermoedelijk daarom was Franz vandaag naar hem gereden. Ada stond op en ging naar boven. Zachtjes opende ze de deur van de slaapkamer. De lamp van de overloop wierp een zwak schijnsel in de kamer. Het rolluik was niet neergelaten. Door het venstergordijn sijpelde avondlicht naar binnen. Ze schoof het half open. Het was een vrij heldere avond. Achter kale boomkruinen scheen de maan. Franz werd niet wakker. Onbeweeglijk lag hij op zijn zij, half bedekt met de deken. Hij had zich niet eens de moeite getroost om zijn kleren uit te trekken. Ze vond het beroerd hem daar zo te zien liggen, ondergedompeld in een diepe slaap, de gekwetste hand gekromd naast zijn hoofd, de andere de rechterschouder omvattend alsof hij zichzelf in bescherming wilde nemen. Er ging een vreemde stilte van hem uit. Dezelfde kille stilte die ze had ervaren bij het doodsbed van haar ouders, en waarin ze zich even had voelen wegglijden, terwijl ze haar lippen op hun voorhoofd drukte. Ze wist niet wat haar bezielde, toen ze zich behoedzaam naast hem neervlijde. Wat is er? fluisterde haar hart na een poos. Zeg het. Dat zwijgen dient nergens toe. Wat weet je allemaal meer over Oswald en Ingrid? Ik ben zijn moeder, hoor je! En ze moest zich inhouden om niet te schreeuwen: Ik ben zijn moeder! Ik heb hem onder het hart gedragen!

Ada draaide zich naar Franz toe. Ze had de indruk dat hij zijn gekwetste hand uitstak om haar mee te voeren naar een plek waar ze nooit eerder was geweest, ver weg van de vertrouwde wereld. Gespannen wachtte ze af, terwijl ze haar blik een tijdje gevestigd hield op zijn bleke gezicht. Talloze vragen brandden op haar lippen. Grijp je vast aan mijn hand, leek hij te zeggen, en ik zal je leiden naar een antwoord. Ada raakte ze voorzichtig aan. Schroomvallig haast. Zijn hand bewoog. Onwillekeurig trok ze de hare terug. Ze voelde dat hij begon wakker te worden. Alsof hij in zijn slaap had gewacht op een aanraking. Ze merkte hoe zijn hand tastend over het laken gleed in haar richting. Zijn vingertoppen beroerden haar gezicht, haar lippen... slechts enkele seconden.

'Ada,' hoorde ze hem plots fluisteren, 'je bent hier.'

'Ja, Franz.' Streel me, smeekte haar hart, laat me niet los.

'Ik heb gedroomd, Ada.'

'Wat heb je gedroomd, Franz?' Ze zocht in de schemer zijn blik.

Hij sloot de ogen en zei: 'Ik droomde dat ik bijna was verdronken. Toen ik weer op de oever stond, kwam er een vrouw naar mij toe. Ze had droge kleren bij zich en warme drank. 'Dank je, Ursula,' zei ik... Ik noemde haar zo, omdat een stem me die naam influisterde. Ze knikte met een vriendelijke, bemoedigende glimlach. Daarop verdween ze.'

'Ken je soms iemand die Ursula heet? vroeg Ada.

'Nee... niemand.'

'Gelukkig is het goed afgelopen.'

'Het was maar een droom. Vergeet hem.'

'Nee...' Ze nam zijn gekwetste hand vast. 'Vertel me altijd je dromen, Franz.'

'En als ze slecht aflopen?'

'Ook dan.'

'Laat me nu, Ada. Ik wil nog wat slapen.'

'Moet ik je wakker komen maken?' Ze liet zijn hand los.

'Dat hoeft niet.'

Ze wilde hem op het voorhoofd een kus geven. Maar hij keerde haar de rug toe. Het kwam Ada voor als een afwijzing uit vrees om haar tederheid te moeten beantwoorden. Welke indrukken, welke onzekerheden zal hij nog oproepen, vroeg ze zich af, eer hij me zal vertellen wat ik *nu* niet mag weten.

Buiten weerklonk het klagende gehuil van een hond. Het steeg op vanuit de tuin, indringend en langgerekt. Ada stond op en ging kijken door het venster. Maar ze zag geen hond. Terwijl het gehuil wegstierf, liet ze haar blik dwalen langs de schimmige, kale boomkruinen. Toen ze merkte dat de maan haar eenzame reis had verdergezet en traag verdween achter een verre wolk, schoof ze het gordijn weer dicht, liet zacht het rolluik neer en verliet de kamer.

8

Zondagmorgen. Oswald luisterde naar de *Magnificat*-cantate van Bach, die over de radio werd uitgezonden. Nadat ze gezongen was, schakelde hij de radio uit en bleef een poos namijmeren. Dan ging hij aan zijn bureau zitten met andermaal de bedoeling de laatste hand te leggen aan zijn scriptie. Even geconcentreerd als altijd keek hij opnieuw zijn aantekeningen in. Na een twintigtal minuten schoof hij ze terzijde en nam een blad papier.

Terwijl hij peinsde over de gedachtegang die in het besluit moest worden ontwikkeld, kwam hem plotseling het denkbeeld voor de geest dat wie als Parcifal op zoek gaat naar de waarheid niet langer behoort tot de massa. Hij kon zich niet herinneren of hij die woorden ooit ergens had gelezen. En indien dat zo was – werd hij het met zichzelf eens – wat maakte het dan uit? Dan betekende dat gewoon dat er iemand was die net hetzelfde dacht als hij.

'Schrijf ze op,' zei het lege blad voor hem.

'Zover zijn we nog niet. Wacht nog even. We moeten goed overwegen wat we in het besluit kunnen opnemen.' (Hij draaide zijn balpen tussen de vingers.)

'Je aarzelt.'

'Ik denk na.'

'Ergens in je notities staat dat een kluizenaar tegen Parcifal zei: 'God is ook werkelijk de waarheid.' Wat ga je met die uitspraak aanvangen?'

'Ik weet het nog niet.'

'Je kan er moeilijk aan voorbijgaan.'

'Natuurlijk niet.' (Oswald legde zijn balpen neer.)

'Wat scheelt je?'

'Ik heb er nooit aan gedacht dat ik – zoals Filip zei – een opdracht moet vervullen, louter en alleen omdat ik aan God geloof.'

'Een opdracht heeft iedereen. Daaraan ontsnapt niemand. Zelfs Filip niet, die beweert dat hij niets anders wil dan van het leven genieten! Hij vlucht voor zichzelf, hij wil zijn ware opdracht niet kennen. Pure lafheid!'

'Hij heeft me nodig.'

'Juist. Om over zijn schilderijen te schrijven. Hij zal overal steun zoeken, vriendschappen aanknopen om bekend te geraken. Dát is zijn doel: naam verwerven, geld verdienen. Hij is eropuit om je in te palmen, hij kan wel iemand gebruiken die goed de pen hanteert, hij wil zien hoever hij met jou kan gaan. Alles is spel voor hem. En als hij je beu is, laat hij je vallen.'

'Ik zal het zover niet laten komen. Trouwens, als ik zijn schilderijen maar niks vind, dan hoeft hij op mij niet te rekenen, dan zeg ik het hem gewoon. Dat is een kwestie van eerlijkheid.'

'Je stelt je op alsof je iets van kunst afweet, Oswald. Toegegeven, je bent een kunstminnaar, je bent erg gevoelig voor al wat schoon is, maar met dat gevoel loop je de dag van vandaag niet ver. Hou je bij de studie van de middeleeuwen, bij teksten over ridderschap en Parcifal.'

'Is dat mijn opdracht? Me opsluiten in een bibliotheek en mijn hele leven wijden aan de studie van oude geschriften?'

'Je hebt gekozen voor het verleden.'

'Ervoor gekozen om het te ontsluieren! Is het dat wat je mij wil laten zeggen?'

'Het behoort in ieder geval tot je opdracht.'

'En… Is er nog iets?'

'Herinner je je wat Parcifal tegen de kluizenaar zei?'

'Zeg het me!'

'Ik hunker naar de graal, en ik mis ook mijn vrouw.'

'Hij heeft haar achtergelaten omdat... omdat de graal het hoogste doel in zijn leven was.'

'Dwaas om voor zoiets onwezenlijks je vrouw achter te laten!'

'Ze kon hem niet tegenhouden.'

'Zijn moeder ook niet. Toen hij vertrokken was om ridder te worden, stierf ze van verdriet. Vergeet dat nooit!'

'Ik zal mijn moeder nooit verdriet berokkenen. Dan sterf ik liever zelf.'

'Beste Oswald, je wijkt af van wat je je hebt voorgenomen. Je zou werken aan je scriptie. Er zijn je daarstraks belangwekkende woorden door het hoofd geflitst. Schrijf ze op! Je kan me niet onbeschreven laten. Voor het ogenblik is je scriptie jouw opdracht!'

'Misschien had ik een ander onderwerp moeten kiezen, andere studies aanvangen...'

'Het is te laat.'

'Ja, ik weet het. Het ging allemaal zo gemakkelijk.'

'Té gemakkelijk, zei je. Studeren liep van een leien dakje. Je ging helemaal op in je studies, tot je Ingrid leerde kennen... tot ze van jou verwachtte...'

'Zwijg. Ik weet het. Ik had haar niet mogen ontmoeten.'

'Je moet naar haar terugkeren.'

'Ik kan niet.'

'De held die je zo bewondert, is naar zijn vrouw teruggekeerd.'

'Hij martelt me. Ik kan niet worden als hij.'

'Nog niet. Maar je zal het leren.'

'Ik wil me niets laten voorschrijven. Ik wil mezelf zijn!'

'Je hebt gelijk. Dat kan ik best begrijpen. Het spreekt voor zich dat je niet hoeft te denken wat anderen denken. Stel gerust vragen bij wat men je voorhoudt, zoek je eigen weg. Daarmee heb je al een uitzonderlijke daad gesteld.'

'De weg waarheen?'

'Naar je ware zelf, zoals de lectuur van Parcifal je wel zal hebben bijgebracht.'

'Mijn ware zelf... Ja, die wil ik kennen!'

'De graal in elke mens.'

'Ik zal afscheid nemen van mama, al is er niemand anders van wie ik meer kan houden. Ze zal het begrijpen en niet treuren. Ik zal verhuizen. Zodra ik afgestudeerd ben, zal ik verhuizen naar een andere stad, op reis gaan, de wereld zien... werken en mensen helpen!'

'Vergeet je scriptie niet. De tijd dringt. En dan is er nog dat opstel over de pelgrimstochten. Het is goed dat je aan de toekomst denkt, maar voorlopig ben je nog student. Je mag je ouders niet ontgoochelen.'

'Dat zal ik niet doen. Ik schrijf wel verder. Binnenkort krijgen ze mijn scriptie te lezen. Weet je, papa heeft een mooi boek gelezen van een zekere Ursula Vere. Hij zou het graag uitgeven, maar de schrijfster twijfelt. 'Ze is ineens bang geworden,' zegt hij. Onbegrijpelijk! Ik heb hem gevraagd om het ook eens te lezen...'

'Denk nu aan je scriptie!'

'Ja, ik zal die belangwekkende woorden die me daarstraks te binnen zijn geschoten, maar noteren, anders vergeet ik ze nog.'

Terstond schreef hij:

Wie als Parcifal op zoek gaat naar de waarheid behoort niet langer tot de massa...

Het leek of hij stilaan ontwaakte uit een lange droom.

Toen Oswald de woorden op papier zag staan, overviel hem een gevoel van verlorenheid. Hij bleef er een poos naar staren. Ze stonden in het midden van het blad, alsof ze aan een gedachtegang waren ontsnapt en een definitief besluit wilden zijn van zijn scriptie: de zin waarmee alles kan worden samengevat. Oswald begreep dat hij naar deze zin toe moest schrijven... Hij keek door het raam. Van achter de wolken kwam de zon weifelend te voorschijn. In de straat weerklonk kort en nijdig het getoeter van een auto. Hij legde zijn balpen neer, trok zijn jack aan en verliet met een onrustig gemoed zijn studio.

Net als in het begin van de week wandelde Oswald naar het buurttuintje dat aan de rivier lag. Daar zat hij een tijdje op de bank tot er luidruchtige jongeren opdoken. Gedachteloos liep hij weer verder, af en toe halt houdend voor een winkelraam. Een juwelierszaak bracht hem zijn gouden ring in herinnering. 'Ik zal de ring aan mama geven, wanneer ik ben afgestudeerd,' zei hij bij zichzelf, 'dan zal ze hem wel aannemen, zij is de enige die hem mag dragen.' Toen hij voor de kathedraal stond, besloot hij een bezoek te brengen aan de Lam Gods-kapel, maar ze was nog gesloten. Pas om twee uur ging ze open. Hij zette zich neer op een stoel achteraan en volgde verstrooid de mis die voor een kleine groep gelovigen werd opgedragen.

Na de consecratie ging hij naar buiten, doolde rond in het centrum en stapte ten slotte hongerig geworden een eetcafé binnen. Terwijl hij een broodje at, doorbladerde hij de krant die op zijn tafeltje was achtergelaten. Hij las in een interview met een politicus dat alle middelen goed zijn om de verzuring en de onverdraagzaamheid in de samenleving te bestrijden, op de volgende bladzijde: 'Jonge fietser op slag dood – autobestuurder pleegt vluchtmisdrijf', 'Nederlandse moeder verdronk vier baby's in bad... de kinderen waren ongewenst... de moeder zou voor de verdrinkingsdood gekozen hebben omdat het de minste sporen nalaat en dit het meest humaan zou zijn', dan op dezelfde bladzijde een even ontstellend moordbericht: 'Mijn moeder mengde pillen in mijn oma's koffie en ging dan op het toilet zitten wachten terwijl moemoe stilletjes doodging in haar rolstoel, en waarom? Omdat het rusthuis te veel kostte...' Oswald vouwde de krant dicht en staarde somber voor zich uit. Ongewild ving hij flarden op van een gesprek tussen twee oudere vrouwen die aan het tafeltje naast het zijne waren komen zitten. Ze spraken over hun kinderen die pas gebouwd hadden, gelukkig genoeg verdienden ('Ja, de dag van vandaag moet ge met twee gaan werken...') en veel 'schoon reizen maakten' ('Ze moeten er maar van profiteren, dat konden wij niet in onze jonge tijd...'). Hij stond op, liep naar het toilet waar hij op de muur schunnige opschriften las. Weerzin welde in hem op. Hij stak zijn rechterhand onder de kraan, verfriste zijn voorhoofd. Bij zijn terugkeer bestelde hij een glas bier en ging aan een ander tafeltje zitten. Nog een klein uur, en dan zou hij naar de kathedraal weerkeren. Hij liet zijn blik ronddwalen en had de indruk dat niemand écht zat te wachten, behalve hij. 'Als men eens wist waarop ik wacht,' zei hij bij zichzelf, 'dat ik wacht tot de deur opengaat en me een wonder van schoonheid tegemoet zal stralen. Straks ga ik een andere wereld binnen, maar voorlopig zit ik nog hier.'

Hij bedwong zijn ongeduld. Peinsde: Indien ik kon tekenen of schilderen zoals Filip, dan zou ik voor mijn plezier een paar portretten maken, bijvoorbeeld van die vrouwen die zo enthousiast over hun kinderen spreken; of was ik schrijver, dan schreef ik het bericht van het vluchtmisdrijf uit tot een waar verhaal: Wie is de dader? Wat gaat er in hem om nadat hij op de vlucht is geslagen? Die chauffeur zou het zeker niet hebben geloofd wanneer men hem had gezegd dat hij ooit iemand zou doodrijden... maar plots stelt hij de onvoorziene daad, plots zal door de dood van de jonge fietser zijn leven niet meer zijn zoals voorheen. Oswald had het gevoel dat hij het verhaal zou kunnen schrijven, zelfs het verhaal van de politicus voor wie alle middelen goed zijn. Maar moeders die hun kind of kinderen die hun moeder vermoorden... nee, daar zou hij geen woorden voor vinden!

En wat als men hem vroeg iets over zichzelf aan het papier toe te vertrouwen? Zou het geen onbegrijpelijk verhaal worden? Geen ongeloofwaardige geschiedenis waaraan niemand wat heeft? Gelijk werd Oswald zich ervan bewust dat hij aardig op weg was om zijn eigen leven in vraag te stellen, en dat terwijl anderen van het leven werden beroofd alsof ze er geen recht op hadden! Hij schaamde zich. Dronk zijn glas leeg en bestelde er nog een.

Het verband dat om zijn linkerhand zat, was aan het loskomen. Hij spande het wat strakker aan. Het meisje dat Nina heette, verscheen hem voor de ogen, het meisje dat in het jazzcafé zijn gekwetste hand had verzorgd en er plezier in had gevonden uit te pakken met haar verleidingskunsten. Hij hoorde haar weer zeggen, heel duidelijk alsof ze naast hem zat: 'Ik zou je arme, gekwetste hand willen kussen, maar dan zou ik bloed proeven… Oswald.' Vergeefs probeerde hij de herinnering aan hun ontmoeting uit zijn gedachten te bannen. Ze drong zich met zo'n pijnlijke scherpte op dat hij uit onmacht zijn glas vastgreep en fluisterde: 'Laat me… alsjeblief laat me.' Hij keek om zich heen. Nee, niemand had iets gehoord, niemand stoorde zich aan zijn aanwezigheid. 'Ik ben blij dat ik met jou heb kunnen kennismaken,' zei Nina. 'In godsnaam, laat me…' fluisterde hij opnieuw. Maar had hij haar niet spontaan gezegd waar hij woonde, toen ze het vroeg? Waaruit ze natuurlijk kon besluiten dat hij helemaal geen bezwaren had tegen een mogelijk weerzien.

Doch het was *zij* die de stap zou moeten zetten, want hij had niet eens haar adres gekregen. Het gaf hem een schok dat hij verplicht was te erkennen dat hij in de grond niets tegen een weerzien had, integendeel… Nee, stelde hij zichzelf dadelijk gerust, ik kan er niets op tegen hebben, ze is immers heel bezorgd geweest en zou zelfs die snijwonde hebben dichtgenaaid.

Met een afwezige blik voor zich uitstarend en met om de lippen een zonderling glimlachje bleef Oswald in het café zitten tot het tijd werd om zich op weg te begeven naar de kathedraal.

Vervuld van schroom staat hij voor het geopende retabel en kijkt van het ene paneel naar het andere. Het is of hem een kunstwerk wordt getoond waar hij lang en met spanning naar heeft uitgekeken, en dat hem moet inwijden in een verborgen kennis. Hij ziet een wonderbaarlijk gebeuren dat zich tegelijkertijd zo ontzettend nabij en zo onbereikbaar ver afspeelt dat het hem pijn doet toeschouwer te moeten blijven. Een hevig heimwee verdringt zijn schroom. Bezoekers omstuwen hem. Doch hij verroert zich niet. Wil wachten tot hij oog in oog zal staan met het naakte mysterie. Een paradijselijke tuin werd ontsloten. En in die weidse, eeuwig groene tuin vol licht ziet hij apostelen, bisschoppen en profeten, maagden en belijders. Ridders en rechtvaardige rechters te paard, armoedige kluizenaars en pelgrims in ruwe pij zijn nog onderweg. De hele gelovige wereld is in beweging om het onschuldige lam te zien en te aanbidden. Wie in de tuin is aangekomen, kan zich laven aan het fonkelende water van de fontein dat alle dorst voor immer lest. Langzaam schrijden vanuit verschillende richtingen de stilzwijgende, ingetogen groepen naar het altaar met het lam. Stapvoets gaan de paarden. Hij wil zich aansluiten bij de pelgrims. O, hoe hunkert hij ernaar opgenomen te worden en alles achter zich te laten om de tuin te kunnen binnengaan en neer te knielen! Het is niet moeilijk om wat bezittingen weg te schenken: boeken, een muziekinstallatie, een laptop, een gouden ring... zelfs niet om alle welstand en ambities op te geven, of zijn huis open te stellen voor berooiden en vervolgden, maar veel moeilijker is het om zich los te maken van geheime herinneringen, van verboden gedachten, gevoelens, verlangens... die hem telkens weer terugdrijven in de armen van zijn moeder. Ja, hij is bereid te luisteren naar de stem die zegt: 'Zo ge volmaakt wilt zijn, kom dan en volg mij.' Het is de stem van Christus die zelf pelgrim was en de ware weg toonde, de weg naar de bevrijding.

'Mama,' prevelt hij nauwelijks hoorbaar, 'laat me gaan, mama.' Oswald richt zijn blik op de figuren die boven het lam en zijn scharen aanbidders zijn afgebeeld. Hij ziet Eva, verlokkend naakt boven de groep pelgrims aangevoerd door een reuzengestalte gekleed in een lange, rode mantel. Ze toont de vrucht waarmee ze Adam heeft verleid en drukt met haar linkerhand een blad tegen de donkere plek tussen haar dijen. Hij voelt de gloed die haar matglanzende lichaam uitstraalt, zou zijn hoofd willen neervlijen op haar welvende schoot, haar borsten willen strelen en kussen. Hij bekijkt haar gelaat, poogt haar mysterieuze blik te doorgronden en te achterhalen of zij zich ervan bewust is wat haar daad heeft teweeggebracht.

'Zonder jou geen aanbidding van het lam, lieve Eva. Je hebt gebruik gemaakt van je vrijheid en de goddelijke wet overtreden. Waarom heeft de schepper je die vrijheid geschonken? Waarom heeft hij je die wet opgelegd? Ja, ook jij bent een beeld van hem! Jij die we zondares moesten noemen... jij bent onze oudste moeder. Van jou mag ik houden, dat is niet tegen de wet. Je bent uit het paradijs verdreven, maar je bent er opnieuw in opgenomen. Je hebt genade gekregen. Was je voor eeuwig verdoemd, dan met jou de hele schepping! Er zouden geen ridders zijn op zoek naar de graal, geen Christus en apostelen met een reddende boodschap, ook geen profeten, patriarchen en bisschoppen die ons waarschuwen en ons voorhouden naar waarheid te leven. Nee, een onbereikbare schepper die zich niet over ons ontfermt en de hemelpoorten voor immer gesloten houdt, bestaat niet. Zo hij wel bestond, dan heerste er volstrekte verwarring en chaos! Pelgrims zouden doelloos ronddwalen, kluizenaars gek worden van een zinloze eenzaamheid. En voor wie zouden de maagden nog maagd moeten blijven? Waarvoor zou de onschuldige Ursula dan haar leven moeten opofferen? Er is genade, lieve Eva... ook voor moeders die hun kind hebben vermoord of hun hulpeloze, oude moeder. Hoor je Johannes die Jezus heeft gedoopt en nu naast hem zit, niet zeggen: 'Zie het Lam Gods dat de zonden van de wereld wegneemt; zie hoe het licht uit de hemel neerdaalt, hoe de goddelijke kracht de hele schepping doorstraalt, terwijl engelen het Agnus Dei zingen?' Al die schoonheid is de vrucht van je daad, Eva. Het zegenende gebaar van de Koninklijke Christus is ook voor jou bestemd, en voor de berouwvolle Adam. Ook voor jou vergiet het Lam zijn verlossende bloed, voor jou die aan het begin staat van het menselijke en goddelijke drama. Ik wil je omhelzen, Eva, en me op weg begeven. Ik wil de echte hemel zien waarvan deze paradijselijke tuin slechts een zwakke afstraling is. Ik wil dat Maria haar boek neerlegt, me de hand reikt en me de hemel binnenleidt.

O Eva, gun me dit voorrecht! Laat Maria het zegel van de hemelpoort verbreken.'

Als in een extatische roes verliet Oswald de kathedraal. Hij moest zich inhouden om niet in tranen uit te barsten, niet een voorbijganger aan te klampen om te vragen: 'Ben je al naar het Lam Gods geweest?' Aan iedereen die hij tegenkwam, had hij willen zeggen: 'Ik heb zopas de ziel van de stad ontdekt. Ga kijken naar het Lam Gods en je zult dingen zien die je nog nooit hebt gezien.' Hij kwam aan de rivier. In het donkere water schitterde de zon, alsof de ziel zich erin weerspiegelde. Toen hij de brug over was gewandeld, stelde hij vast dat hij zich in de buurt bevond van het café waar hij vrijdagavond de snijwonde had opgelopen. Het lag niet op de weg naar zijn studio, maar onwillekeurig sloeg hij de straat in die ernaartoe leidde. Toen hij voor het bewuste café stond, duwde hij werktuigelijk de deur open. In een flits zag hij Luc en Marc, de twee toneelspelers die een scène uit Elkerlijk hadden geparodieerd. Nina was niet bij hen. Hij wilde rechtsomkeer maken, maar ze deden teken om bij hen te komen zitten.

'Wat een verrassing,' zei Luc. 'Kom je nog eens de plaats des onheils opzoeken?'

'Ik was toevallig in de buurt.'

'Op wandel geweest?'

'Ja.'

'En je hand? Kan je ze nog gebruiken?'

'Dat gaat wel.'

'Waarom niet... Waar een wil is, is een weg. Dan bereik je zelf het hoogste.'

'Het hoogste?'

'Wel ja, dat wil je toch bereiken? Je hebt zelfs beweerd dat je pas dan echt gelukkig kan zijn.'

'Ik ben de laatste om te ontkennen dat ik zoiets gezegd heb.'

'En je blijft erbij?' vroeg Marc. 'Bij zo'n twijfelachtige uitspraak.'

'Ik neem er geen enkel woord van terug.'

'Maar dat is pure onzin! Je kan toch niet volhouden dat je niet gewoon gelukkig kan zijn zonder te denken aan hogere dingen. Overigens, wat moet ik me bij dat hoogste voorstellen? Je moet wel heel ongelukkig zijn, Oswald. Of niet soms?'

'Laat het, Marc,' zei Luc. En tot Oswald: 'We hebben het daarnet nog over jou gehad. En we waren juist tot de conclusie gekomen dat je – wat ook Nina denkt – toch wel heus een idealist moet zijn, toen je plots binnenkwam, bijna als een geest die op het toneel verschijnt. Sorry voor de beroepsmisvorming!' Hij riep de dienster en bestelde een rondje.

'Ik kan niet lang blijven,' zei Oswald verontschuldigend.

'Dat zijn wij ook niet van plan,' zei Marc. 'Maar laten we het nog even hebben over dat hoogste van jou. Waar denk je dat te vinden?'

'Ik heb er vandaag een glimp van opgevangen,' fluisterde Oswald. 'Niet ver van hier.' Ze keken hem verbaasd aan.

'Niet ver van hier,' herhaalde hij. 'Maar bereikt? O, nee! Ik weet niet of ik daar ooit zal in slagen, ik weet het werkelijk niet.'

'Niet opgeven, Oswald,' gekscheerde Luc die dacht dat hij een grapje zat te verkopen. 'Wij willen ook zo perfect mogelijk onze rol spelen en daar gaan wij straks in oefenen. Maar zeg eens, wat heb je juist gezien?' Hij knipoogde naar Marc.

'Gezien... Nee, dat is niet het correcte woord. Eigenlijk heb ik het niet gezien. Nog niet. Het schoonste houdt zich altijd verborgen.'

'Als een parel in een oesterschelp,' lachte Marc.

'Zo is het een beetje.'

'Ha, we zijn op de goede weg om het raadsel op te lossen. We houden wel van wat geheimzinnigheid. Je speelt het echt leuk, Oswald. Kom, geef ons nog een hint!'

Oswald aarzelde. Zijn gezicht versomberde. 'Ik speel niet,' mompelde hij. 'Ga naar de kathedraal.'

'Wat!' Luc keek hem ongelovig aan. 'Moeten we soms de toren beklimmen?'

'Waarom niet? Je kan niet hoog genoeg klimmen.'

'Hou ons niet voor de gek, Oswald. Als je het ernstig meent, dan begrijp ik er niets meer van.'

'Dat is absoluut niet erg. Trouwens,' zijn gezicht klaarde weer op, 'neem me niet kwalijk... wat mijn ogen hebben mogen zien – als ik me dan toch zo moet uitdrukken – is bloedernstig, en onbegrijpelijk.'

'Waar heb je het in godsnaam over?' vroeg Marc ongeduldig.

'Ga naar de kathedraal,' drong Oswald met zachte stem aan. 'Ga kijken naar het Lam Gods.'

'O,' zei Marc teleurgesteld, 'dat schilderij van Van Eyck, een Vlaamse primitief. Ik snap niet wat je bezielt om daar zo mysterieus over te doen. Dat werk is overbekend. Een eeuwenoud schilderij heb je gezien, gewoon de voorstelling van wat de mensen toen in hun onwetendheid bezighield, en niets anders.'

'Eeuwenoud, ja!' onderbrak Oswald hem. 'Een eeuwenoud mysterie. Maar nu moet ik gaan.' Hij stond op.

'Blijf nog wat,' zei Luc. 'Je hebt niet eens van je glas gedronken. Laten we het even over wat anders hebben, over die vriend van jou die een portret van Nina wil schilderen.'

'Nee, nu niet. Het spijt me.' Hij beet op de onderlip. Er was iets in hem dat hij niet onder controle had, iets dat hem eensklaps zou doen grijpen naar het glas om het stuk te gooien.

Een boosaardig spottend lachje speelde over het gezicht van Luc. Meteen zag Oswald hem weer in de rol van de dood die Elkerlijk de boodschap komt brengen dat hij voor God moet verschijnen. 'Ik moet gaan,' zei hij nogmaals. Dit keer erg geprikkeld.

'We houden je niet tegen, ouwe jongen,' reageerde Marc haastig op een sussende toon. 'Echt niet! Tot ziens... en – hij nam Oswalds onaangeroerde glas bier – op je gezondheid!'

Oswald was niet in de stemming om aan zijn scriptie te werken. De toevallige ontmoeting met de twee toneelspelers had een abrupt einde gesteld aan de als het ware extatische roes die het bezoek aan het Lam Gods bij hem had teweeggebracht, en hem een bui van melancholie en vage nostalgie bezorgd. Hij zat in zijn fauteuil, starend naar zijn bureau waarop zijn notities lagen. Ineens hoorde hij een stem in hem zeggen:

'Die ontmoeting was niet toevallig. Je bent niet uit vrije wil naar dat café teruggekeerd.' 'Je hebt gelijk,' fluisterde hij na een poos. Dan kwam hij uit zijn fauteuil en zette een cd op: het *strijkkwintet* van Schubert, waarnaar hij een week geleden thuis nog had geluisterd, tezamen met zijn vader. Gespannen wachtte hij op het adagio. De laatste noten van het allegro weerklonken, Oswald sloot de ogen, en toen werd er gebeld. Hij zette de cd-speler af en ging naar beneden. Het was Nina. Totaal verbouwereerd keek hij haar aan.

'Ik kom op ziekenbezoek,' zei ze met een ontwapenende glimlach. 'Ik stoor toch niet, hoop ik?'

Hij schudde het hoofd. Ze had een langwerpig, cilindervormig pakje bij zich; te zien aan de rode geschenkverpakking blijkbaar een cadeautje. Haar leren jasje waaronder ze een zwarte trui droeg, hing open boven een spannende jeansbroek.

'Kom binnen,' mompelde hij. 'Maar veel tijd heb ik niet.'

'Dat begrijp ik.' Ze volgde hem. 'Je hebt een comfortabele studio,' zei ze zodra hij haar had binnengeleid. 'Alles wat een student nodig heeft, ruimschoots genoeg zelfs, dat zie je direct.'

Hij zweeg. Wist niet goed wat antwoorden. Maar zijn zwaarmoedige bui begon stilaan weg te trekken.

'Hier... Ik heb iets meegebracht.' Ze gaf hem het pakje. Hij legde het neer op zijn bureau. 'Wil je niet weten wat erin zit?' Haar ogen schitterden. Met onwillige vingers begon hij het geschenk uit zijn verpakking te halen. 'Voorzichtig, Oswald!' Ze legde een hand op de zijne, zijn linker. Vederlicht rustte ze op het verband. 'Je kan je vingers nog goed gebruiken,' fluisterde ze. 'Maar eerst raden wat ik heb meegebracht!'

'Geen idee,' zei hij.

'Ik zal je helpen: het is iets dat je kan oprollen.'

'Papier natuurlijk.'

'Ja, maar geen leeg blad. Kies tussen een tekst of een afbeelding.' Hij trok de schouders op. 'Denk aan het gesprek vrijdagavond in het café. Jullie hadden het over de vrouw. Filip sprak over een vrouw van vlees en bloed!' Ze lachte. 'Hij is immers ook een schilder! Nu moet je het weten, Oswald.' Haar vingertoppen streelden even zijn vingers. Ze liet zijn hand los. 'Weet je het?'

Hij knikte.

'Zeg het.'

'Maja,' zei hij, 'de Maja van Goya.'

'Juist. Ik heb gisteren een reproductie gekocht.'

Oswald rolde ze open, streek ze glad en legde ze op het blad papier waarop hij enkele uren geleden de aantekening over Parcifal had geschreven: hij wilde niet dat ze die las. De afbeelding gaf hem een schok. Hij wendde zijn blik af.

'Zie je Oswald, zij stelt niet de illusie voor. Geef toe! Zij is de nimf die in een grot de liefde bedreef met Zeus, zij is de godin van de vruchtbaarheid. Heb ik lekker opgezocht!'

'Doet er niet toe. Zij is de sluier van Brahman,' zei hij koppig. 'Zij verbergt een goddelijke kracht.'

'Ik heb geen zin om te redetwisten. Wat vind je van deze ongesluierde Maja?'

Hij keek. Langer nu. Opnieuw gaf de afbeelding hem een schok. Intenser en dieper dan de eerste keer. Hij kende Goya's schilderij dat de executie van de Madrileense opstandelingen uitbeeldde, maar dit hier had hij nooit eerder gezien. Een jonge vrouw lag verblindend naakt uitgestrekt op een deken en een paar kussens, het lichaam schaamteloos gekeerd naar de toeschouwer. Ze hield de armen achter het hoofd als om zich nog beter te kunnen tonen. In haar blik school een berekende uitdaging die hem fascineerde, meer nog dan de mooie, verleidelijke ronde vormen van haar lichaam. 'Eva,' liet hij zich ontvallen, 'of toch niet... nee, niet zij!'

'Eva?' zei Nina verwonderd.

'Die van het Lam Gods.'

'Ach zo...'

'Heb je het al gezien?'

'Nee.'

'Jij ook al niet!'

'We kunnen samen gaan kijken.'

'Nu is het te laat.'

'Nu? Natuurlijk niet nu. We zullen láter gaan, wanneer je tijd hebt. Die wil je voor mij wel vrijmaken, hoop ik?'

Hij knikte. Keek weer naar de naakte Maja.

'Mooi hé!' zei ze. 'Je moet haar een plaatsje geven in je kamer.' Ze liet haar ogen ronddwalen. 'O, maar je hebt al iets hangen! Een madonna, zie ik. En net boven het voeteneinde van het bed.' Ze lachte.

Alsof ze die pas nu heeft opgemerkt, dacht Oswald. 'Een idee van mijn huisbazin,' mompelde hij. 'Ze was blij dat ik de madonna liet hangen.' Het maakte hem korzelig dat hij net hetzelfde moest zeggen als tegen zijn vader, toen die op bezoek was.

'Jij zou ook zoiets ophangen, denk ik.'

'Waarom niet?'

'Nu heb je wat anders! Het zou echt leuk zijn als je madonna gezelschap kreeg van Maja.' Weer lachte ze.

'Wil je iets drinken?' vroeg hij.

'Heb je thee?'

Hij somde op: 'Citroen, bosvruchten, munt, groene thee, earl grey tea. Enkele maanden geleden gekocht. Een gril.'

'Wat een keuze! Nu mag ik van je gril genieten.'

Terwijl Oswald thee zette en de tafel dekte, nam Nina het blad papier met zijn aantekening over Parcifal van onder de reproductie van Maja.

'Je houdt blijkbaar van Parcifal,' zei ze. 'Dat kan ook moeilijk anders, je bent een mediëvist. Maar wat een vreemde zin! Komt die van jou?'

'Het zou kunnen, hij schoot me in ieder geval te binnen.'

'Wil je me doen geloven dat je het niet weet?'

Hij wilde niet dat ze zijn verborgen wereld zou binnendringen en gaf geen antwoord.

'Kom je?' vroeg hij.

Nina legde het papier terug op het bureau en zei: 'Sorry dat ik je niet geholpen heb.'

'Helemaal niet erg. Je ziet dat ik het wel redden kan.'

Ze gingen tegenover elkaar zitten aan het keukentafeltje.

'Je bent een echte gastheer,' merkte Nina op. 'Ik heb de indruk dat je gewoon bent bezoek te ontvangen.' Ze dompelde een builtje munt in het hete water.

'Bezoek... heel zelden.' Plots moest hij terugdenken aan Ingrid. Hij sloeg de ogen neer.

'Je hebt toch vrienden? Filip heb ik al gezien.'

'Ach, Filip!'

'Is hij dan geen vriend?'

'Nee, eigenlijk niet. Hij was een klasgenoot in mijn collegetijd. We hebben elkaar opnieuw ontmoet een week geleden, heel toevallig.'

'En was je eergisteren niet met hem uit geweest, dan zat ik nu niet hier. Zeg, hij heeft me deze morgen opgebeld.'

'Waarvoor?'

'Voor dat portret natuurlijk! Hij was van plan om vandaag naar mij te komen, maar ik heb hem gezegd dat ik weg moest. Als mijn portret af is, moet je me zeggen wat je ervan denkt.'

'Ik ben geen kunstkenner.'

'Dat geloof ik niet.' Ze trok het theebuiltje uit haar kop, legde het op haar bordje en nam een slok. 'Heerlijk! Je krijgt het er zo warm van.' Ze deed haar jasje uit en hing het over de rugleuning van haar stoel. 'Wat drink jij?'

'Bosvruchten.'

'Laat me eens proeven. Ja, de smaak van braambessen.' Ze zette zijn kop terug.

'Weet je waaraan ik denk?' Filip mag mijn portret alleen maken, wanneer hij het me geeft. En als *jij* het mooi vindt, dan krijg je het.'

'Dat kan je niet van hem eisen.'

'Waarom niet? Ik poseer... en in ruil daarvoor wil ik zijn schilderij. Ik ben benieuwd of hij het zal kunnen afstaan. Trouwens, ik vermoed dat hij me eerder als een Maja zou willen schilderen. Denk jij dat ook niet? En dan mag ik toch zeker voorwaarden stellen!'

'Je hoeft me niet te vertellen wat Filip van plan zou kunnen zijn,' mompelde Oswald.

'Maar ik mag je toch zeggen wat *ik* van plan ben. Hé, wat kijk je somber!' Ze zocht zijn blik. Hij ontweek hem. 'Heb ik soms iets gezegd dat je niet graag hoort?' vroeg ze argeloos. 'Vind je het erg dat ik voor Filip ga poseren? Van mij mag je erbij zijn, als je dat wil.'

'Waarom zou ik erbij moeten zijn?' Het lukte hem niet een onverschillige toon aan te slaan. Zijn vraag verried zoveel weerloosheid dat ze dadelijk begreep wat er in hem omging.

'Je moet niet, Oswald. Overigens, ik denk dat Filip niet zou willen dat iemand op zijn vingers zit te kijken.'

'Nee, dat zou hij zeker niet graag hebben.'

'Mooi gezegd!' Ze lachte. Ineens werd ze ernstig. Ze schoof achteruit op haar stoel alsof ze afstand wilde nemen. Haar ogen stonden nadenkend. Er verscheen zelfs een vertederend weemoedig trekje om haar mond. Instinctief nam Oswald haar rechterhand vast, die nog op tafel rustte. Ze trok ze terug. 'Ik zit je hier maar van je werk te houden,' zei ze.

'Ik was niet aan het werken. Je mag gerust nog wat blijven.' Hij sprak vlug en met nadruk. Kennelijk werd hij door een onstuitbaar gevoel naar haar toe gedreven. Maar ze leek het niet te willen zien.

'Daarstraks heb je gezegd dat je niet veel tijd hebt,' merkte ze op.

Hij kreeg een kleur. Staarde naar zijn kop thee waarvan hij nauwelijks wat gedronken had. Hij voelde zich niet eens meer in staat om behoorlijk na te denken. Kon ook niet begrijpen waarom ze haar hand had teruggetrokken, dezelfde hand die vrijdagavond zijn dij had gestreeld en waarmee ze het bloed van zijn gezicht had gewist. God, hoe verlangde hij ernaar weer door die hand te worden aangeraakt! Hoe gemakkelijk was ze erin geslaagd dat verlangen op te wekken! 'Ik heb wel tijd,' stamelde hij, 'ik heb immers thee gezet...'

'Och, ik vergeef je die leugen. Want je bent toch net als die Parcifal op zoek naar de waarheid?'

'Zwijg daarover,' fluisterde hij.

'Jammer. Ik had je graag beter leren kennen. Je bent een zonderling, Oswald.' Ze stond op.

'Ga je weg?'

'We zullen elkaar nog terugzien, heel spoedig als je dat wenst.'

'Ik wens het...' Hij hief het hoofd op.

'Werkelijk? Maar dan mag je niet meer zeggen dat ik moet zwijgen. Beloofd?'

Hij knikte en zei met een stem die hij niet als de zijne herkende: 'Nina, kom heel spoedig terug.'

'Ik kom,' hoorde hij, 'je hoeft niet ongerust te zijn.' Ze ging bij hem staan. Zijn hart bonsde hevig. Hij gloeide. Heel even kwam hem opnieuw Ingrid voor de geest. Ik heb haar nooit ongelukkig willen maken, dacht hij in een flits, nee – nooit zou ze met mij gelukkig kunnen zijn! En Nina? vroeg hij zich af. Is het niet beter dat ze nu weggaat?

Oswald stond eveneens op. Hun blikken ontmoetten elkaar, hij wilde nog wegkijken, maar haar blik hield de zijne gevangen in een peilloze diepte. Haar gezicht naderde zijn gezicht. Zijn verlangen nam toe. Met een vlijmende pijn. En net voor ze haar vochtige lippen op zijn gesloten mond zou drukken, omhelsde hij haar en borg zijn gezicht in haar hals.

'Je versmacht me bijna,' fluisterde ze, terwijl ze zich zachtjes uit zijn omhelzing poogde los te maken. Ze wist haar handen op zijn schouders te leggen en duwde hem een beetje van zich af. 'Niet zo geweldig, Oswald! Je zou niet zeggen dat je je hand hebt gekwetst, straks gaat de wonde open en begint ze weer te bloeden.' Ze kuste hem op de mond. Hij proefde de zoete smaak van haar tong en gaf haar een lange kus terug. Doch toen zijn tong haar mondholte wilde binnendringen, duwde ze hem andermaal terug. Hij ging aan zijn bureau zitten.

'Ga niet weg,' smeekte hij. Zijn lichaam brandde. Alsof het zich te lang aan een schroeiende zon had blootgesteld.

'Dat was geen afscheidskus, Oswald.'

'Nee…'

'Het hangt van jou af, alleen van jou.' Plots zweeg ze.

'Wat bedoel je?'

'Wil je echt dat ik blijf?'

'Vraag dat niet! Je martelt me, Nina, je martelt me vreselijk en je weet het! Ik zie het aan je ogen, je mond… Nooit zal ik nog een mond proeven als de jouwe. Martel me, Nina, martel me! Ruk het verband van mijn hand, laat het bloed vloeien over je lichaam. O, laat me zien hoe het bloed over je lichaam vloeit!' Hij strekte zijn handen uit, zeeg neer op zijn knieën en omhelsde haar benen. 'Nina, luister naar mij. Luister je?'

'Ja, Oswald. Elk woord heb ik verstaan en geen enkel woord is gelogen. Nu ben ik er zeker van dat je wil dat ik blijf. Sta op, Oswald!' Hij gehoorzaamde. 'Ga op bed liggen, sluit je ogen.' Opnieuw gehoorzaamde hij. De hele kamer zonk weg in een diepe stilte. Hij voelde tot in zijn fijnste vezels dat er iets op til was. Wanneer hij de ogen opende, zou hij het weten, maar ze had het hem verboden. Het verbod kluisterde hem vast aan het bed. Het bed waarop zijn vader zich gisteren in een ogenblik van zwakte had neergelegd. Ik mag niet zwak worden, zei hij bij zichzelf, bij Ingrid ben ik het nooit geworden, misschien had ik het toen moeten zijn, misschien… Hij drukte beide handen tegen het donzen dekbed. Alsof hij aanstalten maakte om zich op te richten. Toen zei ze op een speelse toon: 'Word wakker, lieve Oswald. Kijk, ik ben hier.' Hij draaide zijn hoofd in haar richting, zag de ring in haar navel en het zwarte slipje dat nauwelijks haar intieme plek verborg: niets anders droeg ze. 'Nina,' prevelde hij. Zijn blik dwaalde over haar licht gebronsde lichaam met onrustige nieuwsgierigheid. Hij wilde meer zien dan de gave ronding van de slanke dijen, dan de gladde smetteloze huid van de welvende buik, meer dan de borsten met hun uitdagend vooruitstekende kleine tepels. En hij wilde niet alleen zien, hij had ook lippen, handen en een lid dat zich voor haar had opgericht. Nog nooit was Oswald zich zo pijnlijk bewust geweest van zijn lichaam en zintuigen. Het was een vlijmscherp en hel bewustzijn dat hem beangstigde. En toch begeerde hij haar, toch woedde er in hem een haast goddelijke, duistere drift. Ze vlijde zich naast hem neer. Hij trok zijn T-shirt en onderhemd uit. Waar ben je mee bezig, waarom doe je dat? moest hij eensklaps denken. Hij huiverde.

'Heb je het koud?' vroeg ze.

'Een beetje,' loog hij.

Ze wreef over zijn rug. 'Heb je het nu warmer?' fluisterde ze in zijn oor. 'Anders kruipen we onder het dekbed.'

'Ja, onder het dekbed,' zei hij opgewonden, 'en als het te warm wordt, gooien we het van ons af.'

Ze kroop dicht tegen hem aan, legde een arm op zijn borst. Gedurende enkele seconden hielden ze zich roerloos. Dan gleed haar hand langzaam naar onder en gespte zijn broeksband los. Hij sidderde toen ze zijn lid aanraakte.

'Wacht nog even...' stamelde hij.

'Is het de eerste keer?' vroeg ze.

Met een heftige beweging wierp Oswald het dekbed van zich af en ging rechtop zitten.

'Ja,' zei hij. 'Ik heb nog een meisje gekend, maar ik heb het nooit met haar gedaan!'

'O, dan ben je nog maagd. Dat is helemaal niet erg, lieve jongen.'

Oswald keerde Nina de rug toe, kwaad op zichzelf omdat hij iets had gezegd dat ze absoluut niet hoefde te weten. Maar was het niet *zij* die hem die bekentenis had ontlokt? Hij had zich als een naïeveling blootgegeven. Naakter dan naakt voelde hij zich. Schaamte nam van hem bezit. Doch niet over zijn naakte lichaam schaamde hij zich, nee – niet over zijn lichaam! Hij trok zijn broek uit. Ze greep hem beet bij de schouders. 'Je hebt me gezegd dat ik je mocht martelen, maar je bent aardig bezig jezelf te martelen, Oswald. Waarom zou ik het dan doen? Ik heb echt geen zin om nog eens kwelduivel te spelen. Ik ben geen sadiste!' Hij draaide zich om. Ze droeg geen slipje meer. Kom, zeiden haar ogen. Ze strekte zich uit. Glimlachte hem toe, de handen achter het hoofd zoals Maja. Haar gewilligheid ontstelde hem. Hij zou zo graag teder zijn met haar, geheel vervuld van tederheid haar lichaam strelen, zoals zijn moeder ooit hem had gestreeld, maar hij besefte dat het niet kon, dat strelingen alleen haar niet zouden bevredigen. 'Kom,' hoorde hij haar zeggen, 'ga liggen.' Nog speelde een uitnodigend glimlachje om haar lippen. Met wild kloppend hart gaf hij toe. Ze gleed over hem tot haar lippen zijn mond vonden. Als een slang, dacht hij. 'Nu ben ik helemaal je Eva,' lispelde ze. Hou op, hamerde het in Oswalds hoofd, hou op…, ofschoon zijn lichaam bereid was zich over te leveren aan de meest krankzinnige genietingen. Iets in hem verzette zich heftig. Maar met behendige vingers, haar vochtige weke mond en al haar warme, soepele leden voerde ze het genot op. Het leek wel of ze hem probeerde te verlossen van zijn innerlijke pijn. Plots drong het tot hem door dat ze zich zichtbaar niet eens rekenschap gaf van wat het betekende pijn te lijden: het echte, diepe leed was iets totaal vreemds voor haar. Ze had gezegd dat ze er niet op uit was te martelen, en toch deed ze het, terwijl zij van alle pijn verstoken bleef. God nee, hij had niet gevraagd naar dit soort duistere kwellingen, hij was geen zelfkweller, hij had gewoon een martelende begeerte naar haar heerlijke lichaam gekoesterd. En nu kwam zijn geest werkelijk in opstand, nu weigerde die halsstarrig zich aan haar te onderwerpen. Opgehitst door een mengeling van pijn en genot sloeg Oswald de armen om Nina heen. Een poos lagen ze met ingehouden adem op elkaar. Dan bevrijdde ze zich langzaam uit zijn omarming en ging schrijlings op hem zitten. Hij kreunde toen haar hand zijn lid omvatte en haar verborgen plek begon binnen te leiden. Oswald sloot de ogen en stroomde schokkend leeg.

'Net te vroeg,' zei ze met een vreemde teleurstelling in haar stem. 'Trek het je niet aan, het is de schuld van Eva.' Ze keek medelijdend op hem neer.

Oswald wendde zijn blik af. Het bloed trok weg uit zijn gezicht. Zijn lippen trilden net of hij op het punt stond te schreeuwen. De ogen wijd opengesperd staarde hij rakelings langs Nina heen naar iets dat zich achter haar bevond en dat hij – onbegrijpelijk! – pas nu had opgemerkt.

'Wat is er?' vroeg ze.

Hij zweeg. Ze draaide het hoofd om. 'O,' zei ze, 'kijk je daar naar!'

Oswald richtte zich op. Wist niet wat hem bezielde toen hij Nina in een opwelling van woede vastgreep en op het bed neerduwde.

'Je doet me pijn,' riep ze geschrokken, 'laat me los!' Ze probeerde zich te bevrijden, maar dit keer lukte het haar niet. Hij zat boven op haar, schrijlings zoals zij daarnet op hem zat, en hield haar met beide handen in bedwang. 'Ben je gek!' hijgde ze. 'Heeft die madonna soms je hoofd op hol gebracht?'

'Zwijg!' schreeuwde hij.

'Ik zeg wat ik wil, Oswald. Je hebt het me toegestaan!' IJskoud klonk haar stem. Ze sneed door hem heen. 'Laat me! Ga van mij af!'

Hij bleef zitten, omknelde haar polsen nog harder. Een onweerstaanbare, duivelse kracht had zich van hem meester gemaakt. Ze school zelfs in zijn omzwachtelde hand. Hij merkte dat het verband was losgeraakt, voelde een kleverige vochtigheid en besefte gelijk dat de wonde was opengegaan. Het kon hem niet schelen. Zo sterk was hij nu dat hij geen pijn gewaarwerd.

'Sukkelaar,' spotte ze. 'Je bent niet eens in staat van een vrouw te houden. Je zal het nooit leren! En die madonna...'

'Nu is het genoeg!' onderbrak hij haar met overslaande stem. De woedende kracht kon hij niet meer terugdringen. Zegevierend barstte ze los.

'Laat me!' Het was een doffe kreet die nauwelijks tot hem doordrong. Nina's blik verstarde, toen zijn handen plots haar keel omknelden. Haar mond verkrampte. Ze probeerde nog iets te zeggen.

'Genoeg!' schreeuwde Oswald opnieuw. 'Zwijg!' Steeds harder drukten zijn vingers. Hij klemde haar spartelende lichaam tussen zijn knieën. Bleef drukken met beide handen tot hij moe geworden van die fatale inspanning op haar neerzeeg. Toen bewoog Nina niet meer.

Versuft kwam Oswald na een poos weer overeind. Geleidelijk aan werd hij er zich van bewust dat hij een onherstelbare daad had gesteld. Schichtig keek hij om zich heen. Zijn blik viel op de gekroonde madonna die in haar boek verder las alsof er beneden haar niets was gebeurd. Hij ging op de rand van het bed zitten, durfde zich niet om te draaien. Kreeg het koud en begon over zijn hele lichaam te beven.

Jaren geleden, schoot hem te binnen, had hij ook zo gebeefd. Hij was met vakantie aan zee, ergens in Wales. Op een uitzonderlijk warme dag was hij met zijn vader gaan zwemmen, eigenlijk leerde hij nog zwemmen. De zee leek op een gladde, blinkende spiegel, de zon laaide hoog aan de hemel, maar het water was erg koel. Hij ploeterde wat rond in het ondiep, kreeg het echter eerder koud dan warm. Na een tijdje hield hij ermee op en rende rillend over het strand naar de plek waar mama lag te zonnebaden. 'Hier is een handdoek,' zei ze. En toen hij zich had afgedroogd: 'Kom, ik zal je inwrijven met zonnebrandcrème.' Die onschuldige herinnering riep bij Oswald een smartelijk heimwee wakker. Hij had iets verloren, iets verschrikkelijk kostbaars, en dat verlies kon niet meer worden goedgemaakt, dat verlies zou hem zijn leven lang kwellen en opjagen tot de pijn ondraaglijk werd, ondraaglijker dan wanneer hij zijn moeder verloor.

'Ik moet me aankleden,' besefte Oswald plots, maar eerst moet ik me wassen. Hij stond op. Beschaamd en angstig tegelijk. 'Waarom beef je zo?' meende hij te horen. Hij dacht dat het de stem van Nina was. Hij keerde haar zijn ontredderde gezicht toe in de hoop dat hij zich niet had vergist, dat zij verwonderd zou vragen: 'Waarom beef je zo?' Maar ze zweeg. Het leek wel of ze sliep. Haar hoofd lag zijwaarts op het donzen dekbed, de mond was lichtjes geopend, en haar ogen… die zag hij niet… die wilde hij niet zien. Misschien doet ze alsof ze slaapt, poogde hij zichzelf gerust te stellen, of houdt ze zich gewoon doodstil. Doch er was de rozerode vlek op haar hals: de bloedvlek die zijn gekwetste hand had achtergelaten. Dat bloed was een smet op haar zo vredige lichaam. Pas nu bekeek Oswald zijn handen. Hij wikkelde het losgekomen verband opnieuw om de opengegane wonde, raapte zijn kleren op en ging naar het badkamertje. Terwijl hij zich zo goed en zo kwaad als het ging met zijn rechterhand waste, overmande hem het gevoel dat zijn lichaam niet langer het zijne was. 'Heb je dat werkelijk gewild?' fluisterde hij. 'Ik had je niet mogen laten begaan, het zal nooit meer gebeuren, nooit meer!' Hij snikte. 'O, waarom heb ik zo'n lichaam? Het had beter niet bestaan. Als ik kon, zou ik er afscheid van nemen… voor altijd!'

Tijd verstreek. Ten prooi aan een totale innerlijke verwarring zat Oswald in zijn fauteuil. Hij had de overgordijnen dichtgeschoven, de bloedvlek van Nina's hals gewist en haar gezicht gestreeld. Dan had hij haar toegedekt met het donzen dekbed en was weer op de rand van het bed gaan zitten, de blik gevestigd op haar verstarde ogen. Hoe lang hij zo gezeten had, wist hij niet meer. Alleen dat er voortdurend smekende woorden over zijn lippen waren gekomen, telkens weer dezelfde hulpeloos smekende woorden: 'Vergeef me Nina… vergeef me!' terwijl de tranen langs zijn wangen stroomden.

Intussen was het donker geworden. Door de gordijnen sijpelde een zwak schijnsel van de straatverlichting. Soms vernam hij het geluid van een voorbijrijdende auto. Dan schrok hij op. Hij liet de tijd voorbijgaan alsof hij er niet meer in wilde leven. Op een bepaald ogenblik kwam hij moeizaam uit de fauteuil. Hij moest zich even vasthouden aan zijn bureau en zag het blad papier waarop hij uren geleden de zin had geschreven die betrekking had op Parcifal. Geen andere zin zou hij nog schrijven… Hij nam het blad en scheurde het stuk. Ook de reproductie van Maja scheurde hij in stukken. Ik kan hier niet blijven, zei hij bij zichzelf, ik kan niet. Maar eerst moet ik nog het adagio van Schuberts strijkkwintet beluisteren... Ach, Schubert, als ik het samen met haar had beluisterd, zou er niets zijn gebeurd! Oswald zette opnieuw de cd-speler aan en legde zich voorzichtig neer naast Nina.

In de late avond verliet Oswald zijn studio. Om de hals had hij een wollen sjaal geknoopt, een nieuwe sjaal die zijn moeder een tijdje geleden had gekocht: 'voor de winter,' zei ze, maar hij wilde hem nu dragen, ofschoon zijn lichaam koortsig gloeide. Ternauwernood herkende hij de straat waar hij woonde. Zelfs zijn geliefde reuzenboom op het pleintje vlakbij kwam hem vreemd voor. De hele mistige, verlaten buurt met huizen die zo doodstil waren dat het leek of de bewoners te kennen wilden geven dat ze niet thuis waren, versterkte in hem het gevoel slechts een dolende schim te zijn, de schaduw van een onbekende. Af en toe mompelde hij: 'Nu doe ik het,' of: 'Nu moet ik het doen.' Een paar keer keek hij achterom, bang dat hij gevolgd werd. Maar er was niemand te zien. Alsof iedereen hem meed. En toch had hij de akelige gewaarwording dat er onverhoeds op het gepaste ogenblik iemand vanuit een donkere hoek tevoorschijn zou springen om toe te slaan. Even leunde hij diep ademhalend tegen een gevel. Dan liep hij weer voort. Want voort moest hij tot iets in hem zei dat het nu genoeg was geweest, dat het nu stilaan tijd werd om het niet bij een voornemen te laten, maar een duidelijke, definitieve beslissing te nemen. Welke? vroeg hij zich af alsof hij vergeten was wat hij zich had voorgenomen. 'Zeg me toch welke!' mompelde hij. De dreiging van een beslissing deed hem duizelen. Ineens barstte hij uit in een kort, snijdend lachje. Ja, vandaag heeft hij een uitzonderlijke daad gesteld die de hele stad met verstomming zal slaan. Morgen weet iedereen wie Oswald is! Morgen komt hij in de krant: 'student vermoordt meisje en verdwijnt spoorloos.' Hij begon sneller te lopen. Het krantenbericht joeg hem op. De stad uit. Wanneer zouden ze haar vinden? Het kon nog een tijd duren... en dan zou het bericht later verschijnen, veel later misschien. Zijn leven te grabbel gegooid. Verdiende hij dat niet? Had hij nog het recht om een leven te hebben? Als hij dat recht niet had, dan moest hij inderdaad doen wat hij zich had voorgenomen, hij moest het doen vóór anderen hem zouden veroordelen. Oswald stelde vast dat hij de rivier overstak. Nevelslierten hingen boven het amper waar te nemen water. 'Spring,' hoorde hij. 'Spring! De nevel zal je toedekken.' Hij bleef staan op de brug en legde beide handen op de leuning. 'Waarom aarzel je? Kijk hoe zacht je zal vallen. Niemand zal iets horen, niemand zal het zien. Een kans als deze krijg je zelden.' 'Ik zoek een betere plek op,' stamelde hij, 'niet zo dicht bij het centrum.' 'Goed, je hebt nog een hele nacht om te zoeken. Niet langer, Oswald. Want morgen zal men je ter verantwoording roepen, je zal rekenschap moeten afleggen!' 'Rekenschap?' vroeg hij stilletjes alsof hij het niet begreep. 'Ja, iedereen moet eens rekenschap afleggen,' hoorde hij weer. God nee, hij mocht niet laf zijn, hij was bereid de pelgrimstocht te ondernemen waarvan niemand terugkeert.

In een steeds dichter wordende mist volgde Oswald een brede baan die langs de rivier liep. Een heel eind buiten de stad kwam hij aan een bushokje. Een bus zal er wel niet meer komen, dacht hij, het is gelukkig te laat. Hij ging zitten op de bank. Steunde – het hoofd tussen beide handen – met de ellebogen op de knieën. Waarom nog verder trekken? Waarom dit ellendige lichaam nog langer onderwerpen aan een martelgang, een lichaam waarin geen ziel meer kan thuishoren? Hij had het gevoel al jaren onderweg te zijn, en na al die jaren op het punt te staan te bezwijken. Vlak voor hem stroomde de rivier naar een nog grotere rivier die haar water in zich opnam en meevoerde naar de grenzeloos wijde zee. Als hij het wilde doen moest het hier gebeuren, en *nu*. Maar hij was zo moe dat het hem moeite kostte om de ogen open te houden. Hij dommelde in en droomde.

Een duistere gedaante staat voor een eindeloze, schuin omhoog lopende rij poorten. Plotseling begint ze met beide vuisten op een van de poorten te bonzen. Maar er wordt niet opengedaan. Ook de volgende blijft gesloten, hoe hard ze ook bonkt. Oswald begrijpt dat er in die eindeloze rij poorten slechts één is die zal geopend worden, en hij wordt aangegrepen door een ontzettend medelijden met de gedaante die er maar niet in slaagt de juiste poort te vinden. Na nog enkele vruchteloze pogingen houdt ze ermee op en draait zich om. Oswald geeft een luide schreeuw. 'Papa!' roept hij. Er komt geen antwoord. Zijn vader kijkt hulpeloos en schuldbewust in zijn richting, blijkbaar zonder hem te zien en te horen. 'Ik kom, papa, we zullen het tezamen proberen!' Weer krijgt hij geen antwoord. Oswald beseft nu dat zijn stem niet ver genoeg draagt: zijn vader bevindt zich immers in een andere wereld, onbereikbaar voor de stem van wie op aarde leeft.

Hij schoot wakker. O, hoe ongelukkig was mijn arme vader, dacht hij, volledig overgelaten aan zichzelf, verstoken van alle hulp. Wat heeft mijn vader misdreven om zo'n straf te moeten ondergaan? 'Ik moet gestraft worden,' fluisterde hij snikkend, 'niet jij, papa... nee, je mag niet in mijn plaats boeten.... Voor jou mag er worden opengedaan, niet voor mij... ik kom, papa!'

Daadwerkelijk sprong Oswald op van de bank. Even wist hij niet waar hij was, zozeer had de mist hem ingesloten. Maar dan zag hij vlak voor zich een stuk strook van de brede baan. En ineens wist hij het weer: aan de overkant van de weg stroomde de rivier. Als hij in haar wegzonk, zou hij komen waar hij zijn vader had gezien. Misschien wachtte die op hem. Want ze hadden elkaar nog zoveel te vertellen. En er was ook het liefdesverhaal geschreven door een zekere Ursula Vere, hij had gezegd dat hij het wilde lezen. Oswald aarzelde om de baan over te steken. Weer ging hij op de bank zitten. Natuurlijk werd er op hem gewacht, maar niet in een droom.

O, als het nu eens allemaal een kwade droom was!

Hij stak de handen diep in de zakken van zijn jack en voelde plots de ring, de slangenring... Vrijdagavond had hij hem ook gevoeld toen hij naast Nina in het café zat. De herinnering was ondraaglijk. Toch haalde hij hem tevoorschijn en schoof hem aan zijn vinger. Een tijdlang bekeek hij zijn handen: de rechter met de slangenring, de linker met het vuile verband. 'Moordenaarshanden,' kreunde hij. 'Ik heb Nina gewurgd als een slang, ze keert niet meer terug.' Oswald veerde op en schreeuwde: 'Ik ben een moordenaar!' Als een uitzinnige begon hij voor de bank heen en weer te lopen. 'Ze zullen me komen halen,' bleef hij voor zich uit zeggen, 'ze hebben het gehoord, ze zullen spoedig hier zijn.' Doch er kwam niemand. Het leek of de mist zijn geschreeuw had gesmoord. Heel even hield hij stil en luisterde. Ergens in de verte – of was het dichtbij? – klonk dof motorgeluid. Nee, hij was niet alleen onderweg op dit nachtelijke uur. Misschien waren er voorbijgangers geweest die hem hadden zien zitten, maar hem niet hadden durven vragen: 'Wat scheelt er?' Andermaal bekeek hij zijn handen. 'Je mag de ring niet dragen,' zei hij. 'Ingrid heeft hem niet willen dragen, mama ook niet... Nee, niemand krijgt de ring.' Hij stak de baan over en gooide hem in de rivier. 'Nu moet je springen,' hoorde hij weer. 'Spring!' Als gebiologeerd staarde Oswald gedurende enkele seconden in de mist die boven het water hing. Dan keerde hij zich met een ruk om. 'Ik ben geen lafaard,' mompelde hij. 'Ik ga terug naar de stad, naar mijn studio – en bel de politie.' Blindelings, alsof hij met de rivier niets te maken wilde hebben, liep hij naar de overkant van de baan. Maar hij bereikte die niet.

Oswald had niet gemerkt dat net iets te snel een auto kwam aangereden. Een tiental meter voorbij het bushuisje stopte de wagen. De nog jonge chauffeur rende naar Oswalds levenloze lichaam, sleepte het naar de rivier en vluchtte weg.

9

Zoals steeds op zondagnamiddag zat de vader van Franz in zijn enge kamertje te wachten op het ogenblik dat de deur zou opengaan en de vertrouwde stem zou zeggen: 'Hallo papa, we zijn hier!' Het venstergordijn was opengeschoven en hij liet zijn blik glijden over het pleintje voor het rusthuis in de hoop tussen de geparkeerde wagens de donkerblauwe auto van zijn zoon te ontdekken. Maar hij zag hem niet staan. Teleurgesteld verzonk de oude man in mijmeringen. Hij dacht aan de voormiddag toen hij ook al naar buiten had gekeken, de ogen gericht op de kerk die aan de overkant van het pleintje stond. Want het was mettertijd zijn gewoonte geworden elke zondagmorgen het aantal kerkgangers te tellen, en het stemde hem blij wanneer volgens zijn telling het aantal gestegen was ten opzichte van de zondag voordien. Vandaag was zijn telling uitzonderlijk meegevallen; er waren zelfs verwonderlijk meer kinderen dan anders. Als het van hem afhing... als hij nog onderwijzer was geweest, zou hij met heel zijn klas de mis bijwonen, elke zondag opnieuw! Hij zou de kinderen weer leren bidden: het gebed voor en na het eten, het morgen- en avondgebed. Want wie bidt, leeft in de tegenwoordigheid van God en krijgt bescherming tegen het kwaad en de zonde, ontvangt de kracht om het onheil dat onverhoeds kan toeslaan, te trotseren. Wie bidt, hoeft niet bang te zijn om te sterven: hij bereidt er zich op voor. Zachtjes prevelde hij: 'Heilige Maria, moeder Gods, bid voor ons, nu en in het uur van onze dood. Amen.' En terwijl hij verder ging met het Onze Vader, moest hij terugdenken aan de tijd toen hij nog tezamen met zijn vrouw en zoontje de rozenkrans bad. Nog altijd kon hij niet begrijpen dat Franz al heel jong was opgehouden met bidden. 'Dat is iets voor stokoude, bijgelovige mensen,' had de jongen gezegd. Veertien of vijftien was hij toen. En als hij nog enkele jaren naar de zondagsmis bleef gaan, dan was het uitsluitend om zijn ouders een plezier te doen. De oude man nam zijn pijp, die voor hem op tafel lag, stopte ze en liet zich dieper wegglijden in de zalige tijd van toen, de tijd voor zijn kind het geloof de rug toekeerde. Zo diep gleed hij erin weg dat hij vergat zijn pijp aan te steken en zelfs vergat dat hij op zijn zoon zat te wachten.

Maar eensklaps was er de vertrouwde stem. Dit keer ongewoon mat, een beetje hees bovendien. Nee, het 'hallo' klonk helemaal niet luchtig. Het leek ook van heel ver te komen. Franz ging zitten tegenover zijn vader.

'Ada is thuis gebleven?'

'Ze moest nog werken voor school. Ze vond het jammer dat ze niet kon meekomen.'

'Lesgeven is een mooi beroep. Ik heb het altijd graag gedaan, je hebt de jeugd in handen – en met haar de toekomst!'

'Dat werd soms gezegd, ja. Maar de tijden zijn veranderd.' Franz wekte de indruk er nog iets aan te willen toevoegen, doch hij zweeg en keek met een donkere blik naar buiten. 'Ik heb voor jou iets meegebracht,' zei hij na een poos op een meer luchthartige toon. Hij haalde uit de zak van zijn jasje een cd. 'Raad eens welke muziek.'

'Ik zou niet weten welke.'

'Je hebt er zo dikwijls naar geluisterd, en we hebben het er woensdag nog over gehad.'

'Woensdag... ja, een namiddag vol raadsels. Je zei me: iedereen heeft zijn geheimen.'

'Dat is zo! Je hebt een verschrikkelijk goed geheugen. Ik ben er zeker van dat je weet welke muziek ik heb meegebracht.'

'Die schöne Müllerin,' monkellachte de oude man. 'Gute Ruh, gute Ruh! Tu die Augen zu... Zo begint het laatste lied, maar wat zijn weer de laatste woorden, jongen?'

Franz nam het tekstboekje uit het doosje en las luidop: 'Der Nebel weicht, und der Himmel da oben, wie ist er so weit!'

'Toch nog een mooi einde. De nevel wijkt, de verliefde molenaarsknaap werd afgewezen en verdrinkt zich in de beek... Máár de nevel wijkt: de zwerver is thuisgekomen.'

'Een einde zoals alleen kunstenaars er een kunnen verzinnen. Het beekje zingt een wiegelied, terwijl de jongen voor eeuwig slaapt.' Franz zuchtte en stak het boekje terug in het doosje, dat hij vervolgens met een aarzelend gebaar op tafel legde.

'Droevige liederen kunnen zo troostvol zijn,' merkte de oude man op, zijn zoon aankijkend met een vorsende blik.

Die ging er niet op in en vroeg: 'Heb je nog dat blinde vrouwtje gezien, papa?'

'Nee, ik heb horen zeggen dat ze ziek is. Als ze genezen is, zal ik haar weer iets voorlezen uit het evangelie. En hoe gaat het met Oswald? Ik weet zo weinig over hem.'

'Wanneer zijn scriptie af is, komt hij je bezoeken. Voor Kerstmis is hij er zeker mee klaar. Het zal ongetwijfeld een uitstekende studie zijn, een mooie aanloop tot een universitaire carrière.' Hoewel hij hoopvol en met veel overtuiging sprak, voelde Franz zich in de grond niet zo zeker. Flarden van het gesprek dat hij gisteren met zijn zoon had gevoerd, begonnen hem door het hoofd te spoken. 'Ja, noem me gerust een Don Quichote,' had Oswald met een mengeling van spot en bittere ernst beaamd, 'de ridder van de droevige figuur die op een kreupel paard Parcifal achternarijdt...' Die woorden sneden hem weer door het hart. En hij vreesde dat de oude man zou zeggen wat *hij* tegen Oswald had gezegd, hij vreesde te zullen horen: 'Ik heb de laatste tijd de indruk dat er je iets op het hart ligt.' Doch in plaats daarvan hoorde hij de vertrouwde verzuchting: 'Dat zou ik nog graag meemaken!'

'Waarom niet?' zei Franz.

'Heeft hij met jou al over zijn plannen gesproken?' vroeg de oude man zo ongewoon zacht en omzichtig dat het wel leek of hij die woorden niet durfde uit te spreken. 'Nog niet.' Franz begreep dat zijn vader verwachtingen koesterde die zij beiden niet hadden kunnen waarmaken, en kreeg ineens spijt dat hij over Oswalds carrière begonnen was. Het viel hem moeilijk om het gesprek verder te zetten. Een beklemmend gevoel maakte zich van hem meester. Het gevoel dat hij nooit meer in staat zou zijn met Ada, Oswald en nu ook zijn vader onbekommerd gesprekken te voeren en herinneringen op te halen, erger zelfs: dat het niet meer mogelijk zou zijn zich iets te herinneren zonder eraan kapot te gaan. 'Nee, nog niet,' herhaalde hij kortaf. Zijn bloed begon sneller te stromen. Wat milder vervolgde hij: 'Maar hij zal het er binnenkort wel over hebben. Alles op tijd en stond, dat heb je me vroeger zo dikwijls moeten zeggen, hé papa!'

De oude man knikte, stak nu pas zijn pijp aan en vroeg: 'Zouden we niet Die schöne Müllerin opzetten?'

'Natuurlijk. Ik zou het nog vergeten!' Eigenlijk was Franz niet in de stemming om naar Schubert te luisteren. Doch hij had het plaatje meegebracht om er zijn vader een plezier mee te doen, en ook wel – moest hij bij zichzelf toegeven – om niet de hele tijd met hem te hoeven spreken.

Terwijl Schubert het kamertje zachtjes inpalmde, gingen de gedachten van Franz spontaan uit naar Ada en naar de manier waarop ze sinds zijn bezoek aan Oswald met elkaar waren omgegaan. Al gisteravond had ze zijn vuile kleren zien liggen in de waskelder. Toen ze naar bed ging en hij wakker werd, vroeg ze wat er was gebeurd.

'Ik had zin in een wandeling langs de Dender,' vertelde hij schoorvoetend. 'Niet ver van de Sint-Annabrug zag ik tegen de oever een oude, verlaten schuit. Ik wilde een kijkje gaan nemen, maar gleed uit op het loopbruggetje en viel de Dender in, net tussen schip en wal. Niet meer dan dat, Ada.'

'In 's hemelsnaam, wat doe je toch?' zei ze geschrokken. 'Gelukkig is het goed afgelopen! Net zoals in de droom die je me daarstraks hebt verteld.'

'Maak er geen drama van,' onderbrak hij haar, omdat hij niet herinnerd wilde worden aan de droom waarin een vrouw verscheen die Ursula heette... 'Je weet dat ik graag langs het water wandel.'

Ze zwegen. Vonden hun slaap niet. Sluimerend lagen ze naast elkaar. Hij wist dat ze wachtte op een kus, op het ogenblik dat hij zwak zou worden en zou beginnen spreken over wat er in hem omging. Uiteindelijk brak de dag aan. Ze probeerden om gewoon te doen, maar het lukte hun niet. De meest gewone woorden klonken ongewoon, doordat ze werden uitgesproken in een geladen stilte. Toen ze aan het einde van het ontbijt vroeg: 'Wil je nog een kop koffie?' had hij de indruk dat ze in feite wilde zeggen: 'Blijf nog wat zitten en vertel nu eens eindelijk de waarheid.' Doch hij had absoluut geen trek meer in koffie, hij voelde zich niet lekker en zei: 'Nee, dank je.' Dát klonk dan weer als een afwijzing van wat hij meende een verborgen uitnodiging te zijn om te blijven zitten. Aan haar gezicht kon hij niet zien of ze het hem kwalijk nam, maar hij veronderstelde van wel. En op de vraag: 'Hoe laat ga je naar je vader?' antwoordde hij geïrriteerd: 'Je zult wel zien,' omdat hij dacht dat ze hem graag zo snel mogelijk zag vertrekken. Overigens, waarom vroeg ze dat? Ze wist toch dat ze gewoonlijk om drie uur wegreden. Misschien vroeg ze het, omdat ze niet zeker meer was van hun gewoonten. 'Dit keer blijf ik thuis,' zei ze, 'te veel werk... doe hem in elk geval de groeten en zeg dat ik dinsdag in de late namiddag langskom.' Het gaf hem het gevoel dat ze ertegenop zag met hem mee te gaan. Na het ontbijt ging hij in de salon zitten waar hij de laatste nummers van Knack las zonder goed te beseffen wat hij las. Ja, zo waren een avond en een ochtend verlopen! Daarna was hij kort na het middageten vertrokken met een bedrukt gemoed, want hij wilde niet onmiddellijk naar het rusthuis rijden, hij wilde eerst nog een tijd alleen zijn – alleen met zichzelf ergens op een godverlaten plek die hem aan niets zou herinneren, maar hij had ze niet gevonden: waar hij ook stopte leek het of Ada en Oswald hem opwachtten. En nu zat hij uiteindelijk bij zijn vader die leefde van de herinneringen en ook nog aan de toekomst bleef denken alsof hij met zijn kleinzoon een tweede leven kon beginnen.

De oude man had zijn pijp weer op tafel gelegd. Met neergeslagen ogen en een weemoedig glimlachje om de lippen liet hij zich gewillig verleiden door Die schöne Müllerin. Franz daarentegen verdroeg de liederen nauwelijks. Voor het eerst werd hij er vreselijk ongemakkelijk van, al waren ze gezongen door een gevoelvolle, warme stem die hem steeds had kunnen ontroeren. Terwijl hij geplaagd werd door de herinneringen aan de voorbije avond en ochtend, nam vreemd genoeg zijn wrevel tegenover Schubert toe. Hij luisterde slechts half, werd voortdurend heen en weer geslingerd tussen de zang en zijn herinneringen. En intussen bekroop hem de gewaarwording dat er achter al die mooie, schijnbaar onschuldige melodieën een schrikwekkend geheim schuilging, iets dat hij beter niet te weten kwam. Ten slotte kreeg die naargeestige gewaarwording in hem de overhand. 'Waarom zou je het geheim niet proberen te achterhalen?' daagde de zanger hem uit. 'Na al die jaren van luisteren en opnieuw beluisteren moet je uiteindelijk toch beseffen dat de muziek waarvan je zoveel houdt ook iets van jezelf verbergt. Heb de moed om dat onder ogen te zien.' 'Hou in godsnaam op met zingen!' liet Franz zich bijna ontvallen. 'Het is niet omdat je mooi kan zingen dat ik je moet geloven!' Hij haalde diep adem, wierp een tersluikse blik op zijn vader en peinsde: Die zal het verhaal van de ongelukkige molenaarsknaap natuurlijk willen horen tot het bittere eind, en we zijn nog maar halfweg! Hij merkte dat om de dunne lippen van de oude man nog altijd hetzelfde weemoedige glimlachje speelde. En toen er werd gezongen dat de hemel, die in de beek lag weerspiegeld, de jongen naar zich toe wilde trekken, bleef zijn vader glimlachen.

'Ik zou een luchtje willen gaan scheppen,' zei hij plots. 'Het is hier erg warm.'

Op zijn voorhoofd parelden zweetdruppeltjes. Maar die waren er niet, doordat hij het te warm had, nee die waren het gevolg van een vreselijke innerlijke spanning die hij bijna niet beheerste. Onder een gelijkaardige spanning was hij zo goed als bezweken terwijl hij gisteren op bezoek was bij Oswald; alleen door op bed te gaan liggen had hij zijn innerlijke evenwicht enigszins teruggevonden. Dat kon hij nu onmogelijk doen. Zijn vader zou zich terecht zorgen maken, en dan zouden er om hem gerust te stellen leugens moeten worden verzonnen. Hij huiverde. Maakte zich sterk van nu af aan niets meer te verzinnen.

Franz stond moeizaam op. 'Tot straks,' mompelde hij, 'ik blijf niet lang weg.' Enkele ogenblikken later bevond hij zich buiten op het plein tegenover de kerk. De kille herfstlucht deed hem goed. Langzaam verminderde zijn innerlijke spanning, maar hij was er zich van bewust dat ze onverhoeds weer kon toenemen. Ik moet op mijn hoede zijn, zei hij bij zichzelf, me pantseren tegen alle sentiment. Het was geen goed idee om die liederen mee te brengen: ze zijn al even gevaarlijk als de verleidelijke stem van de sirene. (Een spotlachje verscheen op zijn gezicht.) Ik zal mijn oren met was moeten toestoppen en me moeten vastbinden op mijn stoel om me niet in de armen van de mooie molenarin te storten... Ja, van Odysseus kunnen we nog veel leren! Onwillekeurig richtte Franz zijn stappen naar de kerk. Hij dacht binnen te gaan, maar zag dat de poort gesloten was. Vreemd teleurgesteld keerde hij op zijn stappen terug. Vroeger stonden de kerken overdag open, herinnerde hij zich. Je kon te allen tijde binnenwippen. Het werd je toen gemakkelijk gemaakt om – wat wel eens werd gezegd – even met God alleen te zijn. (Weer vertoonde zich op zijn gezicht een spottend lachje.) Ja, toen leerde men nog dat je bereid moest zijn je geest en hart open te stellen voor God. Tijdens de vele kerkbezoeken in zijn jeugd had hij vurig gehoopt eens Zijn stem te zullen horen, maar die hoop had hij vrij vlug opgegeven, toen het tot hem doordrong dat hij zat te bidden tot een volslagen onbekend wezen dat misschien niet eens bestond! Overigens had hij niets te vragen – niets te zeggen. Hij keek omhoog. Naar de eerste verdieping van het rusthuis. Achter een van de vensters zat nu zijn stokoude vader die nog in de ban kon geraken van droevige liefdesliederen. En *hij* was ervoor op de vlucht geslagen! Hij had niet tegen de spanning gekund dat hem plots een schrikwekkend geheim kon worden onthuld!

Boos op zichzelf dat hij zijn vader alleen had gelaten, haastte Franz zich naar het rusthuis terug. Wellicht zou hij nog op tijd zijn om samen met hem het laatste lied te beluisteren.

Tot zijn grote ontsteltenis trof hij hem kreunend en moeilijk ademend aan op het bed. 'Ach jongen toch...' waren de enige woorden die de oude man kon uitbrengen. Franz zette de cd-speler af en liet de dokter komen. Die stelde vast dat zijn vader onmiddellijk moest worden overgebracht naar het ziekenhuis. En terwijl ze wachtten op de ambulance, nam Franz zich voor te bewijzen dat hij een echte zoon was, en een vader die wist hoe je een zoon moest helpen... God ja, hij zou het bewijzen!

In gepeins verzonken zat Franz bij het bed van zijn vader, die zuurstof kreeg en rustig sliep. Hij had Ada verwittigd en verlangde plots hevig naar haar komst, verlangde dat ze met hem zou spreken alsof er niets aan de hand was; het kon hem niet schelen dat het doodgewone, alledaagse woorden waren als hij maar haar stem hoorde: een zachte, troostende stem.

Zodra ze was aangekomen, ging hij met haar even in de gang staan praten.

'Zo onverwachts,' fluisterde ze, 'en hij zei zo graag dat zijn hart nog sterk is.'

'Ja, ik hoop dat het slechts een waarschuwing is.' Hij sloeg de ogen neer. Dacht: De emotie is hem te sterk geworden; we hadden niet naar Schubert mogen luisteren.

'Gelukkig dat je bij hem was, toen het gebeurde. Zouden we Oswald niet opbellen?'

'Laten we wachten tot morgen, Ada.'

Ze gingen opnieuw de kamer in. Lange tijd zwegen ze. Maar er hing geen geladen stilte meer tussen hen beiden. De oude man had álle stiltes tot zich genomen en straalde ze weer vredig uit. Alsof hij hen gerust wilde stellen. Toen hij de ogen opende, verscheen er een milde glimlach op zijn gezicht.

'Je zult wel vlug herstellen,' zei Ada. Ze nam zijn hand. Streelde ze. 'Franz blijft vannacht bij jou. Morgen kom ik terug met Oswald.'

De oude man knikte. Sloot weer de ogen.

'Ga nu maar,' zei Franz. 'je moet morgen vroeg voor de klas staan.'

'En jij? Wat ga jij doen morgen?'

'Ik blijf hier zolang ik het nodig vind. En daarna opnieuw aan het werk.'

Hij kuste haar. Een beetje terughoudend, niettemin met de bereidheid om goed te maken wat hij de laatste tijd verkeerd had gedaan.

De rivier had het lichaam van Oswald niet met zich meegevoerd. Het zat met de romp vast aan de oever. Alleen de onderste ledematen staken onder water. Een oude vrouw had het tijdens haar wandeling in de loop van de voormiddag, nadat de mist was opgetrokken, aangetroffen. Ze verwittigde de politie en wat later ontdekte die het levenloze lichaam van Nina. Uiteraard lag het om zo te zeggen voor de hand wie de moord had gepleegd, maar er ontbraken nog directe, concrete aanwijzingen. En hoe was Oswald aan zijn einde gekomen? Wie had hem omgebracht? Men hoopte dat de ouders meer inlichtingen zouden kunnen verschaffen.

Franz was net thuis toen er werd aangebeld. De toestand van zijn vader had men onder controle.

'Nog een drietal dagen,' had de dokter gezegd, 'en dan mag je naar huis.' 'Dat zullen we vieren,' had Franz beloofd zodra de arts weg was. 'Zaterdag houden we feest, Oswald zal er ook zijn, en we nodigen ook een paar vrienden uit!' Die laatste woorden waren zo spontaan over zijn lippen gekomen dat hij er zich over verbaasde dat ze wel degelijk van hem kwamen. 'Ik kom in de vroege avond terug, papa. Je bent in goede handen.'

'Dat weet ik jongen.'

'Gute Ruh… Tot straks.' Hij had hem op het voorhoofd gekust en de deur op een kier laten staan. Dan had hij Ada opgebeld.

'We zijn bij Van Laer?' vroeg een vrouw van middelbare leeftijd. Ze was vergezeld van een wat jongere man. Hun gezicht stond ernstig en drukte een zeker medeleven uit.

'Ja,' antwoordde Franz, de wenkbrauwen fronsend.

'We zouden u graag spreken in verband met uw zoon,' vervolgde de vrouw op vriendelijke en tegelijk kordate toon. 'We komen in opdracht van de politie.' Ze toonde een kaartje.

Franz knikte zonder het te lezen. Een bang vermoeden maakte zich van hem meester. Hij liet hen binnen.

Zó zacht liepen ze dat hij hun voetstappen niet eens hoorde. Het was alsof hij met hen een ontzettend kille leegte had binnengelaten. Een leegte die terstond van het hele huis bezit nam. Zwijgend en met een geleidelijk toenemende angst aanhoorde hij wat de vrouw te zeggen had. O, ze begon zo onschuldig! Want er moest nu eenmaal een proloog zijn. Men had eerst 'naar hier' getelefoneerd in de hoop dat er iemand thuis zou zijn. Daarna, toen niemand opnam – de vrouw verontschuldigde zich – had men inlichtingen ingewonnen. Men was te weten gekomen waar hij werkte. Maar ook daar was hij niet: 'De bediende zei dat u tussen de middag thuis zou zijn, zeker tot twee uur.' (Overbodig hem daaraan te herinneren. Hij had inderdaad de bediende opgebeld dat hij in de voormiddag niet naar de boekhandel zou komen, en dat hij 'tussen de middag zéker tot twee uur thuis zou zijn'… Ja, dacht Franz, tot twee uur konden ze blijven, langer niet. Maar hij begreep niet waarom hij zoiets dacht.) 'Wij vinden het erg u te moeten op de hoogte brengen van wat er met uw zoon is gebeurd.' Zijn hart kromp samen. Enkele seconden leek het stil te staan. Hij wilde dat het ophield met slaan. Maar hij kon het zijn wil niet opleggen. Onbarmhartig begon het – heel hevig nu – opnieuw te kloppen, en met het bloed pompte het een golf van pijn door zijn lichaam. Hij verbeet de pijn. Besefte plots dat de vrouw niet meer verder sprak en zei, toen hij haar medelijdende blik ontmoette: 'Zeg het maar, u hoeft me niets te verzwijgen.'

Ongeveer een uur later vertrokken ze. Hun opdracht was vervuld, hun medeleven betuigd. Ze hadden zelfs gevraagd of ze voor hem nog iets konden doen. Maar hij had nee geschud en zacht 'dank u' gezegd.

Wat zou er nog voor hem gedaan kunnen worden? Alles was hem eensklaps te veel geworden: dit huis, zijn boekhandel, het contact met mensen. Eén na één kwamen ze hem voor de geest: Ada, zijn vader, Steven, Ingrid... En straks zou hij het lichaam van Oswald moeten identificeren: ook dat was te veel. Zijn zoon een moordenaar! Hoe moest hij dat aan Ada duidelijk maken? Ze zou hem niet geloven. Wat moest hij eerst zeggen: dat hij een meisje om het leven had gebracht, of dat men in de rivier zijn levenloze lichaam had gevonden? De angst die in hem had postgevat, greep hem naar de keel, snoerde ze dicht. 'Mijn zoon een moordenaar': die woorden zouden elke dag opnieuw zijn geest martelen, hij zou ze echter nooit over de lippen kunnen krijgen. Ook de politiebeambten hadden niet gezegd dat Oswald het meisje had vermoord, wel dat ze vermoord op zijn kamer werd aangetroffen. Niettemin had hij in hun ogen gelezen wat ze dachten: 'Je zoon is de dader, niemand anders kan de moord hebben gepleegd.' Maar waarom? vroeg hij zich af.

Franz kon het niet begrijpen en klemde de lippen opeen. Een kille woede welde in hem op, toen het ineens tot hem doordrong dat hij nooit de ware toedracht zou kunnen achterhalen. Oswald was en bleef een levensgroot raadsel. 'Wat heb je gedaan!' schreeuwde hij luidkeels, terwijl hij over het hele lichaam begon te beven. Net zoals toen hij zich zaterdagavond uit de rivier had weten te redden. Was ik maar niet boven water gekomen, moest hij meteen denken, ik wil niet meer behoren tot een maatschappij waarin ik mee verantwoordelijk ben voor het kwaad. Een akelig lachje ontsnapte hem. 'Oswald behoort er ook niet meer toe!' riep hij uit. 'Misschien heeft hij er zelfs nooit willen toe behoren!' Hun gesprek begon door zijn hoofd te spoken. Waarom had hij zijn zoon niet gewoon de waarheid gezegd? Het was de schuld van Ingrid dat hij het niet had gedaan. Ze had hem in verwarring gebracht door niet te willen dat Oswald wist wie de auteur was van het script. Niets had ze ermee bereikt! Behalve een hoop ellende.

Alsof ze tegenover hem in de sofa zat, zei Franz zacht maar onverbiddelijk 'Je hebt beweerd dat je nog van hem houdt, Ingrid, maar wat ga je *nu* zeggen? Zal *jij* durven zeggen dat Oswald een moordenaar is? Je was bang dat hem iets vreselijks zou overkomen. Toch liet je hem gaan, zijn lot tegemoet. Dat vergeef ik je nooit, Ingrid. Toen hij zei dat je niet van hem mocht houden, moest je juist alles hebben gedaan om hem niet aan zijn lot over te laten, alles hoor je! In plaats daarvan heb je een boek geschreven. O, ik geef nog altijd toe dat het recht uit je hart kwam, maar je had het script zélf aan Oswald moeten geven, eigenhandig geven... en bij hem blijven tot hij het gelezen had, tot hij begreep dat hij je niet in de steek mocht laten. Nee, hij zou je niet de deur hebben gewezen! Jouw liefde had Oswald kunnen redden. Maar maandenlang ben je bezig geweest met het aaneenrijgen van mooie woorden en zinnen. Je geraakte in de ban van je verhaal. En toen het af was, kreeg je het intriestige idee om mij als uitgever te kiezen! Weet je echt niet waarom Oswald van jou is weggegaan, waarom hij ook van huis wilde wéggaan? Dat woordje weggaan maalde je steeds door het hoofd, want je vermoedde dat hij daarmee iets onheilspellends bedoelde. Wat nu is gebeurd, had kunnen worden voorkomen, Ingrid. Ook jij gaat niet vrijuit! Zelfs al waren je bedoelingen oprecht. Er kleeft een smet aan je tekst. Wees gerust, hij wordt niet gepubliceerd. *De Brug* wordt geen Omega-boek. En er moet me nog iets van het hart... Oswald heeft te veel van zijn moeder gehouden. Tot die late ontdekking ben ik onlangs gekomen! Zij betekende alles voor hem, zij heeft hem zonder er erg in te hebben aan zich gebonden: ze was zijn godin. Ik weet niet of Ada het besefte. Ik hoef het haar niet te vragen. Het is te laat. Het heeft geen zin haar nog iets te vragen. Ik wil haar niet kwellen. Wat kan nog zin hebben, Ingrid? Ik probeer voor jou, voor mij… klaarheid te scheppen, maar het valt me ontzettend moeilijk mijn gedachten te ordenen. Je zult het wel begrijpen. Toen ik bij hem was, het lijkt al zo lang geleden, maakte ik een grapje. Ik zei omdat hij zo opging in al die verhalen over de graal: 'Straks word je nog een Don Quichote.' Het was blijkbaar niet het moment om grapjes te verkopen. Maar met dat dwaze grapje probeerde ik dichter bij hem te komen. Onzin! Ik kon geen brug slaan. Hij leefde in een eigen wereld, net als ik. 'Hij had iets aparts,' zei Ada. Ik heb nooit mogen weten waarvan hij droomde, wat zijn plannen waren. Ik hoopte dat hij zou worden wat mijn vader me graag had zien worden: een briljante hoogleraar, die door zijn studenten op handen wordt gedragen. Hoe graag had ik hem zijn doctoraalscriptie horen verdedigen! Maar ik heb de verkeerde verwachtingen gekoesterd. Die hebben me verblind. En jij hebt er ook gekoesterd zonder je erdoor te laten begoochelen. Je hebt slechts gewild dat ik zou weten dat mijn zoon helemaal niet gelukkig is en hulp nodig heeft. Het spijt me, Ingrid, ik ben vreselijk onhandig geweest, ik ben mee schuldig aan wat er gebeurd is. Een tijd geleden was ik bij zijn oud-leraar godsdienst. Die beweerde dat hij graag een zoon had gehad als de mijne. Het zal wel zo zijn dat hij een Oswald heeft gekend die zich om een of andere reden liever niet aan mij blootgaf. En straks zal ik een dood gezicht moeten zien, ik zal het moeten herkennen als dat van mijn zoon. In godsnaam, welke zoon? Is het degene die hield van het evangelie en de graal? Zijn leraar vertelde me dat hij sterk werd aangetrokken door Jezus.

Ik begrijp het niet. Hoe kan je in het voetspoor van een Christus willen treden en toch nog iemand van het leven beroven? Ha, hoe zal die leraar reageren? En hoe moet het nu verder? O, die chaos… dat gapende, duistere gat van niet te mogen weten? Zou hij eraan gedacht hebben zich aan te geven? Zou hij die moed hebben gehad, en zijn kruis hebben willen dragen? Ik zal geen volgeling worden van Christus die Zoon van God wordt genoemd en heeft toegelaten wat er met Oswald is gebeurd. Ik zal het nooit zijn.'

Franz zweeg. Zijn gezicht nam de uitdrukking aan van iemand die werd opgeschrikt door een onverwacht, dreigend geluid. Hij luisterde gespannen. Bleef strak voor zich uit kijkend als verlamd in zijn fauteuil zitten. Na een poos begon hij opnieuw te spreken.

'Nooit,' zei hij. 'Ik hoef het niet te proberen, ik weet genoeg. Oswald is wel in de leer geweest bij die Zoon van God, maar wat heeft het geholpen? Een goed leraar laat zijn leerlingen niet in de steek. Als God inderdaad bestaat en Jezus werkelijk zijn zoon is, dan zouden hun woorden echt in Oswald hebben geleefd en hem hebben gered. Ze zouden geen dode letter zijn gebleven. Zo doordrongen zou hij ervan zijn geweest dat hij onmogelijk iemand van het leven kon beroven omdat God zelf het niet gewild zou hebben! Oswald heeft bewezen dat die Zoon van God een leugen is, zoals het opperwezen dat God wordt genoemd of Onze Vader. Want een God de Vader zou nooit toelaten dat zijn kinderen elkaar doden... dat er verwarring wordt gesticht in en buiten ons. Nee, die God is een hersenschim: hij bestaat niet, zodat we hem niet eens ter verantwoording kunnen roepen. Maar een sterfelijke Jezus heeft wél bestaan, hij was een mens van vlees en bloed, die zich een God de Vader heeft gedroomd. En daarom hebben we hem Zoon van God genoemd. Wat een vergissing! We hebben hem vergoddelijkt, we blijven van een onbestaand wezen zijn vader maken. Arme Jezus, zoon van arme mensen... terwijl je aan het kruis hing dood te bloeden, riep je het onmogelijke: Mijn God, waarom heb je mij verlaten? Had je geweten dat er in de hemel geen goddelijke vader naar jou zat te luisteren, je zou niet geroepen hebben. Maar *ik* zal je niet in de steek laten, Oswald! Hoor je me? Hoe ijselijk leeg moet het ginder voor je zijn... Nee, ik kan me bij dat ginder helemaal niets voorstellen! Alleen – het is zo moeilijk te geloven dat je nu nérgens bent. Ik weet het niet... We zijn een doolhof met duistere gangen waarvan we niet weten wat ze verbergen, waar ze naartoe leiden. Hoe ben je gestorven, jongen? Wat is er in jou omgegaan nadat het was gebeurd? Je zal je wel verlaten hebben gevoeld, en angstig. Je zal niet begrepen hebben dat je tot zo'n daad in staat was, en je wilde niet verder leven. Maar hoe ben je aan je einde gekomen? Het kan niet anders of je hebt verlangd naar de dood om dat meisje om vergeving te kunnen smeken. Want zo vast was je geloof in een ander leven dat sterven voor jou een verlossing moet hebben betekend. Ja, je hebt ongetwijfeld gesnakt naar een smetteloos nieuw leven. Naar verrijzenis! Je hebt gehoopt dit leven door een ander te kunnen vervangen. Wat is er niet allemaal door je hoofd gegaan voor je stierf, jongen? Er is een zware last op ons terechtgekomen, maar dat is ook onze schuld.

We moeten elkaar vergeven, Oswald. En als ik daarstraks in een opwelling zei dat ik Ingrid nooit zou kunnen vergeven dat ze jou liet weggaan, dan kan ik nu niet anders dan ook háár om vergeving vragen voor die verschrikkelijke woorden. Ik ben te veel bezig geweest met mijn eigen verwachtingen, ik had beter moeten weten! Maar is het verkeerd dat de vader in de zoon wil voortleven? Ik neem je niets kwalijk jongen, ik kan het niet. Er moet zich van jou iets hebben meester gemaakt, iets duivels waartegen je niet was opgewassen. Het moet iets geweest zijn dat al sinds jaren in de donkere gangen van je binnenste rondwaarde zonder dat je er erg in had, en plots sloeg het toe. Je had niet meer de kracht en de tijd om weestand te bieden. Voor enkele ogenblikken zegevierde het, werd je onherkenbaar. Het had jouw gedaante aangenomen. Nee, jij was het niet die dat meisje om het leven bracht, jij kon het onmogelijk zijn! Maar vanwaar kwam dat duivelse iets? Hoe heeft het zich in jou kunnen nestelen? Waarom? En wie zal durven beweren dat het altijd in jou heeft gezeten? Niemand heeft gedacht dat je tot zoiets in staat was, niemand heeft het zien aankomen, jongen. Het kan niet in jou hebben gezeten! Je begreep niet eens wat je overkwam toen je het meisje doodde, je werd ertoe gedwongen, je was een werktuig in de handen van een onzichtbare, kwade macht, en zodra die zich van jou had bediend, liet ze je totaal ontredderd achter. Ze verdween, ze had je niet meer nodig. Ze meende te hebben bereikt wat ze wilde bereiken: je leven kapot maken, bewijzen dat je in de grond een misdadiger bent, dat alles wat goed, mooi en echt is in jou slechts schijn is en berust op leugens. Maar ze heeft niets bewezen! Voor je stierf moet je toch één seconde, misschien zelfs minder dan een fractie van een seconde gevoeld hebben dat al het goede in jou in opstand kwam. En je smeekte om vergiffenis, om verlossing!

Zeg me dat die éne seconde, dat éne ondeelbare ogenblik, er geweest is, jongen. Zeg het me... Ik wil het weten! Zonder antwoord kan ik niet verder leven.'

'Niet verder!' riep Franz na een lange stilte.

Het klonk waarschuwend. Alsof hij zich te ver had gewaagd in onbekend gebied en plots onraad bespeurde. Argwanend keek hij om zich heen, blijkbaar gereed om op te springen. Onzin, zei hij bij zichzelf, je hebt onzin zitten uitkramen. Hij klemde de lippen opeen. Heel bleek werd zijn gezicht. Het verkreeg nu de uitdrukking van iemand die vastbesloten is en krachten verzamelt om tot de daad over te gaan. Een tijdlang zat hij, de ogen gesloten, roerloos op de rand van de fauteuil. Dan sprong hij op, nam uit de lade onder de boekenplanken briefpapier en een omslag, en ging in de living aan tafel zitten, recht tegenover het schilderij *Schwarzwaldimpressionen*. Uit de binnenzak van zijn jasje nam hij zijn balpen en hij schreef:

Liefste Ada,

Zaterdagavond zei je me dat ik je altijd mijn dromen moest vertellen, zelfs als ze slecht afliepen. En je verzekerde me dat je niet bang was van de afloop. Ik meen begrepen te hebben dat mijn dromen voor jou ook een stukje van mijn zielenleven zouden onthullen. Zo is het, lieveling. Iets vertellen ons de dromen, verlangens, verwachtingen... over wie we zijn, waardoor we wat dichter bij de oplossing van dat martelende raadsel komen. Toch zullen we het nooit kunnen ontwarren. Want op het vlak van kennis van het innerlijke schiet het verstand te kort. Een oneindig aantal levens zou nog niet volstaan om het innerlijke te begrijpen tot in zijn laatste verborgen plekje. Dat stemt me verdrietig. Ik kan niet geloven dat het verdriet het verstand scherpt, zoals Schubert, die gelukkig zijn kunst had, in zijn dagboek schreef. Het maakt je verschrikkelijk eenzaam, dát wel! Het is ook zo moeilijk om ermee om te gaan. Verdriet volgt zijn eigen weg met een onverbiddelijke logica. Hoe tragischer en onbegrijpelijker de omstandigheden die het veroorzaken, hoe meer vragen we ons beginnen te stellen, pijnlijke, brandende vragen om toch maar tot inzicht te geraken in onszelf en in wat anderen voor ons te betekenen hebben. We blijven ze stellen, ofschoon we weten dat er geen antwoord op kan worden gegeven. Maar die wetenschap maakt er ons al bij al van bewust dat de dingen die we voor onmogelijk achtten, later toch kunnen gebeuren: een waarheid die iedereen zal beamen. Alleen zouden onze ogen vlugger moeten opengaan. Dan zouden we de erge dingen misschien kunnen voorkomen, of tenminste alles in het werk kunnen stellen dat ze niet zouden gebeuren. Lieveling, ik heb nagelaten te doen wat ik moest doen. Ik had je in vertrouwen moeten nemen, maar ik leefde net zoals Oswald in een eigen, ontoegankelijke wereld. Het waren jouw woorden, Oswald was pas naar Gent vertrokken, eerder dan verwacht. Hij zal niet meer terugkeren, lieveling. Hij is de eenzaamste van alle wegen ingeslagen, de enige weg waarvan geen terugkeer mogelijk is... Ja, Oswald is dood! En we hebben hem niet echt gekend, we hebben nooit geweten dat hij hartstochtelijk veel hield van een meisje, maar van haar is weggegaan. O, bel het meisje op! Ze heet Ingrid Van den Eede; zij zal je alles vertellen. Het is te hard voor mij om nu alles neer te schrijven. Behalve dit: ook jij bent betrokken in het verhaal dat ze over haar en Oswald heeft geschreven en aan mij heeft gestuurd. Eigenlijk ben jij de reden waarom Oswald van Ingrid is weggegaan en uiteindelijk begint daar het verhaal. Het begint bij jou, lieveling, bij de moeder! Oswald hield van jou, zozeer was hij aan jou gehecht dat hij het als een verraad moet hebben ervaren liefde voor Ingrid te voelen, hij wilde haar liefde niet beantwoorden, hij kon ook niet... Een verschrikkelijk gevecht moet er zich in hem hebben afgespeeld: kiezen voor jou of voor Ingrid. Maar heeft hij wel kunnen kiezen? Werd hij niet eerder naar jou gedreven, lieveling? Er moet van jou zo'n aantrekkingskracht zijn uitgegaan dat hij er zich onmogelijk tegen kon verzetten. Het zou mij verbazen als jij niet hebt aangevoeld hoezeer hij van je hield. Ik van mijn kant heb het nooit zo gemerkt. De literatuur had mij behekst, en op een dag, niet lang geleden, ook een talentvolle schrijfster als Ingrid. Maar al vlug kwam de ontnuchtering en de angst. Haar verhaal deed mijn ogen opengaan, veel te laat. Ik groef in het verleden om Oswald en jou te leren kennen. Ach, de kleine Oswald slapend op je schoot... jullie beiden onschuldig slapend naast de heldere beek, terwijl ik terugkeerde van een zwerftocht in het groene heuvelland van Wales! Nu hoef ik me niets meer te herinneren, lieveling. En mijn angst ben ik kwijt! Nu weet ik met vlijmscherpe pijn in het hart dat het grote raadsel niet de dood is maar het leven – dat me heeft bedrogen. Vergeef me die laatste woorden, Ada! Ik heb niet gelogen toen ik je zei dat ik nog altijd VAN JE HOU... En toch zal ook ik wéggaan!

Als ik werkelijk in een hiernamaals zou geloven, zou ik er meteen aan toevoegen: om bij Oswald te zijn, om hem aan mijn borst te drukken en hem te verzekeren dat hij voor eeuwig mijn geliefde zoon blijft. Ik ga NU omdat ik wil ervaren wat het betekent te sterven, de dood onder ogen te zien zoals Oswald, die wel heeft geloofd. Bleef ik hier, dan zou dat voor jou een kwelling kunnen worden, wat ik je niet mag aandoen! Veroordeel ons niet, lieveling. Bestaat er een gerechtigheid die niét van deze wereld is, dan ben ik niet bang me eraan te onderwerpen.

Ik omhels je,

Franz

Het telefoonnummer van Ingrid staat in mijn agenda. Als je haar opbelt, zal ze reeds op de hoogte zijn. Neem ook contact op met Steven Van Eyck, de oud-leraar godsdienst van Oswald; onze zoon was zijn lievelingsleerling. Zijn adres en telefoonnummer vind je eveneens in mijn agenda.

Nog een volle minuut hield Franz zijn blik gericht op het schilderij Schwarzwaldimpressionen. Zijn gezicht stond strak. Niet de minste emotie verried het. Heel even streek hij met zijn hand over het voorhoofd. Alsof hij een onwelkome gedachte weg wilde wrijven. Dan vouwde hij de brief dicht en stak hem in de envelop, waarop hij schreef: Aan Ada. Rustig en weloverwogen verrichtte hij die handelingen. Vervolgens vergewiste hij zich ervan of hij zijn gsm en agenda bij zich had. Dat bleek inderdaad het geval te zijn. En toen hij naar de hal ging en de brief op het kastje legde naast de telefoon, straalde hij zo'n kalmte en beheersing uit dat zijn houding er iets plechtstatigs door verkreeg. Het leek wel, nu alles was uitgesproken en geschreven, of er niets anders meer kon plaatsvinden dan het trage, behoedzame voltrekken van een ritueel.

Franz keek op zijn horloge. Het was bijna vier uur. Hij nam zijn gsm en stelde de alarmklok in op vijf uur. Het was het uur waarop hij en Ada, zoals afgesproken, thuis zouden komen om daarna samen naar zijn vader te rijden. Zo zou ze, dacht hij, stipt als ze steeds was, terstond worden gewaarschuwd wanneer ze binnenkwam, en meteen de brief vinden. Dan belde hij Ingrid op. Maar ze antwoordde niet. Hij verzond een bericht. Nauwgezet en geconcentreerd drukte hij de toetsen in: 'Lieve Ingrid. Oswald is dood. Spoedig zal ik er ook niet meer zijn. Als je meer wil weten, bel dan mijn vrouw op het nummer... Ik dank je voor het vertrouwen. Franz.'

Vervolgens legde hij zijn agenda en gsm bij de brief op het kastje en opende – om de mondhoeken een zweem van een glimlach – de deur naar de keuken. Voor de afwasbak plaatste hij een stoel. Hij liet het water lopen, trok uit het houten blok op het aanrecht een van de messen, ging zitten en sneed zich, de handen onder het stromende koude water houdend, beide polsen door.

Om kwart over vijf vond Ada hem naast de stoel op de grond. Het water stroomde nog. Een spoor van dikke bloeddruppels liep tot aan de muur waaraan de grote kleurenfoto van Oswald hing, de foto genomen tijdens hun vakantie in de Schotse hooglanden. Met zijn laatste krachten was Franz opgestaan om nog even in zich het beeld op te nemen van zijn dertienjarige zoon, vol trots gezeten op een paard. Maar hij was er niet in geslaagd opnieuw te gaan zitten.

10

Meer dan zeven maanden zijn er verlopen. Het is een prachtige zomer. Steven heeft een huisje gehuurd in de Ardennen. Het ligt te midden van de bossen, niet ver van de Lesse. De ziekte van zijn vrouw lijkt voorlopig onder controle. Ze leven op hoop en genieten met volle teugen van de natuur. Maar de onzekerheid blijft. En knaagt.

Op een middag maken ze een wandeling langs de rivier. De zon schijnt overvloedig. Ze rusten uit onder een jonge eik tegenover een stroomversnelling. Kanovaarders pagaaien luidruchtig schreeuwend voorbij. Wanneer ze verdwenen zijn, zegt Steven: 'Dat hebben we vroeger ook gedaan. Herinner je je nog dat we kopje-onder gingen in de waterval?'

'Ja...' Ze kijkt in gepeins verzonken voor zich uit.

'Ik vraag me af of ze zal komen,' zegt hij.

'Ik zou blij zijn als ze kwam. Maar ze heeft het nog heel moeilijk.'

'In ieder geval, het was een goed idee om haar uit te nodigen.'

'Ze weet dat ze steeds op ons kan rekenen. Maar van dat schuldgevoel zal ze nooit afkomen. Toen ik vorige week bij haar was... Nee, ik wil je er nu niet mee lastigvallen!'

'Vertel het gerust. Of mag ik het niet weten?'

'Toch wel. Ik was nauwelijks bij haar of ze barstte plots in tranen uit en zei: 'Wat ik voel is nog erger dan de ergste lichamelijke pijn! Het is *mijn* schuld dat ze nu beiden dood zijn... en zijn vader heeft het niet overleefd! Mijn schuld,' bleef ze koppig herhalen. Ze was ontroostbaar. Tenslotte zei ze: 'Wat voor zin heeft het nog verder te leven.' Ik zweeg. Haar woorden sneden me de adem af. Ze greep mijn beide handen vast en vroeg smekend: 'Heeft het nog zin? Zeg me de waarheid. Jij moet toch weten of het nog zin heeft.' Ik vond geen antwoord, Steven. Wanhopig zocht ik ernaar maar ik vond er geen. Haar leed overrompelde mij. Toen heb ik vol medelijden een arm om haar schouders gelegd. Een hele tijd bleven we zo in de sofa zitten. We voelden ons allebei ellendig, omdat we wisten dat we van elkaar de pijn en de onzekerheid niet konden wegnemen. En toch vonden we in al onze ellende een beetje verlichting. Ik voor mijn ongeneeslijke kwaal, zij voor haar ongeneeslijke gevoel van schuld. Maar (ze vlijt haar hoofd op zijn schouder) hoe kan ik zoiets zeggen! Jij bent sinds ik ziek ben voor mij altijd een steun geweest, alsof ik bij jou nooit troost heb gevonden. Het spijt me vreselijk. Nee, in vergelijking met wat zij doormaakt, betekent mijn kwaal niets. Ik heb *jou*. Maar wie heeft zij nog? Collega's op haar werk met wie ze er niet kan over praten, een vriendin die het ontzettend druk heeft...'

'Jij bent nu voor haar een vriendin geworden, Ellen. Als ze jou niet had, zou het met haar slecht aflopen, denk ik.'

'Maar wat als ik er niet meer ben?'

'Ellen!'

'Ja, Steven, ik moet het onder ogen durven zien. Eerlijk gezegd, het valt me gemakkelijker het te aanvaarden, nu ik Ada heb leren kennen. Wanneer het zover is, wanneer de therapie niet langer helpt, zal ik mijn lijden proberen te dragen tot het bittere einde.'

Hij drukt haar tegen zich aan. Ze zwijgen en luisteren naar het wondere samenspel van bladgeritsel, vogelgezang en donker gebruis van water. Van ver en nabij komen de geluiden, alle ontspringend aan dezelfde verborgen bron van stilte.

Plots zegt Ellen: 'Het is alsof ik de muziek hoor die jij hebt gespeeld op de dag van de begrafenis.'

'Een fuga van Bach waarnaar Oswald zou zijn komen luisteren.'

'Zal je ze ook voor mij spelen?'

'Voor jou?'

'Ja, Steven. – Toen was het alsof God onder ons was. Je had God tevoorschijn gespeeld!' Ze lachte 'Dat moet je ook doen wanneer ik...'

'Je leeft, Ellen,' onderbrak hij haar. 'En in jou leeft God.'

'Wat ben je een onwrikbare godsdienstleraar,' schertste ze met een ondertoon van ernst. 'Maar ik hou van je zachte onwrikbaarheid. Ik voel dat die meer te maken heeft met het hart dan met het hoofd. Ik wou dat ik kon geloven als jij. Het lijkt zo eenvoudig en vanzelfsprekend!' Opnieuw lacht ze. 'Dus als ik jou omhels, omhels ik God.'

'Zo is het. Als we elkaar echt liefhebben, hebben we ook God lief, zelfs al denken we niet aan Hem, of zouden we nooit van Hem hebben gehoord. Groei ik in liefde, dan laat ik ook toe dat God in mij groeit en helemaal van mij bezit neemt. Er is veel ontoereikendheid in de liefde, maar gelukkig helpt God mij erbovenuit te stijgen. En dankzij jou heb ik Hem beter leren kennen.'

'Ook dankzij die vreselijke gebeurtenissen?'

'Hij is barmhartig, Ellen. Hij laat je niet aan je lot over, hij luistert vol mededogen naar ons verdriet. Maar nu zou ik moeten zwijgen, want ik ben aardig op weg om van Hem een ideale mens te maken, een soort Opperwezen... en dat is Hij helemaal niet! Ik hou niet van al die bijvoeglijke naamwoorden en superlatieven. Laten we die voor ons bewaren om ze te gebruiken wanneer het nodig is. Ellen, ik hou van je,' fluisterde hij in haar oor. 'Laten we nooit meer over God praten, we hebben het nooit gedaan, laat dit de enige keer zijn geweest, de enige noodzakelijke keer. Het is voldoende te weten dat Hij *in* ons is en onze innerlijke kern vormt. Laten we over Hem spreken met onze ogen, oren en handen – met ons hart!' Steven sprong op en trok haar omhoog naar zich toe:

> 'Kom mijn Beminde
> Kom vlug als een gazelle, een jonge hinde
> de geurige bergen op...'

'De laatste verzen uit het hooglied van Salomo,' zegt ze meteen alsof ze hem voor wil zijn. 'Het is lang geleden dat je ze hebt uitgesproken.'

'Te lang, lieveling.' Hij omhelst haar innig. Drukt zijn lippen op de hare. Ze strelen elkaar, lang en teder – hun ogen vol donker verlangen. 'Gaan we?' vraagt hij. Ze knikt. Weet dat hij nog graag verder was gewandeld tot aan een plek waar ze heel intiem konden zijn met elkaar. Een poos blijft ze staan. Net of ze nog niet tot een besluit is gekomen. Zonnestralen flitsen door de kruin van de eik. Het water bruist. Opnieuw weerklinken luidruchtige stemmen van kanovaarders. Ze volgt hen met de ogen. Ziet jongens en meisjes in zwempak. Hun krachtige, gezonde lichamen schitteren. In de stroomversnelling kantelt een kano. De jongen en het meisje proberen het bootje om te draaien. Ze staan tot hun heupen in het water, trekken en duwen uit alle macht en slagen er wonderwel in het evenwicht te bewaren. Ellens blik haakt zich vast aan het lichaam van het meisje. Ze denkt terug aan de jaren toen ze de blikken van de jongens op haar jonge lichaam voelde rusten. Heel levendig herinnert ze zich plots de eerste keer dat Steven met warme, voorzichtige handen haar borsten streelde alsof ze iets zeldzaam teers en kostbaars waren. Dat kostbare moest hij nu missen. Het doet haar pijn dat haar lichaam niet meer alles kan geven waarnaar een man verlangt. Uiteindelijk lukt het de jongen en het meisje de kano in de juiste stand te kantelen. 'Hoi!' roepen ze en pagaaien verder. 'Hoi!' roept Steven terug en zwaait. 'Ik stond op het punt te gaan helpen,' zegt hij.

Ze vatten de terugweg aan. Stilzwijgend beklimmen ze het pad dat naar hun vakantiehuisje leidt. Hij loopt voorop. Houdt af en toe halt om Ellen op adem te laten komen. 'Je hoeft niet te wachten,' zegt ze. 'Ik ben niet moe.' Ze wil tonen dat ze nog sterk is.

Wanneer ze weer thuis zijn, neemt hij haar in zijn armen. 'Dat was heerlijk, Ellen!'

'Ja...'

'Ik ga me verfrissen,' zegt hij.

Ze gaat zitten bij het raam. Haar hart slaat snel. Dromend staart ze naar buiten.

'Ik ben klaar!' hoort ze plots. 'Ik wacht op je in de kamer.'

Ze loopt naar de douche. Tranen wellen op, wanneer ze in de spiegel haar lichaam ziet. 'Hij heeft je lief,' fluistert ze. 'Je mag niet wenen – hij heeft je lief.' Een tijdje later vlijt ze zich naast hem neer op het bed. Dan buigt hij zich over haar... Ze zijn sinds haar operatie al intiem met elkaar geweest, maar steeds 's avonds nadat ze het licht had uitgedaan. Ze wilde het zo. Nu echter toont ze zonder schroom haar naaktheid. En als zijn handen over haar broze lichaam glijden, voelt ze in zijn tedere strelingen een kracht en innigheid die ze nooit eerder heeft ervaren.

In de late namiddag zitten ze buiten op het terras te lezen. De dennen geuren. Geluiden zijn ver weg. Steven herleest de kopie van het script dat Franz hem maanden geleden heeft gegeven. Hij had ze na de begrafenis aan Ingrid willen terugbezorgen, doch ze had erop aangedrongen dat hij ze zou bewaren voor het geval dat Ada het verhaal toch eens zou willen lezen. Meteen had hij begrepen dat Ingrid geen contact wenste te onderhouden. Wat hem droevig had gestemd. Plots richt hij zich tot Ellen: 'Was ik de vader van Oswald geweest...' Hij breekt zijn zin af.

'Hij hoorde in deze wereld niet thuis, Steven.'

'En de wereld heeft juist nood aan jonge mensen die zijn zoals we Oswald op school hebben gekend.' Hij meent er nog aan toe te voegen: Als wij kinderen hadden gehad... Maar hij zwijgt. Ook zij zwijgt, ofschoon hij er zeker van is dat ze weet wat er in hem omgaat. De stilte duurt. Ze hebben hun lectuur op het tuintafeltje gelegd en kijken in de verte, in de richting van de Lesse.

Wanneer ergens een hond begint te blaffen, zegt Ellen: 'Ik weet niet of Ada ooit over Oswald zal kunnen spreken...'

'Ze hoeft niet te spreken over wat ze in haar hart verbergt,' antwoordt hij. 'Laat dat een geheim blijven tussen haar en haar zoon. Maar ik denk wel dat ze ooit de kracht zal vinden om mooie herinneringen op te halen.'

'Ik hoor bellen,' onderbreekt ze hem. 'De gsm!' Ze gaat naar binnen.

Enkele ogenblikken later is ze terug. Haar gezicht straalt. 'Het was Ada...' zegt ze, blij als een kind.

'Ze komt,' fluistert Steven.

'Ja, morgen!'